COCO ET IGOR

Chris Greenhalgh

COCO ET IGOR

Traduit de l'anglais par Elsa Maggion

calmann-lévy

Titre original anglais :
COCO AND IGOR
Première publication : REVIEW (Headline Book Publishing), Londres, 2002

ISBN 978-2-7021-3981-3

À Ruth, Saul et Ethan

Et un homme viendra
Pas de noces et pourtant
Nos mérites seront tels
Que le XXe siècle en aura le souffle coupé

Anna AKHMATOVA

1

Au matin du jour de sa mort, un dimanche, Coco partit faire un tour en voiture.

C'était le seul jour de la semaine où elle prenait la liberté de quitter l'atelier. Enveloppée dans un manteau de tweed pour se protéger du froid de janvier, elle était assise à l'arrière, près de la vitre, derrière son chauffeur. Le rétroviseur reflétait le visage d'une octogénaire aux yeux rougis et aux longs cils d'autruche. Sa peau était bistre et parcheminée par l'excès de bains de soleil et de cigarettes.

« Où allons-nous, mademoiselle ?

— Peu importe. Roulons. »

Le chauffeur accéléra, puis la voiture se mit à ronronner sur les pavés. Recroquevillée sur son siège, Coco se sentait extrêmement seule. La banquette exhalait une odeur de cuir et son contact froid la glaçait jusqu'aux os.

« C'est dégoûtant, dit le chauffeur.

— Quoi donc ?

— Ceci », répondit-il en désignant les trottoirs.

Coco chaussa ses lunettes en marmonnant. À l'extérieur, le calme lui parut étrange. Les arbres semblaient flotter tels de lointains fantômes. Le son monotone des cloches de la Madeleine se propageait comme une réponse amicale au carillon humide des autres églises du centre de Paris.

Peu à peu, elle découvrit un spectacle répugnant : les rues étaient jonchées d'oiseaux morts. Des pigeons, surtout. Elle tourna vivement la tête afin de regarder par une vitre, puis par l'autre. Son visage s'assombrit.

« Arrêtez la voiture ! Je veux descendre », intima-t-elle au chauffeur.

Il se rangea sur le côté. La visière de sa casquette frôla le toit lorsqu'il descendit de voiture pour aider Coco à sortir. Bien que fringante pour son âge, sa fragilité obligeait le jeune homme à lui donner le bras pour monter sur le trottoir.

Coco cilla en regardant alentour. Des cadavres raidis d'oiseaux aux serres recourbées recouvraient l'avenue. Ils reposaient là, les ailes flasques, gris pour la plupart, avec quelques touches mauves et un collier moiré, la tête sur le côté et le bec entrouvert. Un des pigeons battit mollement de l'aile aux pieds de Coco.

« Mon Dieu ! » s'écria-t-elle.

Un haut-le-cœur la saisit et pendant quelques instants elle fut prise d'un malaise.

Un peu plus bas, elle remarqua une scène de carnage plus impressionnante encore. Dans le bassin d'une fontaine, vide, s'amoncelaient des corps d'oiseaux morts au plumage abîmé. Des tas de plumes dessinaient des astérisques sur les allées de sable silencieuses.

« Qu'est-il arrivé ? demanda Coco, bouleversée.

— La municipalité a décidé qu'ils devaient être exterminés. Ils souillaient la ville, s'écrasaient contre les pare-brise, transmettaient des maladies..., répondit le jeune homme avec détachement. On en a parlé dans les journaux, ajouta-t-il d'un ton respectueux.

— Mais comment ?... »

D'un geste du bras, elle tenta de montrer l'étendue du massacre.

« On a déposé cette nuit dans les bassins des parcs, continua le chauffeur, un poison assez puissant pour tuer les pigeons. »

Il frotta ses mains gantées de noir l'une contre l'autre. Vêtu d'une livrée légère du Ritz, il commençait à ressentir le froid.

Remarquant que Coco semblait attendre de plus amples explications, il ajouta :

« Ils ont choisi d'opérer un samedi soir pour pouvoir nettoyer les rues sans dérangement le dimanche. »

À cet instant, Coco remarqua la petite armée de véhicules de nettoyage qui parcouraient déjà le centre-ville désert. Elle observa les hommes en salopettes bleues qui s'affairaient à la tâche macabre de déblayer les rues. Ils ressemblaient, songea-t-elle alors qu'ils ramassaient les pigeons à l'aide de râteaux, à d'horribles croupiers.

Ses jambes se dérobèrent, si bien qu'elle dut s'appuyer contre une grille pour ne pas perdre l'équilibre. Ses gants se couvrirent de petites particules de rouille. Une voix s'éleva dans son crâne, un cri intérieur, un bourdonnement aigu et appuyé, comme des acouphènes.

« Mademoiselle ? »

Le chauffeur tendit l'oreille, mais comprit que les paroles de la couturière ne lui étaient pas destinées.

Les pensées de Coco allaient vers Igor et ses oiseaux. Comme il aurait été désolé par ce massacre, comme il aurait été horrifié !

Elle fut abasourdie de découvrir à quel point il lui manquait, même à présent. Elle avait vu mourir tous ses compagnons, l'un après l'autre, la laissant seule dans le grand âge. Mais lui était encore vivant. Étrange, songea-t-elle, qu'ils aient tous deux survécu quand les autres étaient partis. Elle eut un souvenir attendri de l'été qu'ils avaient passé ensemble dans sa villa : Bel Respiro. Cinquante ans plus tôt.

Elle fut surprise de ressentir soudain ce vide, cette terrible solitude. Tout paraissait illusoire. L'espace d'une seconde, il lui sembla que le monde sonnerait creux si on frappait le sol.

À ses côtés, le chauffeur attendait patiemment son caprice suivant.

« Mademoiselle ?

— Quoi donc ? » demanda-t-elle, l'air absent.

Ramenée à la réalité, elle vit les arbres squelettiques et prit conscience du silence, maintenant que les cloches de l'église s'étaient tues. L'odeur de décomposition la fit grimacer.

« J'ai froid », dit-elle en frissonnant.

Sous les gants, ses doigts étaient gourds. Resserrant les pans de son manteau, elle signifia d'un geste bref son désir de retourner à la voiture.

Alors que l'automobile s'éloignait du bord du trottoir à vive allure, elle tenta d'arranger son reflet fuyant dans le miroir de son poudrier.

« Ralentissez ! grommela-t-elle. Qu'est-ce qui presse ? »

De nouveau, ce bourdonnement à ses oreilles, comme une guêpe dans un bocal.

Elle ressentit un besoin impérieux de couleur en cette journée qui semblait avoir été dépouillée. Même les publicités, d'ordinaire criardes, n'offraient qu'un éclat affaibli. Tremblante, Coco appliqua avec peine du rouge sur ses lèvres. Sa bouche vermeille donnait une touche flamboyante à la matinée. Elle ôta ses gants, révélant ses doigts, longs et noueux. Écœurée, elle les observa comme s'il s'agissait de serres, comme si les taches brunes qui les altéraient étaient une espèce de lèpre.

Coco avait la vieillesse en horreur. Elle détestait son caractère inexorable, parfaitement implacable — comme le flétrissement des feuilles et l'arrivée du froid.

Féminine sans effort particulier toute sa vie durant, elle n'avait plus la sensation d'être une femme à présent, mais simplement un assemblage de peau et d'os prêt à rejoindre la terre. Tout s'était passé si vite. Son existence avait défilé, floue, à l'image de la ville qu'elle observait par la vitre de sa voiture.

Le chauffeur reconduisit Coco au Ritz, où elle avait sa suite. Il l'accompagna derrière la large porte tambour.

« Je peux me débrouiller seule maintenant, dit-elle pour le congédier. Je ne suis pas handicapée. »

D'un geste qui traduisait le respect et la bienveillance, le jeune homme réajusta sa casquette avant de regagner la voiture.

Coco sentit la température changer lorsqu'un air chaud caressa son visage. Elle traversa le hall, où un employé passait l'aspirateur, décrivant de gigantesques cercles sur le sol. Elle prit soin de ne pas trébucher sur le cordon.

« Bonjour, mademoiselle Chanel », lui dit le réceptionniste derrière son comptoir.

Avec circonspection, et sans un regard elle lui adressa un signe de la main en guise de réponse. Le fil, songea-t-elle, participait d'une conspiration pour la piéger — de même que les parquets trop cirés et les tapis sans cesse déplacés dans sa chambre. Tous complotaient contre elle ; elle en était convaincue. Elle sourit à l'idée qu'elle avait encore une fois déjoué leurs plans. Une nouvelle tentative de l'éliminer avait échoué.

Alors qu'elle se dirigeait vers l'ascenseur, elle fut saisie par la puanteur du grill-room. Des asperges cette fois-ci. Et s'il ne s'agissait pas d'asperges, c'était peut-être de l'estragon ou de l'ail. Cet endroit dégageait toujours une odeur épouvantable. Elle tenait le maître d'hôtel pour responsable. Il le faisait exprès, elle en était certaine. Elle l'avait informé à plusieurs reprises du désagrément occasionné par les relents des plats des autres clients. Il n'avait jamais pris en compte ses doléances. C'était sa manière de l'agresser, conclut-elle ; son stratagème pour la chasser.

Les portes de l'ascenseur s'ouvrirent comme des lèvres avides. Elles se refermèrent sur elle avec un bruit de succion.

La femme de chambre de Coco, Céline, était déjà occupée à faire le lit de sa maîtresse. Coco tourna la clef dans la serrure et ouvrit la porte.

Son employée la salua, au garde-à-vous. Sans s'arrêter, Coco la toisa.

« Vos cheveux sont trop longs et votre jupe trop courte. »

Céline sourit, porta une main à son serre-tête et tira sur l'ourlet de sa jupe, comme pour s'excuser. Elle savait que Coco la taquinait.

« C'est la mode, rétorqua la jeune fille.

— Qu'en savez-vous ? » railla Coco.

Piquée au vif, Céline se remit à faire le lit. Mais Coco, posant une main sur son bras pour l'arrêter, ajouta d'un ton plus doux, implorant presque :

« Je me sens lasse. »

Elle s'appuya sur le globe de cuivre d'un des montants du lit et aperçut son reflet tassé par l'orbe. La tête lui tournait.

« Je veux m'allonger », déclara-t-elle.

La bonne acquiesça et lui sourit. Coco ôta son manteau, ses lunettes, puis, non sans peine, ses chaussures. Elle s'assit ensuite sur le bord du lit et posa la tête sur l'oreiller. Elle tressaillit un peu lorsqu'elle releva les jambes pour les allonger.

Jamais elle ne s'était sentie à ce point épuisée. Les oiseaux morts l'avaient déprimée. Elle avait mal au cœur. Qu'est-ce qui l'avait poussée à s'attarder sur de pareilles images en son unique jour de congé ? Elle devait se reposer avant de reprendre le travail demain. Elle avait mille choses à faire. La collection de printemps à peine terminée, on la pressait déjà de présenter des dessins pour celle d'été. La pression commençait. Chaque année, elle se faisait plus pesante. Coco se concentra sur l'emploi du temps de la semaine à venir dont les détails formaient un nœud inextricable. Elle ressentit une douleur au crâne et une tension dans les épaules alors que dans ses doigts et ses orteils le sang lui semblait circuler plus lentement.

Elle ferma les yeux et s'abandonna au souvenir des mois passés avec Stravinski dans sa villa. Le plus grand compositeur et la couturière-parfumeuse la plus célèbre de leur siècle, vivant sous le même toit. Qui l'aurait deviné à l'époque ? Qui le croirait à présent ?

Doucement, le fil de ses pensées inquiètes se rompit, laissant place au souvenir du soleil, du chant des oiseaux et des soubresauts du piano. Peu à peu, ces rythmes se fondirent dans celui de son souffle tandis que, l'esprit envahi de rêves, elle s'assoupissait, puis sombrait dans un sommeil plus profond.

Elle se réveilla une heure plus tard, sous l'effet d'une douleur aiguë qui irradiait dans sa poitrine. La sensation s'étendit vite à ses bras. Puis une violente migraine vint lui marteler le crâne.

Elle regarda autour d'elle, aperçut les murs blancs de sa chambre, puis sa table de chevet. Un verre d'eau y était posé à côté d'une lampe et d'une icône en triptyque, cadeau de Stravinski un demi-siècle plus tôt.

Les murs blancs. La table de nuit. L'icône. Affolée, Coco chercha du réconfort dans ces objets familiers, mais elle se sentait toujours perdue.

Soudain, quelque chose se brisa en elle. Dans ses yeux, apparut un éclat sauvage. Elle fut saisie d'effroi.

« Aidez-moi à me redresser, vite ! » cria-t-elle à la femme de chambre qui accourut de la pièce adjacente. Coco se sentait suffoquer.

« Je n'arrive plus à respirer ! »

La peur se lisait dans ses yeux. Sa propre voix lui paraissait étrangère. Elle tira sur son collier de perles comme s'il l'étranglait. Puis, soudain, la pièce se mit à tourner autour d'elle, valsant dans une brume vertigineuse. La peau moite, Coco exhalait un puissant parfum de panique. L'iris de ses yeux semblait entraîné dans ce tourbillon.

Céline saisit une seringue et ouvrit avec peine une fiole de Sedol.

« Ne craignez rien. Je suis là. Tout ira bien. »

Le regard de Coco semblait happé par un angle de la pièce. Son corps pâlit. Ses doigts s'engourdirent. Une note aiguë pénétra son crâne.

« Ils sont en train de me tuer ! » parvint-elle à articuler dans un cri presque muet.

À cet instant, elle sentit quelque chose d'irrémédiable s'emparer d'elle. Et dans la demi-seconde qui précéda l'étreinte de la mort, alors que les ultimes molécules d'oxygène pénétraient son cerveau, un million d'images se bousculèrent en elle.

Tout apparut avec la clarté d'un reflet, l'éclat brumeux d'un rêve. Et dans cette dernière lueur, elle se souvint de son visage lorsqu'il se penchait pour l'embrasser et revit distinctement ses yeux noirs.

« Ça y est », marmonna-t-elle.

Elle s'enfonça dans le silence. Son visage avait perdu toute expression. Autour d'elle : l'obscurité. Puis le néant.

Céline approcha la seringue du bras de Coco, mais il était trop tard. Elle la reposa délicatement. Avec un calme qui la surprit, elle ferma les yeux de Coco.

2

1913

Coco est chez elle, rue Cambon. Elle danse avec entrain au rythme d'une musique intérieure et chante devant une psyché.

Qui qu'a vu Coco
Dans l'Trocadéro...

Les lèvres rouges, les yeux noirs, elle porte une ravissante robe blanche à la coupe simple.

Elle se tourne à plusieurs reprises, admirant sa silhouette mince. Elle se plaît à entendre le bruit de son jupon lorsqu'il frôle la soie de sa jupe.

Elle a travaillé sur cette robe toute la semaine, s'est appliquée pour le col et s'est donnée du mal pour l'ourlet. Maintenant, au moins, elle est satisfaite. Sa création est sensationnelle, elle le sait. Les volants de soie blanche s'arrêtent, de manière audacieuse, bien au-dessus de la cheville. La robe droite et froncée épouse son corps comme un liquide.

Elle a trimé pour le chapeau aussi : un large bord de soie noire surmonté d'un fond ajusté. Elle le met, arrange une mèche de cheveux, puis ajuste le bord en un pli mutin. Un côté de son visage reste dans l'ombre.

Où ? Quand ? Combien ?
Ici. Maintenant. Pour rien !

Elle rit. Puis la tête langoureusement penchée en arrière, elle applique d'un doigt un soupçon de parfum sur son cou.

Ce soir, elle est exaltée. Elle n'a jamais assisté à un vrai concert auparavant. Plusieurs œuvres vont être interprétées avec, en première, la dernière œuvre de Stravinski. Tout le monde sera présent. Cela promet d'être un événement. Elle ressent quelque appréhension en même temps qu'une intense ivresse des sens. Chaque murmure de sa robe, chaque effluve de son parfum, chaque matière qu'elle effleure de la main semble aiguiser sa conscience du monde qui l'entoure.

La sonnerie du téléphone la fait sursauter. Elle décide de ne pas répondre, car le chauffeur l'attend déjà et elle ne veut pas être en retard Elle vérifie qu'elle a son sac à main, son ombrelle. La sonnerie s'arrête. Elle espère que ce n'était pas Caryathis qui appelait pour décommander. Tant pis, pense-t-elle, en enfilant ses gants.

Dans l'escalier, elle pense aux mannequins de la boutique au rez-de-chaussée. Des torses froids. Des têtes de plâtre. Des chapeaux relevés sur un côté et des jupes aux plis marqués. Elle sent la chaleur dont ils sont privés. Tout semble si calme et tranquille ici comparé à son agitation intérieure. Lorsqu'elle ouvre la porte, elle est accueillie par les parfums et les sons d'une fraîche soirée de printemps. Pour reprendre ses esprits, elle inspire plusieurs fois, profondément, comme si elle recevait un nouveau souffle de vie. Puis, d'un mouvement rapide, elle prend place à l'arrière de la voiture qui l'attend.

C'est le crépuscule, le moment où les lampadaires s'allument. Partout, les lumières de Paris s'animent. Un éclat cru envahit la capitale, au-delà de l'avenue. Les trams roulent sur les boulevards dans un grondement de tonnerre. Les omnibus s'emparent des rues. La voiture dépasse lentement le bar derrière le Ritz, puis tourne brusquement à droite dans la rue

Saint-Honoré. Le chauffeur, ralenti un instant par la circulation, prend la rue Royale, plus bas sur la gauche, vers la place de la Concorde. Lorsque le véhicule traverse les rails du tram, ses roues protestent dans un crissement aigu. Sous l'effet de la secousse le chapeau de Coco heurte le toit.

« Attention ! maugrée-t-elle à l'adresse du chauffeur.

— Désolé.

— Pff », lance-t-elle, avec un geste méprisant de la main.

Elle a travaillé dur tout l'après-midi. Son estomac crie famine : voilà plusieurs heures qu'elle n'a pas mangé. Elle ne se sentirait pas à l'aise dans cette robe autrement. L'idée de rencontrer son cavalier l'enthousiasme. Un ami a tout arrangé.

Sa nervosité ainsi que les cahots de la voiture lui donnent le vertige. La sensation de légèreté s'étend à ses membres. C'est étrange, mais alors que la voiture fait des embardées, elle a le sentiment d'être attirée vers un point précis par une force invisible. Pendant un instant, elle a l'impression de se voir flotter.

Enfin, après s'être frayé un chemin parmi la foule de l'avenue Montaigne, le chauffeur arrête le véhicule. Sur une colonne Morris s'étale une affiche du *Sacre du printemps* de Stravinski. Le théâtre a déjà ouvert ses portes. Les marchands de fleurs sont sortis en force. Des centaines de personnes attendent.

Coco se glisse dans l'obscurité bourdonnante. L'air paraît plus chaud ici, l'atmosphère chargée. Elle se sent attirée par l'énergie qui s'en dégage. Les fleurs des magnolias et des marronniers semblent plus lumineuses que les lampadaires.

Elle lisse sa robe et ajuste son chapeau, sur le côté, pour se donner l'air plus gai. Les spectateurs enjoués qui se bousculent laissent augurer une bonne soirée. Elle a conscience du regard des hommes sur elle. Ses pieds semblent à peine frôler le sol.

Elle glisse vers les lumières du théâtre comme si elle avançait vers l'autel de ses noces.

Igor, assis dans sa loge, se coupe les ongles de pied.

De petits croissants de lune de la couleur des touches en ivoire d'un vieux piano sont éparpillés sur le tapis. Clic clac. Il se penche pour examiner la corne de son gros orteil. Il a coupé trop court avec le ciseau à cuticules, révélant un sillon de peau tendre, un arc de cercle à vif autour de l'ongle.

« Merde ! »

Pire, ses chaussures neuves le serrent et lorsqu'il se lève, il grimace de douleur. Il veut mettre sa chemise, boutonnée jusqu'au col, mais il ne peut pas passer la tête. L'espace d'une seconde, il croit étouffer. La blancheur l'aveugle. Il déteste cette sensation. Elle lui rappelle sa chute sous la glace quand il était enfant. Il lutte pour enfiler les manches, défait un bouton et, haletant, se libère.

Il sursaute presque face à son reflet dans le miroir, cette extension de lui-même, ce jumeau qui apparaît, les traits tirés. La droite et la gauche inversées produisent un curieux effet. Il porte une main à son visage. Il en sent le contact sur sa joue. Il est soulagé, mais quand ensuite il tousse, le son ne semble pas provenir de sa gorge.

Il arpente la pièce, inquiet. Il pianote des phrases complexes sur ses cuisses. Il craint que la partie du premier violon et celle de la flûte ne soient pas harmonieuses. Il a peur que la partition soit trop difficile, que les danseurs n'aient pas suffisamment répété. La chorégraphie lui paraît trop complexe. Elle est en décalage avec le tempo. Il n'a cessé de le répéter à Nijinski, mais celui-ci n'écoute pas. Il ne semble pas capable de compter correctement, il peine même à taper des mains en rythme. Diaghilev lui passe tout : son amant, bien entendu, est irréprochable.

Igor pressent des critiques assassines, des articles humiliants. Sa bouche est pâteuse, sa gorge sèche. Il lui faut un remontant. Il saisit son verre. Lorsqu'il le porte à ses lèvres, ses lunettes reflètent l'ondulation tremblante du vin.

Au même instant, les sons étouffés des instruments qu'on accorde s'insinuent dans la pièce : les gammes, les roulades, la répétition des passages difficiles. La musique, jamais jouée, fait encore partie de lui. Ses rythmes saccadés l'habitent et animent imperceptiblement ses membres. Son estomac gargouille au bruit des bois qui s'accordent. Il entend la descente en demi-tons mineurs contre la montée en septièmes dans les notes graves et de nouveau il se sent mal. Il observe ses mains, marbrées. La peur le rend presque nauséeux.

Il imagine les musiciens qui, prenant place sur scène un à un, dessinent comme un motif au crochet. Il s'efforce de ne pas penser au public. Il est lui-même un spectateur agité et se représenter des centaines de personnes qui remplissent peu à peu la salle le met mal à l'aise.

À vrai dire, il n'est pas certain que les spectateurs soient prêts pour ça. Il plaint presque les artistes, là-bas, sur la scène. Le public ne s'attend pas à ce qui va se passer. Dieu sait comment il va réagir

Il songe à sa femme, Catherine, son auditrice idéale. Il souhaite presque sa présence. Elle attend leur quatrième enfant et souffre de nausées. Instinctivement, il pose la main sur la poche intérieure de sa veste, du côté de son cœur, où se trouve le petit crucifix clouté qu'elle lui a offert comme porte-bonheur pour la soirée. Au contact de l'objet sous le tissu épais, il sourit, apaisé. Cette nouvelle grossesse le réjouit. Pourvu que ce soit une fille, comme le souhaite Catherine. Deux enfants de chaque sexe, ce serait bien, pense-t-il ; l'équilibre est plaisant. Il veut faire un triomphe ce soir, pour elle. Il ôte la croix de sa poche et l'embrasse.

Dans quelques heures ce sera terminé, songe-t-il. Cependant, l'accueil réservé à la représentation sera sans doute déterminant pour son avenir. Sa carrière de compositeur risque d'en dépendre. Ces dernières années, il a bien travaillé ; il a été remarqué. On dit qu'il est prometteur, qu'il a du potentiel. À présent, à trente et un ans, il sait que le moment est venu de l'exploiter. Il lui faut un grand succès pour asseoir sa réputation. Ce soir pourrait être un tournant, si tout se déroule bien.

Un garçon frappe à porte.

« Dans cinq minutes, monsieur. »

Alors qu'il vide son verre, son visage s'empourpre. Les manchettes de sa chemise le préoccupent. Pour la énième fois, il consulte l'horloge. Il attend que l'aiguille des minutes atteigne le douze.

Il jette un ultime coup d'œil à son reflet dans le miroir pour se rassurer et, de la main, ôte des peluches imaginaires du revers de son costume. Il se signe.

« S'il vous plaît, mon Dieu, faites que tout se passe bien ! »

Puis, inspirant profondément, il ouvre la porte. La musique se fait plus forte. Les battements de son cœur s'accélèrent. Il rejoint la salle à grands pas.

À l'intérieur du récent Théâtre des Champs-Élysées, construit dans un splendide marbre blanc, une frise d'or court le long des murs, reliant les loges entre elles.

Le Tout-Paris est présent. Partout dans la salle, des présentations succinctes ou des retrouvailles enthousiastes entre amis d'un jour. Crescendo et decrescendo des rires. Les éventails attisent le feu des commérages. Dans les allées, des rumeurs sont lancées, puis démenties.

Coco a toujours rêvé d'assister à un spectacle comme celui-ci, mais à présent, elle craint de ne pas être à sa place. Elle est mal à l'aise entourée de ces gens riches et étranges. L'opulence a un parfum immoral. Elle observe minutieusement les hommes, en costume, qui jouent avec les bagues ornant leurs doigts, et les femmes enturbannées ou étranglées par des boas en plume d'autruche.

Elles lui portent des regards désapprobateurs, sans trop qu'elle sache pourquoi. Ce n'est pas comme si elle était plus originale. Au contraire, la coupe de sa robe est austère. La simplicité de la jupe, son élégance discrète font paraître leurs tenues prétentieuses en comparaison. Sa silhouette mince est intimidante. C'est précisément cette pudeur, cette *nonchalance de luxe* qu'elles jugent irrespectueuse. Coco donne l'impression de ne faire aucun effort. Son naturel ébranle.

Avec leurs plumes, leurs jupes en taffetas ou leurs lourdes robes de velours, les autres spectatrices paraissent ridicules à Coco, consciente des regards dédaigneux qu'elle attire. Si elles veulent ressembler à des boîtes de chocolat, c'est leur affaire, conclut-elle. Quant à elle, elle préfère donner l'image d'une femme.

L'endroit empeste le privilège. Sous les chandeliers, les diamants brillent et les pierres scintillent. Un instant, elle a la sensation d'être un imposteur. Des souvenirs d'enfance l'envahissent : une ferme délabrée, un minuscule potager, une mère malade et un père absent, des frères et sœurs qui, dans la cour, se battent comme des chiffonniers. Elle se revoit vaguement ramener des champs des brassées de carottes. Pourtant, à cet instant, entourée des nantis qui s'amusent avec insouciance, elle croit presque avoir imaginé cette enfance.

Convaincue que son destin est unique, elle a occulté cette partie de sa vie et s'est réinventée. Elle a utilisé les hommes et ils l'ont utilisée. Elle a appris à diriger une affaire et elle réussit désormais. Ses succès, elle a travaillé dur pour les obtenir — personne ne travaille plus dur, elle en est sûre. Elle est là maintenant, elle y est arrivée. Sa boutique prospère. Elle attire tout un cortège d'admirateurs. Elle compte parmi ses clientes certaines des femmes les plus riches de France. Pas mal, songe-t-elle, pour une orpheline. Elle va devenir quelqu'un, elle le sait. Elle va leur faire de l'ombre, à toutes ces femmes. Elles verront bien.

Son appréhension s'estompe pour laisser place à l'exaltation. Alors qu'on consulte les programmes et que les conversations vont bon train, elle se sent de plus en plus sûre d'elle. Elle commence même à cultiver un air un peu absent et serre avec nonchalance les mains de ses connaissances, indifférente à leurs sourires avenants.

Le plus drôle, c'est qu'elle n'avait pas l'intention de venir. Elle sert de cavalière à Charles Dullin, qui refuse de tenir la chandelle entre son professeur de danse, Caryathis, et son riche amant allemand, von Recklinghausen. Elle rétablit l'équilibre. Elle doit bien commencer quelque part, et l'opportunité d'assister à la représentation la réjouit. Ce soir, Coco fait d'une certaine manière ses débuts dans le monde.

Assis à ses côtés, Charles se montre gentil et prévenant. C'est un acteur dont elle apprécie le jeu depuis longtemps et qu'elle a admiré de loin. Maintenant qu'elle le côtoie, elle le trouve moins spontané qu'elle aurait cru. À vrai dire, il est assez ordinaire. Sans texte, ses propos ne sont pas très brillants. Et s'il a l'intention de faire forte impression, c'est trop tard. On lui a volé la vedette.

Très vite, Coco a senti qu'une soirée mémorable s'annonçait. En effet, Caryathis est arrivée tête nue, les cheveux coupés très court. Presque incapable de contenir son ravissement, Coco demande :

« Ma chère, qu'avez-vous fait ? »

Caryathis lui explique que quelques jours plus tôt, éconduite par un homme qui lui plaisait déraisonnablement, elle s'est vengée sur ses cheveux avec des ciseaux. Puis, comme elle ne souhaitait pas en rester là, elle a noué les mèches avec un ruban et les a suspendues à un clou sur la porte du monsieur.

« Ils étaient trop longs de toute façon. Ils me gênaient.

— Mais vous ressemblez à Jeanne d'Arc ! s'exclame Coco.

— Je sais, et je m'apprête à jouer le rôle jusqu'au bout. »

Coco est ravie par les réactions que suscite Caryathis dans la foule qui grandit. Les lorgnettes qui convergent dans leur direction montrent bien qu'elle est le point d'attraction. Assise à ses côtés, Coco s'en glorifie. Leur présence, ici, ensemble, est scandaleuse, elle le sait. Elle perçoit vite l'impression qu'elles produisent sur les autres spectateurs.

Dullin se sent déjà de trop : une silhouette, un figurant. Elle était censée être sa cavalière à lui. À présent, il semble que ce soit l'inverse.

Coco lui demande de tenir son programme. Elle sait qu'on l'observe. Pendant que Caryathis lui parle à l'oreille, elle s'évente langoureusement et braque sa lorgnette sur l'orchestre en contrebas.

Le bourdonnement des conversations se change enfin en murmure. Coco aperçoit Serge de Diaghilev, imprésario des Ballets russes qui s'assied au premier rang pour applaudir. Le chef d'orchestre et le premier violon sont accueillis avec enthousiasme. Puis, les lumières s'éteignent.

De l'obscurité s'élèvent les notes obsédantes d'un basson. Six notes aiguës reprises en un motif simple. Elles se fondent bientôt en gazouillis, grattements et grincements légers. Les bois se lancent dans d'aveugles bourrasques, suivies par les grattements des cordes, puis l'entrée des pulsations des cuivres. De grandes embardées sonores.

Les transitions sont si brutales qu'elles font sursauter Coco. Les instruments se superposent en accords dissonants, saccadés. Les rythmes qui paraissent boiteux l'inquiètent. Elle n'a jamais entendu pareille musique. Les notes se heurtent en des angles étranges et produisent de curieuses vibrations. On l'avait prévenue que l'œuvre ne serait pas conventionnelle, mais elle ne s'attendait pas à tant d'originalité.

Puis, dans un décor de steppes ondulantes sous le ciel, douze nymphes aux cheveux blond pâle, vêtues de noir, folâtrent avant de s'immobiliser en un tableau provocant. Elles adoptent une posture primitive — les genoux en dedans et les coudes collés au corps — et tanguent en rythme.

L'une d'elles fait un geste obscène qui choque Coco. Des spectateurs laissent échapper des hurlements et des cris. Lorsque les autres nymphes exécutent à leur tour des mouvements équivoques, des sifflements s'élèvent dans le public. À quelques sièges de Coco, une vieille dame dont le diadème tombe presque se lève et hurle :

« C'est une honte ! »

Sur scène, les danseurs continuent la chorégraphie. Ils font des pirouettes et se rejoignent, adoptant d'étonnantes poses osées. Ils gambadent dans un abandon superbe. La musique accentue violemment les mouvements de leurs mains.

« C'est très slave ! » note Caryathis.

Dans une loge sur leur droite, un ambassadeur étranger se met à rire à gorge déployée. Coco prend un malin plaisir à observer cette scène.

Un homme se lève et demande le silence. Dans une loge proche, une femme gifle son voisin qui sifflait. Furieux, un autre homme s'écrie : « Taisez-vous, salopes ! » à l'adresse de certaines des femmes les plus belles et les plus raffinées du pays.

« C'est Florent Schmitt, murmure Caryathis. J'ai vu les clichés qu'il possède du compositeur : des photos de nu ! »

Le professeur de danse revoit ces images de Stravinski, en tenue d'Adam, les mains sur les hanches, debout sur une petite jetée de bois — virilité de profil, fesses hautes et musclées —, un cheval blanc efflanqué, indifférent, à l'arrière-plan.

Coco rit, stupéfaite que ce genre de choses se produise dans la haute société. Il semble que plus on s'élève dans l'échelle sociale, plus on vous autorise la dépravation; peut-être même s'y attend-on de votre part

Le public redouble d'attitudes désapprobatrices. Les accords deviennent violents; les rythmes semblent horribles, étrangers. Dans l'élite parisienne domine l'impression de vulgarité : celle de la brutalité mongole et de la férocité tartare, des harengs saurs et du mauvais tabac.

Alors que Coco se joint aux rires, le caractère expérimental et impulsif de la musique fait écho à la sensation nouvelle qu'elle éprouve à se trouver là. Comme elle, les rythmes en paraissent audacieux. Elle a l'impression que les marteaux du piano frappent son corps, que le crin des archers érafle sa peau. L'énergie brute qui se dégage de l'œuvre la traverse comme la foudre frappe un paratonnerre.

Tandis que des rythmes antagonistes se livrent bataille, elle sent le regard de Charles sur elle.

Soudain, la chorégraphie s'accélère. Les danseurs dégagent une énergie furieuse, se tordant dans toutes sortes de postures d'agonie, exécutant des mouvements érotiques. La température augmente sensiblement. On agite les éventails. Les spectateurs rappellent à Coco des oiseaux en cage.

Les réactions deviennent si bruyantes qu'il est presque impossible d'entendre la musique. Devant elle, des femmes bouleversées, ou hilares, ont les larmes aux yeux. Certains pleurent tout à fait; leurs larmes se mêlent au mascara et coulent en traînées noires sur leurs joues. Bien entendu, Coco a vu bien pire dans les tavernes de Moulins et de Vichy où elle s'est produite. Mais il s'agissait d'un divertissement destiné à des militaires. Ici, c'est l'équilibre guindé des nantis qui est rompu — de façon spectaculaire.

Charles se penche si près d'elle que ses favoris frôlent sa joue. Il est trop parfumé. Il murmure quelque chose qu'elle ne comprend pas dans le tumulte de la musique et le vacarme du public. Elle sent le contact de sa main sur la sienne. Sans le regarder, elle dégage ses doigts. Les spectateurs plus modestes, debout, créent leur propre clameur. Ils chantent, frappent dans leurs mains, hurlent des obscénités. Le ballet continue, malgré tout. À la grande surprise de Coco, des bagarres ne tardent pas à se déclencher dans la salle. Une demi-douzaine de spectateurs commencent même à se dévêtir. Coco se délecte de cette anarchie. Les lumières du théâtre, qui clignotaient, se rallument au moment même où des spectateurs sont arrêtés.

Sur la scène, la danseuse étoile exécute sa danse sacrificielle, la tête entre les mains, puis le corps agité de spasmes. Elle sautille ensuite vigoureusement au rythme de la musique pour finir, comme en transe, en tremblant. Affolé par les sifflets de police et décontenancé par la clarté soudaine, le chef d'orchestre — un homme replet à la moustache de morse — jette des coups d'œil affolés au spectacle tumultueux qui se joue derrière lui. S'étant assuré que personne ne s'apprête à envahir la scène ou à se précipiter dans la fosse, il poursuit, alors qu'en coulisses les danseurs battent désespérément la mesure avec les mains.

Les lumières s'éteignent de nouveau. Sans s'y attendre, Coco sent la main de Charles posée sur son genou. Elle tourne les yeux vers lui. Il la regarde fixement. Autrefois, elle aurait réagi, mais pas maintenant, pas ici. Elle croise les jambes afin de s'éloigner de lui ; la main de Charles glisse loin de sa jambe. Pourtant, ce contact provoque en elle un picotement, un léger frisson.

Puis, alors que les protestations indignées et les éclats de rire atteignent leur apogee, Coco voit se lever devant elle un homme alerte, au crâne dégarni, élégant dans son costume. Petit, un mètre cinquante-cinq peut-être, il s'avance dans l'allée centrale sous le regard de l'assemblée. Les épaules voûtées et les jambes arquées, il marche à grands pas. Rang après rang, des centaines d'yeux se tournent dans sa direction pendant qu'il marche héroïquement hors de la salle. De fureur, il claque la porte derrière lui. Au même instant les percussions émettent un bruit sourd.

« Qui est-ce ? demande Coco à Caryathis.

— Stravinski.

— L'homme qui se fait photographier nu ?

— Tout à fait.

— Ah !

— On ne dirait pas, hein ?

— Il est marié, ce Stravinski ?

— Absolument. »

Caryathis se penche vers Coco, puis ajoute d'un ton scandalisé :

« À sa cousine.

— Je croyais que c'était interdit.

— Ça ne l'est pas, murmure Caryathis, le visage dissimulé par son éventail.

— Mon Dieu !

— Ils ont eu du mal à trouver un prêtre.

— Le pauvre !

— Je ne le plaindrais pas si j'étais toi. Il ne s'en tire pas si mal.

— Mmm…, fait Coco, songeuse. Il est plutôt petit, non ? »

Les deux femmes échangent un regard amusé et se mettent à glousser.

L'orchestre et les danseurs poursuivent leur bataille jusqu'à ce que la farce s'achève. Avec un sens du devoir plein de gravité, les danseurs saluent. Les musiciens se retirent solennellement les uns après les autres. Toujours en pleine effervescence, les spectateurs se ruent vers la sortie, se dispersant dans la nuit de mai.

Coco émerge de la foule. En sueur, elle est heureuse de se trouver à l'air frais. De plus, elle est transportée de joie, car l'exubérance qui a agité la salle l'a pénétrée. Une étincelle brille encore dans ses yeux.

« Qu'en penses-tu ? lui demande Caryathis.

— C'était étonnant !

— Non, pas du ballet. De Dullin !

— Ah, Charles ! J'avais presque oublié. »

Elle fait une moue d'indifférence.

En réalité, il lui a plu jusqu'à ce qu'il pose la main sur son genou. Elle apprécie sa compagnie et elle le trouve bel homme. Mais il se montre trop entreprenant ; cela ne lui plaît pas. De plus, c'est un acteur. Les comédiens sont pauvres et elle, eh bien, elle a de l'argent. Le succès l'a rendue plus exigeante.

« Je me sens faible. Je voudrais manger », dit-elle.

La musique continue de résonner à ses oreilles. Son corps reste animé des vibrations du sol.

Caryathis fait un geste en direction des hommes.

« Allons-y. »

Aussitôt, Coco s'exclame :

« Hé, regardez ! »

Elle pointe du doigt les trottoirs alentour couverts de fleurs immaculées de magnolias, comme sous l'effet d'une explosion. Les pétales, éclairés par les lumières du théâtre, l'éblouissent presque.

De nouveau excitée comme une jeune mariée, elle bombe le torse et offre son profil de médaille.

« Oui, dit-elle, allons-y. »

Bras dessus, bras dessous, Coco et Caryathis mènent la marche. Les hommes suivent. Charles, abattu, plante son chapeau sur sa tête. Il pousse les fleurs avec l'embout d'acier de sa canne.

Leur faisant signe de se hâter, Coco ajoute :

« Une table nous attend chez *Maxim's.* »

3

1920

Frustré de ne pas avoir accès à un piano, Igor pianote sur un clavier factice dans sa chambre d'hôtel parisienne. Réduit au silence, il s'assied sur le sol, l'instrument sur les genoux. Ses pieds enfoncent des pédales imaginaires. Son plus jeune fils, Soulima, âgé de dix ans, le rejoint, fasciné par les ponts étranges que forment les mains de son père quand elles courent en silence sur les touches.

« Je peux essayer maintenant ?

— Pas encore. Je n'ai pas terminé.

— Quand aurez-vous fini ?

— Pourquoi n'observerais-tu pas pour essayer de trouver le ton. »

Soulima relève le défi. Il fredonne, essayant de reproduire les modulations indiquées par les doigts d'Igor. Sa voix se brise lorsqu'il atteint les aigus.

Igor rit.

« Pas mal !

— Je peux essayer maintenant ?

— D'accord », répond Igor en ébouriffant les cheveux de son garçon.

Il l'adore, avec ses grands yeux innocents et son petit nez en trompette. Il l'invite à s'asseoir sur ses genoux et repousse le clavier pour lui laisser la place. Il remarque que Soulima a hérité de ses longs doigts, fins et délicats ; pas boudinés comme ceux de son frère. Ses cheveux sont plus épais et ses yeux plus foncés que ceux de Theodore. Igor doit également reconnaître qu'il est de loin le plus beau des deux.

« Essaie de garder ta main droite au même endroit et de changer les harmonies avec la gauche. C'est ça ! »

En le regardant s'exercer, Igor imagine les sons produits par la pression sur les touches. Ce motif noir et blanc.

Pendant les trois années d'exil qui ont suivi la révolution — et les deux ans depuis la fin de la guerre —, sa sympathie à l'égard des touches noires s'est développée. Elles sont posées sur l'arête des blanches et soulignent leur aspect propre et net. À l'image des touches noires, il ressent un sentiment d'étrangeté. Elles sont comme lui, légèrement décalées, comme si le monde s'était déplacé de dix degrés.

La Russie a bien sûr été violemment meurtrie. Lui, a été chassé comme des milliers d'autres réfugiés lors de l'inexorable fuite vers l'Ouest. Sa famille en est maintenant réduite à vivre dans deux petites chambres d'un modeste hôtel parisien. Ils subsistent uniquement grâce à la générosité de quelques protecteurs, les maigres recettes de rares concerts et la vente des partitions.

Les hostilités ont débuté alors qu'Igor se trouvait en Suisse. Il a alors tout perdu : son argent, son pays et le plus précieux : sa langue. Il n'a pu ni dire au revoir à ses amis, ni rassembler ses affaires et doit désormais vivre dans un extrême dénuement. Aujourd'hui encore, après le cruel arrachement à la terre natale, la chute ne semble pas terminée.

Catherine, sa femme, a une santé fragile depuis le début de leur exil forcé. Leurs deux fils et leurs deux filles grandissent en apatrides. Mais, s'il est vrai que leurs vies sont instables, Igor trouve du réconfort à savoir les membres de sa famille plus soudés que jamais. Ils ont appris l'indépendance et se vouent une confiance absolue. Comme ils ne restent jamais au même endroit assez longtemps pour s'y enraciner ou s'y faire de nouveaux camarades, les frères et sœurs sont vite devenus les meilleurs amis. En outre, privés du soutien d'une grande famille, le couple que forment leurs parents est devenu l'étoile fixe dans cet univers incertain.

« Combien de temps allons-nous rester ici, papa ?

— Jusqu'à ce qu'on trouve quelque chose de mieux.

— Ce sera quand ?

— Je ne sais pas encore. Bientôt sans doute.

— Je ne suis pas bien ici. Je veux une chambre pour moi tout seul.

— Tu sais bien que nous devons partager.

— Avant, j'avais ma propre chambre.

— Je sais. Mais les choses ont changé...

— Milène parle dans son sommeil, elle m'empêche de dormir et elle me pince tout le temps !

— C'est difficile pour elle aussi.

— Je sais, mais...

— Les beaux jours arrivent. Ce sera plus facile, tu verras. »

Cette phrase traduit moins la conviction que l'espoir. Igor se sent coupable. Il remarque que Soulima appuie plus fort sur les touches.

Igor adore ses enfants. Il admire leur résilience, la manière dont ils ont fait face à l'adversité, leur bonne entente. Pour lui, cependant, le besoin de fuir est devenu maladif. Après avoir dû quitter sa terre natale, il se sent obligé de partir encore. Une force en lui veut l'entraîner. Et comme l'idée d'un chez-soi lui est devenue étrangère, il savoure celle d'un ailleurs, aussi lointain et incertain soit-il. Rester trop longtemps au même endroit provoque en lui un profond désir de mouvement. Il aspire au déplacement constant des êtres réellement libres — la vie sans tension.

La fuite.

Il se sent prisonnier ici. Vivre ainsi à l'étroit a mis à rude épreuve les relations familiales tout en les renforçant. Il brûle d'avoir plus de temps et d'espace pour composer. Il a écrit de belles compositions ces dernières années. *Le Rossignol* et *L'His-*

toire du soldat ont été bien accueillis, mais il a manqué de financement. Il lui faut une vie structurée, une forme de soutien. Pour l'instant, les deux valeurs de son existence — la famille et le travail — se heurtent comme deux plaques tectoniques. Des lignes de faille sont apparues — c'était inévitable — à l'origine de dissensions entre enfants et parents et d'éruptions localisées au sein du couple. Coléreux, il admet qu'il s'emporte parfois sans raison. Il regrette alors de s'en prendre à ceux qu'il aime.

Chaque nuit, il prie pour que la chance revienne, pour que la roue tourne. En attendant, il espère recevoir des nouvelles de Diaghilev au sujet du financement de ses projets. Quelques commissions feraient l'affaire, lui apporteraient un revenu et permettraient à sa famille de vivre plus confortablement. Mais pour l'instant, il appuie sur les touches en silence, il guide les mains de son fils, qui lui fait confiance, sur le clavier.

Il pourrait passer le reste de sa vie ainsi, songe-t-il. Un léger frisson le parcourt à l'idée d'enseigner le contrepoint à des mères de famille désœuvrées et à des adolescents.

Soulima cesse de jouer. Ils s'arrêtent tous deux pour écouter le bourdonnement aigu qui enveloppe la pièce. La pluie qui tombe depuis le matin est devenue torrentielle. Ils l'entendent crépiter sur les gouttières. Igor et son fils s'approchent de la fenêtre ouverte. Des gouttelettes égarées mouillent leurs visages, leurs mains, tombent sur le sol en marbre. Igor pose les mains puis le front contre le verre frais.

Il se rappelle avoir soufflé, enfant, sur une pièce de cinq kopecks, l'avoir placée contre la fenêtre couverte de givre pour qu'il fonde sous l'effet de la chaleur et lui permette de voir le monde extérieur. Pendant un instant, un univers disparu lui revient à l'esprit. Son enfance resurgit comme s'il observait à travers une lucarne : les promenades sur la perspective Nevski, les traîneaux tirés par des rennes, la lumière d'un réchaud en porcelaine dans un coin de son ancienne chambre. Comme sur une scène miniature, voici Saint-Pétersbourg, sa ville natale : la flèche de l'Amirauté et le théâtre Maryinski avec son dôme et sa salle parfumée. Tout est là devant lui. Des fragments apparaissent et prennent forme, comme les bouts de décor qu'il apercevait lorsqu'on les transportait le long du canal Krioukov jusqu'au théâtre. À ces images précises s'ajoute l'odeur du goudron, celle de la fourrure humide de sa capuche et celle, unique, du tabac Mahorka qui flotte dans les rues. Ces senteurs sont accompagnées puis éclipsées par les bruits de la ville : les sons métalliques des tramways, les cris des marchands, les rythmes étranges des roues en bois sur les pavés, le claquement soudain d'un fouet.

Brusquement, le tonnerre envahit la pièce. Igor sent la vitre trembler contre son front. En un instant, le trou se rebouche. Les odeurs s'atténuent, les rythmes s'éloignent et dans un sursaut, il se rappelle où il se trouve. Dans un hôtel bon marché, en exil avec sa famille, dans cette pièce froide où son souffle dessine des nuages sur le verre.

La pluie tombe sur Paris et ses environs comme la longue traîne d'une jupe mauve. La ville est imprégnée d'une odeur humide. Les lampadaires projettent de vagues halos sur le trottoir. Igor marche dans un de ces bassins de lumière en agitant son parapluie.

Toujours ponctuel, il arrive à huit heures précises. Il excuse sa femme, retenue par sa santé fragile, auprès de Diaghilev. L'humidité n'arrange rien et leur plus jeune fille, Milène, est malade aussi.

Igor, au contraire, se sent galvanisé par ce déluge. La pluie, au printemps, produit toujours cet effet sur lui — ce sentiment irrépressible, avec les fleurs écloses et le parfum de l'herbe tendre, que tout se renouvelle. Il essuie la pluie sur ses lunettes, puis repousse une mèche de cheveux.

« Pour vous réchauffer..., lui dit Diaghilev qui lui sert un verre de vin.

— Merci », répond Igor en rangeant son mouchoir.

Ce soir, la plupart des invités sont des artistes *émigrés* qui travaillent avec les Ballets russes. José-Maria Sert, un peintre catalan, et sa femme Misia, française, sont également présents. Homme aux charmes et aux passions nobles, Sert s'avance vers Igor et lui serre énergiquement la main.

« Ravi de vous revoir ! »

Lorsqu'il parle, sa barbe et sa moustache s'écartent comme un lever de rideau.

« Moi de même », répond Igor.

Misia, grande mondaine, s'approche. Stravinski la connaît depuis des années. Sa richesse et sa beauté font d'elle une femme influente dont on se méfie dans les cercles artistiques. Souvent méprisée pour ses indiscrétions, elle s'est toujours montrée aimable envers Igor et l'a aidé pendant les mois difficiles qui ont suivi l'exil. Ils se saluent avec respect, mais non sans une certaine prudence. On sent, dans la manière dont elle reçoit son baiser, l'ascendant qu'elle exerce sur lui. Il le lui accorde avec la déférence d'un sujet présenté à sa reine.

Coco arrive avec une heure de retard, au moment où on s'apprête à servir le dîner. Son manque de ponctualité est d'autant plus inopportun que, de tous les convives, c'est elle qui habite le plus près. La rue Cambon, où se trouve son appartement, est parallèle à la rue de Castiglione, où vit Diaghilev. Elle présente ses excuses avec panache en parlant si vite qu'Igor suit difficilement son propos. Elle a donné congé au chauffeur, tôt, dans l'intention de marcher, mais le temps était si horrible qu'elle a attendu en vain que l'averse s'arrête. Un frisson la parcourt, signe de victoire, puisqu'on l'excuse. Une domestique la débarrasse ensuite de son chapeau et de son manteau.

Coco et Misia, amies de longue date, s'embrassent affectueusement. Diaghilev lui donne une accolade. Ils ont été présentés par les Sert à Venise l'été précédent.

« Ravi que vous ayez pu venir ! »

Coco se dit une fois encore que pour un homme robuste, sa voix est incroyablement haut perchée.

Elle remarque qu'il a pris du poids depuis leur dernière rencontre. Ses nombreuses bagues serrent ses doigts dodus. Son généreux double menton repose sur sa cravate, fixée par une grosse perle noire. Lorsqu'il se baisse pour baiser la main de Coco, celle-ci aperçoit la mèche blanche, comme une anomalie dans sa chevelure noire.

Il propose d'attendre que Coco se soit séchée pour commencer le repas, ce qu'elle refuse.

« Acceptez au moins une serviette pour votre visage et vos mains. »

Elle cligne des yeux, éponge son visage rosi par le froid, puis frotte vigoureusement ses mains. Pendant ce temps, Diaghilev la présente aux autres invités.

« Je voudrais présenter à ceux qui ne la connaissent pas encore Gabrielle Chanel. Elle dessine les plus délicieux vêtements.

— Vous me faites trop d'honneur. »

Au milieu de cette réunion de talents, elle se sent mal à l'aise. Toutefois, elle affiche une certaine assurance qui la fait paraître enjouée et débordante de vitalité.

« Parlez-nous de la dernière mode, lui demande Diaghilev en guise d'entrée en matière.

— Les jupes se portent plus courtes avec la taille plus basse, répond-elle, remontant sa jupe en tricot.

— Espérons qu'elles vont se rejoindre bientôt », claironne José, ce qui lui vaut un coup dans les côtes de la part de Misia et provoque des éclats de rire parmi les invités.

Coco est assise en face d'Igor, qui se lève pour lui faire le baisemain par-dessus la table. C'est une jolie brune, pense-t-il, avec ses sourcils charbonneux, sa grande bouche et son petit nez retroussé. Lorsque leurs paumes se touchent, il sent un courant le parcourir. Ses doigts picotent sous l'effet du léger choc électrique. Il regarde sa main, puis Coco, étonné. Sûrement parce qu'elle s'est frotté les mains avec la serviette, songe-t-il.

Coco a remarqué son mouvement de recul et se demande s'il fait le pitre. Elle l'observe d'un air interrogateur. Au premier abord, son allure bohème lui semble contrefaite. Elle est amusée par l'élégance nonchalante de son foulard. Son fume-cigarettes et le monocle qu'il vient de mettre lui font l'effet d'accessoires de dandy.

« Je vois votre nom partout, dit-il en reprenant la main de Coco.

— Quant à moi, je n'arrête pas d'entendre le vôtre. »

Il est aussi petit que dans son souvenir, lorsqu'elle l'a aperçu, sept ans plus tôt, et un peu plus chauve peut-être. De près, elle remarque les vilaines dents qu'il dissimule derrière un sourire crispé. Toutefois, elle admire ses longs doigts manucurés aux robustes articulations et ses grandes mains, blanches et soignées comme celles d'un chirurgien — à l'inverse des siennes, devenues calleuses après des années de couture.

Avec la galanterie qui s'impose, Igor fait à Coco le baisemain. Ils se dévisagent un instant comme des inconnus dans le métropolitain. Le sourire que Coco lui adresse par-dessus la table le captive. Elle sent sa réticence à lui lâcher la main. Embarrassée, elle s'écrie d'une voix haletante :

« Parfait ! »

Le dîner promet d'être un festin. Des couverts d'argent sont disposés devant chaque invité. Aux deux bouts de la table sont rassemblées des flasques de vodka et des carafes de vin. Des décanteurs à whisky de la forme du Kremlin dessinent un carré de bronze au centre.

Deux domestiques apportent les plats : des jambons dorés, des salades, des plateaux de caviar, des huîtres de la mer Noire, des champignons et des espadons. Igor fait craquer ses doigts comme s'il allait se lancer dans un solo de piano délicat.

La lumière des chandelles éclaire les plats. Les conversations vont bon train. On parle de musique, d'opéra, de ballet et on échange les cancans du milieu artistique. Diaghilev rappelle aux convives qu'Igor s'est fait récemment arrêter pour avoir uriné contre un mur.

« Mais c'était à Naples, explique Igor pour se défendre.

— Et la fois où vous avez été arrêté à la frontière italienne pendant la guerre, ajoute Diaghilev.

— Vous avez été arrêté à deux reprises ? demande Coco.

— Cet homme est un vulgaire criminel !

— Vraiment, Serge, vos invités vont se faire une bien mauvaise opinion de moi. »

Mais il raconte tout de même l'anecdote. En fouillant son bagage, les douaniers ont trouvé un dessin étrange. Igor a déclaré que c'était un portrait réalisé par Picasso, mais les policiers ont refusé de le croire. Toutes ces lignes brisées, ils n'avaient jamais vu pareille chose. Ils ont conclu que le croquis devait être un projet militaire secret ou un plan d'invasion codé.

« Et que s'est-il passé ensuite ? s'enquiert Coco.

— Oh, ils ont fini par me laisser partir et le portrait m'a été envoyé plus tard par la valise diplomatique. »

Igor boit une grande gorgée de vin.

« Il doit avoir une valeur considérable maintenant », ajoute Coco.

Igor pince les lèvres et fait un signe de la main pour la détromper. Il sait que cette conversation n'est qu'un prélude à la véritable raison pour laquelle Diaghilev les a rassemblés ce soir : il souhaite reprendre *Le Sacre* au début de l'année suivante — huit ans après son *succès de scandale*. Il révèle son projet entre deux plats. Diaghilev entretient l'espoir de voir le ballet joué plus longtemps cette fois. Mais les fonds manquent cruellement, dit-il, et les perspectives ne sont guère encourageantes. Il faut absolument des mécènes, ajoute-t-il. La soirée prend alors un tour plus sérieux.

Coco lit soudain l'abattement sur le visage d'Igor. La discussion à propos du *Sacre* le renvoie à ses débuts malheureux. Dans un frisson, il se remémore cette première tumultueuse. Depuis, certains critiques ont qualifié sa musique d'« avant-garde sans substance ». En tant que victime du bolchevisme, il déteste qu'on le traite de révolutionnaire, même si le terme s'applique à sa musique. L'épithète lui laisse un goût amer dans la bouche. D'autres tiennent déjà sa musique pour réactionnaire et bourgeoise. Il ne peut pas sortir vainqueur. Personne ne semble désireux de financer une reprise. Pire, sa femme est malade ; ses enfants grandissent en exil et sa mère qui dépérit en Russie vient de se voir refuser un visa. En outre, les communistes ont réquisitionné sa propriété et toutes ses économies ont été saisies.

Coco, à qui Misia a raconté l'infortune d'Igor, s'avise que le dandysme de ce dernier est une façade qui dissimule une profonde insécurité et la douleur vive de la spoliation. Perte de son identité, de sa patrie. Cet homme lutte pour ne pas sombrer, songe-t-elle.

Coco propose un toast. Elle lève son verre avec une ardeur désinvolte en direction d'Igor et s'exclame :

« Au *Sacre* ! »

Tous l'imitent solennellement.

« Au *Sacre* ! »

Pendant un instant, Coco domine l'espace autour d'elle. Les verres qui s'entrechoquent vibrent comme des diapasons, émettant une note qui s'évanouit lentement et sonne presque sans fin.

Après le toast, le silence s'installe un moment. Puis Igor entend les voix qui se raniment autour de lui, les conversations qui reprennent pour combler le vide. Il dépose quelques arêtes dans un plat de service.

« J'y étais, vous savez, dit Coco.

— Où ?

— À la représentation, à la première du *Sacre* », susurre-t-elle.

Les bougies disposées entre eux semblent soudain les seules allumées.

Elle se rappelle cette nuit explosive au théâtre sept ans plus tôt où les rythmes sauvages lui ont donné la sensation qu'on lui arrachait les tripes. Elle a peine à croire qu'elle est assise face à l'homme grâce auquel elle a vécu cette expérience.

« Vraiment ? C'est extraordinaire. »

Igor grimace. Une vague de dégoût de soi le submerge. Un nouveau témoin de son humiliation.

« J'en garde un vif souvenir.

— Moi aussi », répond-il, amer.

Diaghilev, qui a surpris leur échange, ajoute :

« Allons, c'était ce qui pouvait arriver de mieux.

— Ce n'est pas ce qu'il m'a semblé à l'époque.

— Au moins, nous y avons tous deux survécu, réplique Coco.

— Oui. »

Cette femme a vraiment une attitude d'enfant, conclut Igor. L'insolence avec laquelle elle gobe les huîtres ! Elle lui rappelle les héroïnes des films de Charlie Chaplin. Elle possède ce tempérament du Sud, volubile et fougueux. Elle a aussi conservé un côté rude qui, grâce à son récent effort pour respecter les convenances, s'est changé en vivacité. Sa bouche est expressive. Son teint est lumineux, éclatant de vie.

Il ne peut détourner le regard de son visage et elle le sait. Pourtant, il entend à peine ses propos. Certes, il a trop bu. Mais il y a autre chose. Tous deux sentent qu'un événement imperceptible et merveilleux est en train de se produire. Il y a de l'électricité entre eux, une distorsion des frontières habituelles qui définissent les êtres et les séparent. De profondes affinités, un élan réciproque les poussent l'un vers l'autre. Cela ne dure que quelques secondes, mais tous deux sont sensibles à cette étrange attirance. C'est une simple aspiration au bonheur, mais chacun, penchant la tête comme en reflet, espère le trouver en l'autre.

« Au *Sacre* », dit à nouveau Coco, mais cette fois seulement à l'adresse d'Igor. Le champagne frais coule, délicieux, dans sa gorge.

Elle ne s'adresse plus à lui directement de tout le repas. Ni même plus tard, lorsque les convives se détendent en fumant des cigarettes. Ce n'est pas nécessaire, car chacune de ses remarques anodines, chacun de ses gestes, chacun de ses regards brillants lui est destiné. Elle danse en silence sous ses yeux dans un langage ineffable. Igor admire la chevelure étincelante de Coco, ses yeux noirs, ses lèvres d'un rouge intense. Il sent quelque chose surgir au fond de lui comme pour l'emporter. Autour du cou de Coco luisent des perles laiteuses. Lorsqu'elle rit, elle fait une petite moue espiègle. Sa proximité le réchauffe. Un goût de brûlé emplit sa bouche.

« L'argile était chaude le jour où *elle* a été modelée par Dieu », dit Igor.

Après le dîner, seul avec Diaghilev, il ressent le même vertige que lorsqu'il est saoul ou inspiré. L'image de Coco couve dans son souvenir. Sa chaleur, couplée à celle de l'alcool, tisse un cocon douillet.

Diaghilev sert deux brandies et retire deux gros cigares de leur étui pour les partager avec Igor.

« Elle n'est peut-être pas issue d'une grande lignée, mais elle est riche, Igor, lui confie-t-il en souriant. Ne sentez-vous pas l'odeur de l'argent ? »

Son hôte hume le cigare avec gourmandise.

« Comment ça, "pas issue d'une grande lignée" ? »

Igor se lève, puis décrit lentement des cercles avec son verre.

« Eh bien, c'est une enfant illégitime, même si elle ne l'admettra jamais. Son père était colporteur...

— Je suis certain d'avoir entendu dire qu'il possédait des chevaux. Je l'imaginais propriétaire d'une écurie !

— À la mort de sa mère, on l'a envoyée dans un orphelinat dirigé par des religieuses... bien qu'elle n'ait jamais prononcé le mot d'orphelinat...

— Bonté divine !

— À ce qu'on dit, poursuit Diaghilev en baissant la voix, elle paie même ses frères afin qu'ils ne dévoilent pas leur parenté !

— Je ne vous crois pas ! »

Igor sent le brandy lui brûler la gorge, le transpercer.

« Elle est couturière. Elle aime broder, ajoute Diaghilev en haussant les épaules.

— C'est incroyable. Alors comme ça, elle s'est faite toute seule ?

— Oui. »

Cigare à la main, Diaghilev caresse son sillon nasal du bout du doigt.

« J'imagine qu'il lui a fallu être impitoyable pour réussir.

— Je ne comprends toujours pas comment elle est devenue si riche.

— Elle s'est fait entretenir pendant un temps, je crois. Par des officiers de la cavalerie légère, je présume. Ensuite, elle a commencé à créer ses propres chapeaux et vêtements. Elle s'est constitué une petite clientèle. Puis elle a ouvert une modeste boutique et, quand la guerre est survenue, tous les couturiers ont été réquisitionnés.

— Elle a donc pu conquérir leur clientèle ?

— Exactement. »

La fumée du cigare s'échappe en volutes des lèvres d'Igor.

« Elle a eu de la chance alors.

— Oui, mais elle a du talent. Et le goût de l'effort. Elle compte désormais la duchesse d'York et la princesse de Polignac parmi ses clientes et emploie plus de trois cents personnes à Paris, Biarritz, Deauville... »

Diaghilev frotte le pouce contre l'index de sa main droite avant de continuer.

« Elle est pleine aux as et n'a personne pour qui dépenser son argent. En plus, elle recherche la reconnaissance à tout prix. »

Il attend qu'Igor déduise la conclusion de son argumentation.

« V us pensez qu'elle financerait la reprise ? »

Satisfait, Diaghilev se détend. Il s'installe plus confortablement dans son fauteuil et tire une bouffée de son cigare.

« C'est possible. C'est tout à fait possible. »

Il ôte un bout de tabac de sa lèvre.

« En tout cas, elle peut se le permettre. Les personnes les mieux considérées réclament ses vêtements à grands cris.

— Je vois ça.

— Aujourd'hui, la moitié de ses employés sont des *émigrés*. Peut-être en connaissez-vous certains ?

— Je n'ai aucune envie de m'humilier, dit Igor, soudain sur ses gardes.

— Mais mon cher, personne ne vous le demande », rétorque Diaghilev avec un air sincère.

Rassuré, Igor ajoute :

« C'est une femme remarquable.

— Tout à fait.

— Et vous dites qu'elle n'est pas mariée ?

— Non, c'est une femme moderne en toutes choses.

— Je ne suis pas certain d'approuver.

— Vraiment ?

— Je ne suis même pas sûr de savoir ce que cela signifie.

— Eh bien, pour commencer, cela veut dire qu'elle est riche et célibataire.

— Qu'insinuez-vous ? »

Diaghilev lève les bras au ciel.

« Rien, mon vieux. Je vous promets. »

Igor rit.

D'un geste sec, ils terminent tous deux leur verre et plantent le reste de leur cigare dans le cendrier.

« Un autre brandy ? »

Igor décline.

« Je dois rentrer, dit-il en se redressant. Merci pour cette merveilleuse soirée.

— Espérons qu'elle soit fructueuse. »

Igor enfile son manteau puis, alors qu'il noue son foulard, il glisse :

« Comme toujours, je vous remercie pour votre aide. »

Diaghilev opine, puis ajoute :

« Embrassez Catherine et les enfants de ma part.

— Je n'y manquerai pas.

— Je vous tiens au courant s'il y a du nouveau.

— S'il vous plaît. »

Ils se donnent l'accolade et échangent une tape amicale dans le dos.

Après avoir refermé la porte, Diaghilev soupire, hoche la tête, puis se sert un autre verre.

Dehors, la pluie a cessé. Les rues sont trempées. Igor relève le col de son manteau. L'air frais le revigore. Il lui semble qu'il pourrait parcourir des kilomètres. Il retourne promptement à son hôtel en tapotant son parapluie contre le trottoir. Le son fait écho sur le pavé des rues, battant la mesure.

Une demi-heure plus tard, Igor se glisse dans le lit conjugal. Dans la torpeur du sommeil, le corps de Catherine dégage une odeur légèrement doucereuse. Son visage porte les marques de l'oreiller. Des mèches de cheveux sont collées sur son front. Les sueurs nocturnes ont repris. Elle est brûlante ; sans la toucher — il n'a pas vraiment envie —, il le sait. Son corps vibre encore sous l'effet électrique de la main de Coco.

Allongé, il lui semble qu'il pourrait rester éveillé pour l'éternité. Il met plusieurs minutes à trouver le sommeil. Il sent encore la chaleur du brandy sur sa langue. La température lui semble avoir augmenté.

Au plus profond de lui, quelque chose chavire.

4

Les jours qui suivent le repas, Coco ne parvient pas à chasser l'image d'Igor de son esprit. Elle se renseigne et découvre l'état précaire de ses finances. Alors, sur un coup de tête, elle l'appelle pour lui demander un rendez-vous. Elle désire s'entretenir avec lui d'un sujet important, lui confie-t-elle, mais pas au téléphone. Ils conviennent de se retrouver au zoo.

Profondément troublé par leur rencontre, Igor a envie de la revoir. Il se rappelle l'étrange alchimie qui s'est produite au contact de sa main. Ponctuel, il arrive à dix heures et dissimule un bouquet de jonquilles jaunes derrière son dos. Pour se rendre au rendez-vous, il a sacrifié une matinée de travail — ce dont il a horreur d'habitude. Pourtant, il l'attend à l'entrée du zoo. Coco est en retard, ce qui accroît sa frustration.

Impatient, il pousse du gravier du pied, puis le remet en place. Il ne sait qu'attendre de cette entrevue. Si elle veut offrir son soutien financier au ballet, pourquoi ne contacte-t-elle pas directement Diaghilev ? Passer par lui serait plus logique. Qu'a-t-elle de si urgent à lui dire de toute façon ? Bien entendu, il est flatté, mais il espère ne pas avoir à faire profil bas. Un soutien serait bienvenu, mais pas à n'importe quel prix. Il lui fera comprendre qu'il n'est pas à vendre. Il lui montrera qu'il est sérieux, qu'il ne se soumet pas si facilement.

Coco arrive avec plus d'une demi-heure de retard, sans s'excuser. Il a préparé quelques reproches dont il s'apprête à lui faire part, mais sa colère s'évanouit à l'instant où il la voit avancer vers lui. Ils se sourient de loin. Igor se sent simplement soulagé. Elle le salue en lui tendant sa main gantée de blanc. Il l'embrasse sur les deux joues avec empressement.

L'autre soir, il a pensé qu'elle était bien plus jeune que lui. Mais Diaghilev lui a appris qu'ils avaient à peu près le même âge. Elle doit avoir un ou deux ans de moins. Trente-six? Trente-sept? À présent, il comprend ce qui l'a trompé. Elle a conservé la silhouette d'une femme de vingt-cinq ans. Les bras minces, la poitrine haute, elle marche avec une légèreté d'adolescente.

Igor tend le bouquet de jonquilles à Coco.

« Elles sont pour vous. »

Il remarque qu'elle n'a pas la moindre ride autour des yeux, et que, quand elle sourit, les petits bourrelets au coin de sa bouche restent fermes.

Lorsqu'elle porte le regard sur les fleurs, son manteau prend la teinte topaze des pétales. Elle tient le bouquet à une main devant elle comme une torche.

« Merci. Elles sont ravissantes. »

Puis, soudain abattue, elle lui demande pardon.

« Je suis vraiment désolée d'être en retard. »

Un peu de pollen s'accroche à ses gants blancs.

Soucieuse de faire amende honorable, elle insiste pour payer les entrées. Ils visitent d'abord l'aquarium. Une lueur bleutée joue sur les murs et leurs visages. Dans cette lumière, les fleurs se teintent de vert.

Penchés devant les aquariums, ils distinguent les battements de cœur des poissons. Un silence s'installe quand la paroi de verre leur renvoie leurs reflets.

Puis Coco se redresse et, semblant décidée à entrer dans le vif du sujet, elle demande :

« Savez-vous ce que j'ai pensé au cours du dîner l'autre soir?

— Non, quoi donc? s'enquiert Igor, se redressant lui aussi.

— Je me suis dit : pourquoi ne me parle-t-il pas?

— Vraiment ?

— Oui. »

Partisane de la manière forte. Comme Igor ne réagit pas, elle le pousse dans ses retranchements.

« Eh bien, pourquoi ne m'avez-vous pas adressé la parole ?

— Je croyais l'avoir fait.

— Vous ne m'avez plus rien dit passé la première demiheure.

— Mais vous, vous auriez pu me parler, se défend-il.

— C'est vrai, mais j'ai choisi d'attendre de voir ce que vous auriez à me dire.

— Et ?

— J'attends toujours. »

À l'exception de sa mère, les femmes effraient rarement Igor, pourtant il a peur de Coco. La bouche sèche, il n'arrive pas à prononcer un mot et se sent mal à l'aise.

« Peut-être n'avez-vous pas envie de me parler ?

— Bien sûr que si ! s'exclame-t-il la gorge serrée. Sans quoi, je ne serais pas ici. »

Lorsqu'ils quittent les lieux, Coco s'avise qu'Igor est embarrassé. Sa plaisanterie n'a pas fait mouche. Elle sait que sa remarque était déplacée et elle craint à présent qu'il la juge irrespectueuse. Elle le regarde avancer, les mains derrière le dos.

« Qu'y a-t-il ? » demande-t-elle.

Elle ne devrait pas s'inquiéter — il n'est pas blessé, il se sent plutôt devancé.

Face à eux, deux lions décrivent des cercles dans leur cage. L'ombre des barreaux se dessine sur le sol. Igor saisit l'occasion. Peut-être rassuré par l'élan de compassion chez Coco, il se plaint amèrement de soucis financiers et de la promiscuité dans laquelle il compose.

Il grommelle qu'il manque de tranquillité parce que sa femme, leurs quatre enfants et lui sont entassés dans un petit appartement en Bretagne, à des kilomètres de Paris. Ils séjournent uniquement dans la capitale durant les répétitions de son nouveau ballet, *Pulcinella*. Il se sent frustré et éprouve de grandes difficultés à se concentrer. Sa créativité est bridée. Tout ce qu'il désire est avoir plus d'espace pour composer et se trouver au cœur de la vie culturelle. Mais les loyers sont si élevés.

« Tout coûte tellement plus cher ici, se plaint-il.

— Ne pouvez-vous pas habiter ailleurs qu'à Paris ?

— Tout le monde vit ici : Satie, Ravel, Poulenc. »

Il cherche ensuite à la flatter en l'associant à ces célébrités.

« C'est la capitale artistique du monde.

— Eh bien, il se pourrait que vous ayez de la chance.

— Que voulez-vous dire ? »

Il se sent coupable et se demande s'il n'a pas exagéré ses difficultés.

Alors qu'ils continuent leur promenade, ils contournent un lac où deux cygnes follement épris glissent sur l'eau en grand apparat.

« Les affaires marchent bien ces temps-ci et mon comptable m'a conseillé d'investir dans l'immobilier. Je viens juste d'acquérir une villa à Garches. L'endroit est calme, en banlieue, avec un grand jardin. Ça n'a rien d'un palace, mais c'est agréable. J'ai l'intention d'y passer quelques mois cet été, mais il n'y aura personne le reste de l'année. Je me disais que… »

Elle s'interrompt, puis se tourne vers Igor.

« Vous pourriez en profiter pour vous y installer.

— Je ne peux pas…, marmonne-t-il en jouant avec son nœud de cravate d'un air hésitant.

— Si vous aménagez début juin, nous pourrions y passer quelques semaines ensemble. Vous pourriez vous familiariser avec l'endroit, prendre des vacances et avoir l'espace qu'il vous faut pour travailler. Puis, vous jouiriez de la maison le reste de l'année. »

Un des cygnes allonge langoureusement le cou. Des perles d'eau gouttent de son bec.

Igor observe Coco pour savoir si elle est sérieuse.

« C'est une proposition fantastique, très tentante. Cependant, je ne pense pas pouvoir quitter ma famille…

— Mais mon cher, vous n'aurez pas à le faire, rétorque-t-elle, choquée. La villa est immense. Votre famille pourrait s'y installer aussi. Je ne suggère pas un instant que vous l'abandonniez. »

Confus d'avoir pu se méprendre quant à la nature de la proposition, Igor s'empresse de rire de la situation.

« C'est très gentil de votre part, mais vous ne savez pas à quoi vous vous engagez. Vous ne connaissez pas les enfants ! Ils sont affreusement bruyants.

— Qu'à cela ne tienne ! J'adore les enfants. Et à leur âge, c'est normal d'être bruyant. De plus, je ne serai pas là assez souvent pour qu'ils me dérangent. Juillet et août mis à part, j'habite rue Cambon au-dessus de la boutique. La décision vous appartient, mais sachez que vous êtes — tous — les bienvenus. »

Igor est abasourdi. Il ne sait pas quoi dire. Bien entendu, l'offre est exceptionnelle. Il aurait tort de refuser. Mais il se sent humilié de dépendre de pareille charité. Il observe les cygnes, partagés entre la promesse de la berge et la sécurité de l'île. Puis il se rappelle les mots de Diaghilev. Coco est incroyablement riche. D'un point de vue financier, cela ne represente rien pour elle. Même si elle fait ça pour la gloire, peu importe. Cela ne nuit pas à son intégrité d'artiste. Elle ne l'achètera pas pour autant. La proposition de Coco lui donnera juste les moyens de poursuivre son travail. En outre, elle l'intrigue. Il est exalté à l'idée de ce défi. Elle n'a pas besoin d'insister. Il la remercie.

« Nous sommes d'accord, alors. Vous viendrez vous installer. Tous, réitère-t-elle. À condition, bien entendu, que votre femme y concède », ajoute-t-elle, l'œil rieur.

À tort ou à raison, il décèle de la moquerie dans ces propos.

« Elle en sera ravie, j'en suis certain. »

En réalité, il songe que ce sera merveilleux pour elle de vivre dans le confort et de se sentir à l'abri. Sans oublier le jardin qui sera fantastique pour les enfants.

Coco continue.

« Depuis quand êtes-vous marié à..., après une fausse hésitation, elle reprend, Catherine, n'est-ce pas ?

— Comment savez-vous ? »

Le vent rabat sur la joue de Coco une mèche de cheveux qui brille un instant au soleil et la fait ciller. Elle se recoiffe d'un geste désinvolte.

« J'ai mes sources.

— Quatorze ans, répond Igor.

— Vous vous êtes certainement mariés jeunes, commente-t-elle avec un soupçon de condescendance.

— Nous nous connaissons depuis une éternité.

— C'est ce qui convient. »

Igor ne parvient pas à deviner ce que l'inflexion de sa voix peut exprimer, mais la joute verbale est intéressante. Il commence à y prendre plaisir. Elle a l'esprit vif et sa maîtrise de la conversation requiert toute son attention.

Coco regarde de nouveau les fleurs qu'il lui a offertes. S'efforçant une fois encore d'être sincère, elle ajoute :

« Je ne vous invite pas pour un court séjour. Vous pourrez rester aussi longtemps qu'il vous plaira. »

Bien entendu, cela implique qu'elle aurait pu choisir quelqu'un d'autre. Il devrait être flatté que sa proposition s'adresse à lui. Il n'est pas question de prestige, elle ne souhaite que son épanouissement.

La situation est peut-être plus complexe. Il lui plaît, nom d'un chien. Depuis cette nuit sept ans plus tôt, elle a la sensation que leurs destins sont mystérieusement liés.

Lui aussi a le sentiment qu'il existe entre eux d'exceptionnelles affinités, un lien tacite et ténu. Il a entendu dire un jour, et l'idée lui plaît depuis : quand deux personnes venant de deux rues différentes arrivent au coin d'une même rue, quelles sont les chances qu'ils fredonnent la même chanson et, lorsqu'ils se rencontrent, qu'ils en soient à la même phrase ? Quelles sont les probabilités que cela se produise ? Ce hasard a-t-il un sens ? Il ne parvient pas à l'expliquer, mais ici, avec Coco, il sent ces rythmes confus du destin s'élaborer autour de lui et il a l'impression d'être invité à interpréter sa partie de cette mélodie partagée.

« Si vous voulez bien m'excuser, je dois absolument retourner à la boutique. La baronne de Rothschild m'attend et je suis déjà en retard. Je vous téléphonerai bientôt pour convenir des détails. D'accord ? »

C'est moins une question qu'une injonction. Igor est déconcerté par la manière dont elle semble déjà régenter sa vie. Son énergie et son charme l'éblouissent.

Ils se serrent la main avant de se séparer. Igor remarque que les fleurs ont laissé une tache ocre sur les gants de Coco.

« Merci », dit-il en s'inclinant.

Après réflexion, elle l'embrasse sur les joues. Puis elle part, ravie du déroulement de leur rendez-vous. Elle aime avoir le dessus. Une fois de plus, elle est frappée du pouvoir que semble exercer sa fortune. Elle lui confère une autorité et une influence immédiates. Elle est également ravie qu'Igor se soit mépris sur la nature de sa proposition.

Elle a parcouru bien du chemin durant ces sept dernières années. Elle se souvient qu'il l'a intimidée lors de la première du *Sacre*. À présent il semble pourtant à sa portée. C'est amusant, chaque fois qu'elle se sent dominée, elle s'empresse de renverser la situation. Ce comportement l'a rendue snob. Son ascension est tellement fulgurante que bientôt seule la royauté pourra la combler. Cette idée la rend vaniteuse, elle en a conscience, elle lui inspire aussi un sentiment de solitude.

Igor l'observe s'éloigner lentement avec une grâce affectée, pour rejoindre son chauffeur. Elle ne se retourne pas.

Il décide de s'attarder pour observer les animaux qu'on nourrit. La cage d'un panda reste ouverte un instant pendant qu'on y dépose de la nourriture. Deux zèbres détalent quand il s'approche. Il se remet à pleuvoir. Igor s'abrite sous des arbres et regarde la pluie tomber paisiblement autour de lui.

L'ondée passée, la lumière filtre à travers les feuilles. La terre exhale des vapeurs odorantes et Igor respire le parfum capiteux des lilas. Une onction, une bénédiction, comme s'il était touché par la grâce. Et alors que l'humidité traverse ses vêtements, sa retenue naturelle se dissipe lentement. Son pas se fait plus guilleret. Il va même jusqu'à courir. L'air ne lui a jamais semblé si frais ; il ne s'est jamais senti aussi libre. Il lève la tête pour respirer à pleins poumons.

Soudain, il s'avise qu'il est déjà tard et se hâte vers le métro. Plein d'énergie, il ne s'assied pas de tout le trajet. Lorsqu'il retrouve la lumière, la ville lui semble repeinte à neuf. Les garde-fous mouillés du tram luisent et scintillent. Les rails brillent comme les fils d'une immense toile. Igor regagne son hôtel à toute allure, mais s'arrête un moment devant la porte.

Il doit réfléchir avant de se précipiter dans la chambre pour annoncer l'excellente nouvelle à sa femme.

5

Trois semaines plus tard. Premier dimanche de juin. Le jour le plus chaud de l'année jusque-là.

La villa de Coco, Bel Respiro, est nichée dans les bois à l'ouest de Paris. La maison est cachée par les arbres : ormes, hêtres, pommiers, cerisiers et un prunier en fleur qui porte un fruit jaune, à chair tendre et sucrée. Le jardin est parsemé d'asters et de soucis qui se disputent le monopole du parfum avec les lys et les narcisses. Des volets laqués de noir brisent la monotonie du stuc crème des murs.

Sur la route, au loin, le bruit d'un moteur se rapproche, puis soudain, une fourgonnette éparpille le gravier en avançant dans l'allée. Deux gros bergers allemands aboient et bientôt cinq petits chiots se joignent à eux. Ils essaient de mordre dans les pneus lorsque le véhicule s'arrête devant la maison.

« Hé ! Taisez-vous ! » leur crie Coco.

Les chiens obéissent aussitôt.

Les enfants, énervés par le trajet et excités à l'idée de découvrir la nouvelle maison, descendent les premiers, suivis d'Igor qui aide sa femme à sortir.

Elle porte un large chapeau blanc pour se protéger du soleil. Lorsque enfin elle lève la tête, Coco ne la trouve pas jolie. Son visage a quelque chose de très masculin ; ses lèvres sont pincées. Sa mâchoire carrée lui confère un air gauche et suggère des manières brusques. Elle est mince, dégingandée et, Coco le remarque avec surprise, dépasse son mari de quelques centimètres. L'espace d'un instant, Coco se sent absolument féminine. Ses gestes se font félins sans qu'elle y prenne garde.

« Ravie de vous rencontrer enfin », dit-elle.

Pour se saluer, les deux femmes se serrent la main fermement comme pour tester la force de l'autre. Coco sent la chaleur des doigts de Catherine. Bien qu'elle ait l'impression que sa petite paume disparaît dans celle de Catherine, sa poignée de main est plus énergique. Elle se sent animée d'une vigueur secrète et elle désire que Catherine la ressente aussi.

Catherine, quant à elle, est effrayée par le charme de Coco. Non contente d'être riche, elle est également sublime. Elle lutte contre le mépris que lui inspire au premier abord cette parvenue. Le contraste entre la minceur de Coco et la masse de la maison lui paraît incongru. La villa lui semble énorme, prétentieuse. Une folie démesurée.

Même si elle doit admettre que la demeure et le jardin traduisent un raffinement sobre, l'endroit la met immédiatement mal à l'aise. Le chic lugubre des volets ne lui plaît pas. Noirs ! Elle a presque un mouvement de recul. La pelouse ressemble à un tapis de billard. Tellement différente de celle, luxuriante et peu soignée, de son parc en Russie. Elle lui manque. Elle semblait vivante avec sa texture dense. Ici, le jardin paraît stérile. Un autre aspect de la maison la frappe : elle a des allures de lieu profane. Catherine a toujours tenu la couleur comme un signe évident de la présence divine, un symbole manifeste de son éclat. Elle songe aux vitraux d'église et aux couleurs de la nature. Avec ses murs obstinément unis, la villa semble dénuée de spiritualité, privée de Dieu. Catherine est aussitôt saisie par un affreux pressentiment. Comme pour se protéger, elle ouvre son ombrelle blanche, se cache du soleil, puis la fait tourner d'un geste nerveux.

Ensuite, elle se ressaisit. Ce manque d'amabilité ne lui ressemble guère. Peut-être changera-t-elle d'avis une fois à l'intérieur. Elle doit se montrer bienveillante. Cette femme leur offre son hospitalité, après tout. Et puis de toute façon, ses premières impressions sont probablement faussées par la fatigue. Le voyage l'a épuisée.

« Je tiens à vous remercier de nous permettre de séjourner ici, dit-elle à Coco, je ne peux exprimer le soulagement d'avoir enfin un peu de stabilité dans nos vies. Surtout pour les enfants.

— C'est un privilège de vous avoir ici. Bienvenue à tous ! » déclare Coco avec un grand geste de la main qui inclut Catherine et les enfants.

L'échange de politesses entre les deux femmes sonne faux et, malgré les paroles amicales, leurs regards traduisent une certaine méfiance. Coco voit immédiatement en Catherine une femme destinée à souffrir. Elle a déjà rencontré ce genre de personnes. On dirait, pense-t-elle, qu'elles voient de la noblesse dans la douleur et l'abnégation. Si c'est une victime, elle doit attirer les malheurs. Coco essaie d'imaginer cette grande femme maigre au lit avec Igor, sans y parvenir.

Igor a préparé Catherine du mieux qu'il a pu pour parer aux éventuelles tensions avec Coco lors de cette première rencontre : il s'est enthousiasmé de la générosité de cette dernière, mais il a rassuré son épouse en évoquant de manière peu flatteuse les origines modestes de la couturière. Sa femme comprend qu'une femme bien née ne dirigerait pas une affaire. Elle s'occuperait de bonnes œuvres, tout au plus, mais pas de commerce. Ce serait trop vulgaire, s'accordent-ils à penser.

Igor demande si Catherine peut s'asseoir. Les secousses du véhicule pendant le voyage l'ont incommodée. Ses yeux, sous son chapeau, semblent pâles, délavés ; ses joues portent des marques sombres comme si la peau avait été pincée. Coco désigne un banc. Igor la regarde. Ils ne peuvent s'empêcher d'échanger un sourire. Puis ils se retournent, dérangés par un grognement.

Les Stravinski ont un chat, Vassili. À sa vue, les bergers allemands se sont hérissés de colère et battent le sol de leurs queues. Un des chiens émet un grondement sourd. Le chat fait le gros dos en miaulant. Mais il n'y a pas de quoi s'inquiéter. Vassili prend des airs supérieurs avec les chiens alors qu'ils reniflent autour de lui avec curiosité. Sa férocité miniature les surprend. La menace de violence se dissipe. Comme d'habitude ! songe Igor.

Joseph, le majordome, et Marie, sa femme, sortent de la villa. Ils ont travaillé pour Misia Sert jusqu'à ce qu'elle change de mari et par conséquent de domestiques, trois ans plus tôt. Coco les présente aux Stravinski. Igor voit en Joseph un homme droit et bon. L'expression qu'affiche Marie est un peu plus sévère. Cependant, elle sourit lorsqu'elle débarrasse Catherine de sa veste et la conduit à l'intérieur. Joseph les suit, laissant Coco et Igor seuls avec les enfants.

Igor les regarde courir après les chiens et s'en approcher toujours plus.

« Ils ont beaucoup de chance », dit-il.

Coco remarque que les deux garçons ont les cheveux clairs de leur mère et ses yeux sans cils, tandis que ceux des filles sont plus foncés, comme ceux de leur père. Theodore s'efface lorsque Coco essaie de lui parler. Mais après quelques instants de méfiance, tous acceptent avec enthousiasme le jeu que leur propose Coco.

« Laissons-les entre eux », dit-elle.

Le chauffeur défait les sangles à l'arriere du véhicule, puis l'escalade pour descendre les bagages. Comme convenu, Joseph sort pour l'aider à décharger.

Coco se tourne vers Igor et lui dit :

« Venez. Je vais vous faire visiter. »

La villa compte plusieurs chambres et salles de bains. Les plafonds sont hauts et les fenêtres immenses. Des corniches noires ornent les murs beiges. Des arrangements floraux blancs décorent les pièces. Et, malgré l'absence de tableaux, elles sont encombrées de bibelots et de livres.

Coco conduit Igor à l'étage jusqu'à la chambre qu'elle lui a attribuée. Catherine, déjà assise sur le grand lit, s'éponge le front.

« Comment te sens-tu ? s'enquiert Igor.

— Très mal », répond Catherine qui lève les yeux sans un sourire.

L'intérieur de la villa est aussi austère qu'elle le craignait, avec ses murs nus comme ceux d'un hôpital ou d'une prison. Même l'ameublement semble rudimentaire. Une douleur aiguë la transperce comme si on lui plantait un couteau dans le crâne. Elle n'a pas encore ôté son chapeau que déjà elle lutte pour réprimer son envie de se lever et de quitter cet endroit.

Igor pose doucement la main sur son épaule. Dans ces circonstances, ce geste supposé réconfortant n'est que machinal. Il est impatient de découvrir le reste de la demeure.

« Joseph va monter les malles. Je vais faire une rapide visite », l'informe Igor.

Puis, il se sent obligé d'ajouter :

« Je n'en ai pas pour longtemps. »

Coco, qui l'attend dans le couloir, a écouté, amusée. Lorsqu'il sort, elle montre l'escalier du doigt. Il débouche sur un corridor dans lequel elle s'arrête à mi-chemin pour ouvrir une porte.

« Et voici votre bureau. »

Spacieux, avec deux grandes fenêtres aux volets fermés, il est meublé d'une méridienne. Igor en reste bouche bée d'admiration.

« Il est orienté au sud », précise Coco.

Elle ouvre les fenêtres, puis les persiennes et s'accoude sur le rebord. Le chant des oiseaux et le bruit des enfants qui jouent emplissent la pièce. Les feuillages frémissent imperceptiblement, dessinant des ombres arachnéennes sur ses bras.

Igor marque une pause pour s'imprégner de l'atmosphère. Les pièces revêtent une grande importance pour lui. Dans celles où il se sent bien, son art s'épanouit. D'autres lui paraissent hostiles. Celle-ci est lumineuse, spacieuse et bien ventilée. Il en a d'emblée une impression favorable.

« C'est superbe ! dit-il.

— J'espère que ce lieu sera propice à une abondante composition.

— Si ce n'est pas le cas, je ne pourrai m'en prendre qu'à moi-même. »

Cette esquisse de pas de deux révèle un élan vers l'autre, une recherche mutuelle de chaleur et de compréhension. Le ton même de leurs voix participe de cette intimité naissante.

Derrière eux, dans le couloir, Joseph et le chauffeur commencent à déposer les bagages. Ils ont déchargé, avant toute autre chose, la demi-douzaine de cages qui contiennent des perruches et des perroquets.

Joseph reste coi, ne sachant pas à qui s'adresser.

« Où dois-je poser ces…

— Mon Dieu ! Avez-vous amené toute une ménagerie ? demande Coco, quelque peu déconcertée.

— J'espère que ça ne vous dérange pas. »

Un ange passe. Il ne lui a jamais parlé de ses oiseaux, encore moins de son intention de les emporter. Elle devine sa gêne.

« Excusez-moi, j'aurais dû vous dire… »

Elle songe tout d'abord à son audace. Il s'est montré pour le moins insolent. Cela ne lui suffit-il pas qu'elle les héberge, lui, sa femme et leurs quatre enfants sans qu'il ait besoin de s'entourer d'une volière ? Alors qu'elle observe les oiseaux, quelque chose semble attirer l'attention d'un perroquet couleur pistache. Il penche la tête et criaille.

« Dans la remise, pour l'instant, je suppose », répond Coco.

Elle regarde Igor qui acquiesce aussitôt. Elle s'étonne de faire preuve d'autant de tolérance et de tact. Dans d'autres circonstances, elle aurait fulminé. Elle se demande pourquoi elle n'insiste pas pour qu'il prenne d'autres dispositions. Puis, elle tombe sous le charme des oiseaux. Une promesse d'exotisme.

Les cages à oiseaux sont suivies de valises, de boîtes à chapeau et de plusieurs lourdes caisses. Enfin, et c'est la tâche la plus ardue pour le chauffeur et pour Joseph, vient le piano. Soucieux de déposer le piano sans l'abîmer dans le bureau du compositeur, ils mettent un grand soin à le transporter. Après plusieurs tentatives, ils parviennent à le faire passer par la porte grâce à une habile manœuvre. Joseph se cambre et s'étire. En quittant la pièce, le chauffeur s'éponge le front.

Coco remarque que les doigts d'Igor s'agitent.

« Voulez-vous jouer ? »

Igor regarde l'instrument. Sans s'asseoir, il soulève le clapet, pose ses mains sur les touches et les enfonce. Sous la caisse en frêne et le placage en ébène, il sent les marteaux frapper les cordes et faire vibrer la table d'harmonie. La musique inonde la pièce ; une série d'accords majeurs éthérés. Les notes, le soleil et la présence de Coco suscitent chez Igor une joie transcendante, une délicieuse sensation de liberté. Il a le sentiment d'avoir retrouvé sa voix.

Coco sourit, émerveillée par l'aisance de son jeu. Il lui semble que quelque chose s'empare de lui et que ses mains sont soudain animées d'un mouvement qui leur est propre. Les os et les tendons de ses mains s'unissent au bois, aux cordes et aux marteaux du piano. Les touches ondulent comme des vagues sous ses doigts.

À l'étage, Catherine écoute elle aussi. Son estomac se noue. Les sons joyeux lui laissent penser que leur séjour va durer.

En fin de soirée, les valises sont défaites avec soin. Les Stravinski se sont habitués à une vie nomade. Des papiers d'emballage s'entassent dans leurs chambres. Les objets s'y accumulent : tasses, cuillères, samovars, presse-papiers, bocaux d'apothicaire, icônes de la précieuse collection de Catherine et gadgets de toutes sortes, parmi lesquels des montres de gousset, un baromètre, ainsi qu'un gramophone avec une poignée détachable et un pavillon escamotable. Un imposant portrait du tsar Nicolas II occupe la place d'honneur sur un mur du bureau.

Igor actionne son métronome et, à l'écoute du rythme, sent se ranimer en lui un mouvement confus et essentiel. Un nouveau départ. Une renaissance. L'espace d'un instant, l'avenir lui paraît plein de promesses.

Cette nuit-là, lorsque Igor couche les enfants, il entend Ludmilla murmurer « Coco » à sa sœur. Il referme la porte derrière lui, puis les écoute pouffer de rire un moment et fredonner ce nom comme une douce mélopée. Lui aussi se surprend à répéter son nom à voix basse et, ce faisant, découvre dans le creux de ses voyelles sonores une douce rondeur comme des cerceaux ou des soleils.

Chacun prend ses habitudes dans la maison.

Le matin, Igor se lève à huit heures précises comme à son habitude. Il exécute une série de cinquante abdominaux et autant de pompes jusqu'à sentir les veines de ses bras gonfler sous l'effort. Ensuite, il s'étire. C'est un rituel quotidien. Il se glorifie de sa forme physique qu'il entretient avec une sorte de discipline militaire. Son petit déjeuner se compose de deux œufs crus — chacun englouti en une seule bouchée — une cigarette et une tasse de café noir. L'âpreté grisante de la première cigarette se mêle à l'arôme puissant du café pour créer un goût amer tenace.

Il a pour habitude de travailler le matin, jusqu'au déjeuner. Capable de se concentrer longtemps, il se consacre à la musique avec frénésie. Il aime que sa vie soit organisée avec minutie et recherche l'ordre avec acharnement. La porte de son bureau est toujours fermée. Il ne supporte pas les bruits extérieurs et ne doit être dérangé sous aucun prétexte. Seul Vassili, le chat, a la permission d'entrer. L'interdiction est stricte pour les autres.

Sur son bureau, étalés comme les instruments d'un chirurgien, se trouvent des canifs, des coupe-papier, des règles, des gommes de différentes tailles, un étui à cigarettes monogrammé, un pot à crayons et un instrument à roulette qu'il a conçu pour dessiner les portées.

Coco, à sa table de travail, est entourée de pelotes à épingles, de dés à coudre, de boîtes d'aiguilles, de bobines et de rubans de fil de coton. Sur le sol s'étalent des piles de papier-calque, des pelotes de laine et quantité de tissus variés : soie, batiste, crêpe de Chine, lin, mousseline, satin, jersey, coton, velours et tulle. Tout est très organisé et chaque chose a sa place.

Alors que le piano résonne dans une pièce, on entend le bruit des ciseaux qui défont la couture d'une robe dans l'autre. Quand Igor travaille dur, un crayon entre les lèvres, Coco fait de même au bout du couloir, des épingles entre les dents. Lorsque Igor appuie sur les pédales de son piano, Coco actionne celle de sa machine à coudre. Ce faisant, tous deux marmottent.

Lors de leur troisième soirée à Bel Respiro, Igor et Catherine prennent le thé au salon avec Coco. Dehors, les cigales saturent l'espace sonore dans l'obscurité. Un hibou chante ses longues notes plaintives à travers bois. Igor est exigeant sur le thé. Il l'aime peu infusé et brûlant. Un antidote à sa vodka habituelle. Il raconte à Coco les querelles avec ses différents voisins à cause de son piano.

« L'un d'eux tapait au plafond avec un bâton jusqu'à ce que le propriétaire se plaigne parce qu'il abîmait le plâtre. Un autre lançait des pommes de pin à mes fenêtres, si bien qu'il en a cassé une.

— Le piano peut être gênant, chéri », glisse Catherine.

Igor et elle échangent alors un regard qui traduit la tolérance totale au sein de leur couple.

« Eh bien, ici, vous pouvez jouer aussi fort qu'il vous plaît ! » dit Coco.

Soudain, la porte s'ouvre et Milène entre. Elle s'est réveillée dans une pièce inconnue, terrifiée, sans pouvoir se rappeler où elle se trouve. Pire, dans sa frayeur, le mobilier de sa chambre a pris des allures cauchemardesques : les contours d'une chaise sont devenus ceux d'un ogre ; un abat-jour s'est métamorphosé en araignée géante et une chemise de nuit pendue contre la porte a pris l'apparence d'un fantôme sans tête. Elle a courageusement parcouru le couloir étranger, elle a entendu les voix de ses parents au rez-de-chaussée, puis est entrée dans la pièce. Lorsqu'elle pénètre dans le salon, elle leur lance un regard malheureux et soulagé à la fois.

« Oh, mon ange ! s'écrie Catherine qui ouvre les bras pour que Milène vienne s'y blottir. Que se passe-t-il ?

— La pauvre enfant, dit Coco, elle est perdue. »

Milène ne prononce pas un mot. Elle est même trop effrayée pour pleurer. Son visage est figé dans une expression de prière pour implorer amour et réconfort.

Igor s'approche de sa fille et se baisse pour lui parler. Caressant doucement ses cheveux, il la console.

« Ne t'inquiète pas, ma chérie. Maman et papa sont là. Et Coco aussi.

— Pas besoin de t'inquiéter, ajoute Coco. Tu es chez toi ici, pour un bon moment. »

Le visage de la fillette s'éclaircit. La lumière d'une lampe miroite dans ses yeux. Igor se penche vers elle et lui dit :

« Tout va bien maintenant.

— Je vais te remettre au lit, murmure Catherine.

— Non ! proteste l'enfant.

— Allons, je vais te lire une histoire.

— Je ne peux pas rester avec vous un petit peu ? demande Milène.

— Non, il est très tard, répond sa mère avec douceur et fermeté, il faut te recoucher.

— Tu vas avoir besoin d'être bien reposée demain parce que ce sera une journée très spéciale. Nous allons jouer à plein de nouveaux jeux dans le jardin et il va te falloir de l'énergie si tu veux tenir », ajoute Coco tâtant ses biceps pour illustrer son propos.

Milène n'est pas dupe, mais semble s'accommoder de ce subterfuge avec plaisir.

« Dis bonsoir à papa maintenant. »

Milène prend son père dans ses bras. La serrant fort contre lui, Igor l'embrasse tendrement sur le front.

« Bonne nuit, lui dit-il. Embrasse Coco aussi et remercie-la de nous laisser habiter ici.

— Merci, Coco, chantonne l'enfant.

— Il n'y a pas de quoi, répond Coco.

— Maintenant, jeune fille, au lit. Allez. »

Milène ouvre la porte pour sortir ; Catherine la suit, puis annonce :

« Je vais me retirer aussi, si vous n'y voyez pas d'inconvénient. Je suis épuisée. Bonne nuit. »

Ces derniers jours, elle ne s'est pas sentie très bien. Elle espère que son mari va la rejoindre. Bien qu'elle ne soit pas d'un naturel jaloux, elle n'aime pas le laisser seul avec Coco.

« Je monte bientôt, assure Igor.

— Bonne nuit », dit Coco sur un ton chantant.

Catherine quitte la pièce, la main de la fillette récalcitrante dans la sienne. Elle ne sait que penser de la situation. Ce lieu lui inspire une gêne confuse. Les tapis sont neufs, le mobilier est moderne ; tout est impeccable. Les pièces sentent la peinture ; même le gazon est parfait. Pourtant, tout cela ne paraît pas réel. Elle a l'impression de vivre dans un déco · de théâtre, et elle s'attend presque à découvrir le public d'un instant à l'autre. Cependant, habituée à réserver son jugement, elle décide d'attendre.

Au salon, Igor et Coco écoutent le bruit des pas de l'enfant et celui, plus majestueux, de sa mère alors que toutes deux montent lentement l'escalier. Le chat bâille, en tirant sa langue rêche.

« C'est une fillette charmante.

— Oui, acquiesce-t-il en relevant les yeux.

— Vous devez être très fier. »

Dans le silence qui s'installe, le chant des cigales semble un demi-ton plus haut. Après s'être rassis, Igor reclasse les feuilles de son journal. Les caractères deviennent flous. La présence de Coco à l'autre bout de la pièce l'obsède. Elle semble tout près de lui, comme si quelqu'un avait rapproché sa chaise de la sienne. Il se sent soudain mal à l'aise à l'idée de sa femme qui l'attend à l'étage. Il repose le quotidien et le plie avec un soin superflu. Puis, avec solennité, il termine son thé et annonce à Coco que lui aussi va se coucher.

« Bonne nuit », dit-il, sur un ton de défi.

Un muscle de son visage se contracte.

Elle lève les yeux vers lui et, à la lumière de la lampe, son regard étincelle légèrement. Elle penche la tête, change de position sur sa chaise. Quelque chose dans le regard de Coco énerve Igor. Avec audace, il le soutient.

« Bonne nuit », dit-elle d'une voix rauque, rêche comme du velours caressé dans le mauvais sens.

L'inflexion de la voix de Coco accompagne Igor jusqu'à son lit, alors que son esprit s'abandonne à l'absurdité de ses rêves.

6

Igor, assis au piano, annote une partition. Des feuilles de papier à musique sont disposées sur le pupitre. Concentré, les lunettes remontées sur le crâne, il ressemble à un croupier ou un coureur automobile : un homme qui pourrait prendre des risques.

Il jongle constamment avec des séquences de notes et joue sur leur durée. Il recherche une coïncidence saisissante de sons, une correspondance de tons qui électrise comme si quelqu'un vous enfonçait une aiguille entre les côtes. Il essaie plusieurs progressions harmoniques, ajustant la position de ses doigts jusqu'à ressentir cette texture dense, douce, mais qui résiste. Les solutions consistent rarement en des harmonies toutes simples. Elles sont moins évidentes. Elles arrivent sans prévenir et vous surprennent, si bien que ce qui paraît discordant au premier abord se révèle d'une beauté complexe et pénétrante.

On frappe à la porte de son bureau. Il suppose que c'est Marie qui vient ranger, mais il s'agit en fait de Coco. Il se lève promptement. Ses lunettes glissent et manquent de tomber.

« Coco ! s'écrie-t-il en les rechaussant.

— Je voulais juste vous dire que j'ai demandé au médecin de venir examiner votre femme.

— Vous êtes bien aimable. »

Un problème respiratoire oblige Catherine à garder le lit ces derniers jours. Le dimanche précédent, elle se sentait trop mal pour assister à la messe.

« Ne vous inquiétez pas des honoraires. Je les réglerai.

— Non. Il n'en est pas question.

— Ne faites pas l'idiot ! Vous êtes mes invités. Je ne supporte pas qu'on soit malade sous mon toit.

— Il s'agit de ma responsabilité. Je me sentirais offensé si vous payiez.

— Sottises ! Considérez l'affaire classée. Il sera là cet après-midi vers trois heures. »

Igor proteste, mais Coco insiste.

Ils rient tous deux nerveusement. Elle sait qu'elle a employé un ton de maîtresse d'école. Toutefois, il n'ignore pas le prix que peut atteindre une consultation. Il sait aussi qu'il ne pourrait pas se permettre de payer un traitement de longue durée. L'argent de Coco pèse dans leur relation et la déséquilibre. Il baisse les yeux, humilié. Ce faisant, il remarque un trou dans la patte de boutonnage de sa chemise qui laisse apparaître son ventre. Quelques poils bruns frisent dans la lumière. Coco suit son regard.

« Vous avez perdu un bouton. »

Il rosit et rassemble les pans de sa chemise. Elle parcourt du regard le sol sous le piano.

« Le voici ! »

Elle se baisse et ramasse le bouton.

« Je vous le recoudrai. »

Il ne peut se résoudre à protester.

« Merci. Je donnerai ma chemise à Marie cet après-midi.

— Ça ne prendra qu'un instant. Venez, je m'en occupe tout de suite. »

Quelque peu déconcerté par son impétuosité, il lâche :

« Donnez-moi une minute, je vais monter me changer. »

Sidérée par sa froideur, Coco emploie un ton plus péremptoire encore.

« Pas besoin. »

Cette dureté dans sa voix à nouveau.

« Vous n'avez pas à retirer votre chemise. Asseyez-vous, je reviens dans deux minutes. »

Sa robe fait comme un délicieux murmure à son oreille lorsqu'elle quitte la pièce.

Décontenancé, Igor ressent le besoin de se faire respecter davantage. Mais chaque fois qu'il s'adresse à elle, ses résolutions fondent comme neige au soleil. La franchise de Coco ne cesse de le désarmer. Il ôte ses lunettes et en essuie les verres avec un pan de sa chemise. Il s'aperçoit alors que ses mains tremblent.

Coco revient, un petit sachet d'aiguilles et du fil à la main.

« Placez-vous à la lumière ! » lui intime-t-elle.

Elle humecte le fil du bout de la langue et l'insère dans le chas.

Obéissant, il se tourne vers la fenêtre. Au soleil, sa chemise blanche est transparente. Igor se tient timidement debout pendant que Coco recoud le bouton au bas de celle-ci. Les bras levés et la tête haute, le plafond lui semble tout proche.

Coco sent les muscles d'Igor se contracter sous sa chemise. Pour un homme petit, sa musculature est impressionnante. C'est elle qui hésite à présent. Elle tire le fil fermement et fait des points avec des gestes nerveux. Un peu trop vifs, car elle se pique le doigt. La douleur la saisit. Elle jure tandis que la pièce vire au rouge sous ses paupières.

Igor a un mouvement de recul. Il baisse les bras, puis la regarde.

« Qu'y a-t-il ? »

De ses lèvres, Coco presse le bout de son doigt. Dans ses yeux étincelant de colère se reflète la chemise immaculée.

Une tendresse soudaine envahit Igor. Il doit résister à l'envie de porter le doigt piqué à sa bouche pour en soulager la douleur. Puis, dans un sursaut de courtoisie, il se reprend.

« Tenez, prenez ce mouchoir.

— Ce n'est rien. »

Une goutte de sang perle. Elle essuie son doigt avec le mouchoir qui se couvre de minuscules étoiles rouges.

« Excusez-moi, je me suis montrée négligente.

— Vous ne souffrez pas ? »

En un éclair, leur attirance devient palpable. Inexprimée et retenue, mais aussi réelle que le bouton qu'elle recoud sur sa chemise. Igor ressent une étrange sensation à l'estomac. Un désir confus l'effleure. La piqûre de l'aiguille sur le doigt de Coco l'a fait rougir.

« Non, non. Laissez-moi terminer. »

Avant qu'il ait le temps de protester, elle s'est remise à l'ouvrage. Le bouton pend mollement au bout du fil. Igor lève à nouveau les bras, puis baisse les yeux vers Coco. L'odeur du savon de Marseille, omniprésente dans les salles de bains, s'exhale de sa nuque. Il sent la pression de ses mains sur sa poitrine.

« Tenez ceci », lui demande-t-elle.

Il pose un doigt sur le bouton pendant qu'elle fait un nœud pour terminer le point.

« Vous pouvez lâcher. »

Il ôte son doigt. Le bouton est en place. Sans y réfléchir, elle coupe le fil avec ses dents. Elle recule pour inspecter son travail.

« Et voilà ! »

Coco arbore à présent un large sourire qui révèle une fossette sur sa joue gauche ; un pli, comme l'esquisse d'une seconde bouche. Elle rassemble son fil et ses aiguilles, s'apprête à quitter la pièce, puis se ravise en se rappelant la raison de sa visite.

« Il arrivera vers trois heures. Je serai chez le coiffeur. Joseph l'accueillera. »

Certain de l'avoir assez remerciée, il acquiesce du bout des lèvres. Il reste debout à écouter ses pas s'éloigner dans le couloir. Encore une coupe de cheveux ! Sa coiffure est déjà bien assez « à la garçonne ».

Il se rassied, replace ses lunettes sur son front, reprend son stylo et se remet au travail. Ses mains, très éloignées l'une de l'autre, s'arquent différemment sur le clavier. Les sons se font soudain plus ronds, les tons plus riches, les harmonies plus somptueuses. D'un geste vers le pupitre, il change une blanche en croche en la noircissant.

Du pouce et de l'index, le médecin relève les paupières de Catherine. Ses globes oculaires roulent et révèlent un filigrane de vaisseaux sanguins éclatés sur la sclère.

Puis il écoute sa respiration au stéthoscope. Elle s'assied dans son lit afin qu'il puisse ausculter son dos. Elle se soumet en silence à cet examen, consciente de son insuffisance respiratoire. Elle sent ses poumons siffler avant l'expiration, comme l'air dans un accordéon dont on replie les soufflets, et elle se demande ce que lui entend. Elle attend une réaction de sa part, mais il ne laisse rien paraître. À vrai dire, il la regarde à peine. Il ôte le stéthoscope de son cou et l'enroule autour d'une main. Robuste, le teint mat, les cheveux épais, le médecin semble en excellente santé. Qui ferait confiance à un médecin souffreteux ? Son activité prospère depuis que des patients tels que Chanel lui ont confié leur santé.

Catherine note qu'aucune ride marquée ne sillonne son front. Rien n'a altéré son aspect lisse. La vie ne lui a jamais infligé de violentes souffrances, songe-t-elle. En effet, il a judicieusement restreint sa clientèle à ces quartiers de la ville que seuls les plus riches peuvent s'offrir. Le père de Catherine était médecin de campagne. Elle sait ce qu'il a enduré pour soigner les indigents.

« Eh bien ? » demande Igor.

Il s'avance vers un coin de la pièce pour s'entretenir avec le médecin. Sa voix trahit son impatience.

Le docteur range le stéthoscope dans sa mallette. Son regard n'est pas rassurant.

« Le poumon droit est très faible », répond-il assez fort pour que Catherine entende, en s'efforçant d'être franc.

Épuisée, elle laisse tomber sa tête sur les oreillers. Elle en veut à ces deux hommes qui discutent de sa santé en faisant fi de ses sentiments, de sa lucidité.

Le déménagement à Bel Respiro l'inquiète plus qu'elle ne veut l'admettre. Comme Coco et Igor ne cessent de l'affirmer, l'air frais et le soleil sont sans doute bons pour sa santé. Mais que manigance la captivante Mlle Chanel ? Des raisons moins avouables n'ont-elles pas motivé son invitation ?

L'exil de Russie l'a plus affectée qu'Igor. Lui au moins a son travail pour s'occuper. Elle a tout abandonné : ses amis, sa propriété, ses racines. Les déplacements perpétuels ont fragilisé sa santé. Son seul soutien lui vient de sa foi ardente. Et de l'amour de son mari.

Ses yeux reflètent la fenêtre et les lys qui en décorent le rebord. Ces fleurs lui semblent soudain hostiles avec leurs langues fourchues et venimeuses. De plus, elles dégagent une odeur déplaisante. Sans savoir vraiment pourquoi, elle se sent infectée par cette pièce, dans cette demeure isolée. Un goût acide, désagréable, couvre sa langue. Elle regarde une ombre obscurcir le lit et est prise de nausée.

Igor, conscient de l'irritation de sa femme, mais redoutant le diagnostic du docteur, fait sortir ce dernier de la chambre. Les deux hommes descendent l'escalier, puis s'arrêtent dans le couloir. Deux mouches bleues bourdonnent comme des folles en zigzaguant autour d'un abat-jour.

« A-t-elle craché du sang ? demande le médecin, avec un air grave.

— Pas récemment.

— Elle a des antécédents ?

— Elle a présenté des symptômes de tuberculose dans sa jeunesse, admet Igor. Qui sont réapparus après la naissance de notre benjamine.

— Quand était-ce ?

— Il y a six ans… »

Cette information semble confirmer ses craintes. Le docteur fait un signe de la tête en se mordant la lèvre.

« Eh bien, il s'agit des mêmes symptômes. »

Igor laisse paraître son désarroi.

« C'est grave ? s'enquiert-il.

— Il faut s'en occuper.

— Y a-t-il quelque chose qu'elle devrait faire ? »

Confus, Igor porte une main à sa joue qu'il effleure négligemment.

« Se reposer et prendre l'air. Marcher un peu lui ferait du bien. Rien de trop fatigant, vous comprenez. Faire de l'exercice régulièrement, mais en douceur. Elle est aussi un peu trop mince. Elle devrait manger un peu plus. Il faut qu'elle reprenne des forces.

— Bien sûr. »

Igor n'a pas cessé de se frotter la joue.

« Je lui ai prescrit un remède qui devrait la soulager. Il devrait lui permettre de se reposer et de respirer plus facilement. Toutefois, il peut la rendre somnolente. »

Après avoir tournoyé sous l'abat-jour, les mouches se posent sur le plafond. Les deux hommes constatent l'arrêt du bourdonnement.

« Je vous remercie d'être venu si vite.

— Je vous en prie. »

Les enfants se rassemblent autour d'Igor.

« Est-ce que maman va guérir ? »

Il ressent un élan d'affection pour eux. Le médecin caresse leurs têtes comme pour les apaiser.

« Elle va se remettre », répond-il.

Pour la première fois, il sourit. Igor aimerait que sa femme soit là.

Joseph apparaît comme par enchantement. Il tend son chapeau au médecin, puis lui ouvre la porte. Leurs silhouettes se détachent dans la lumière intense qui les aveugle un instant.

« Transmettez mes amitiés à Mlle Chanel.

— Je n'y manquerai pas. »

Pour ne pas gêner, le médecin s'est garé devant le portail. Dans l'allée, le gravier crisse sous ses pas. Le bruit résonne comme un vacarme aux oreilles d'Igor. La violence avec laquelle se découpent les formes dans la lumière semble concerner aussi la propagation des sons. Cette perception exacerbée s'étend à sa conscience et amplifie son sentiment de culpabilité.

L'annonce de la maladie de Catherine suscite en lui des sentiments contradictoires. La souffrance de la savoir à nouveau atteinte de pneumonie se mêle à l'excitation de pouvoir, pendant sa convalescence, passer plus de temps avec Coco. Puis songeant à la loyauté indéfectible de ses enfants, il se sent coupable de telles pensées. Mais elles s'insinuent malicieusement en lui et ne le quittent plus.

Il pense aux six années passées à prendre soin de sa femme; aux difficultés qu'il a dû affronter pour concilier les exigences de son travail et la nécessité toujours plus impérieuse de veiller sur elle. Le sacrifice a été grand. Personne n'est parfait, songe-t-il pour se rassurer. Bien entendu, il l'aime et ne peut imaginer vivre sans elle. C'est la mère de ses enfants. Et pourtant, le voici précipité dans un monde riche de possibilités, animé d'espoirs nouveaux. À trente-huit ans, il n'a pas encore digéré l'injustice de l'exil et ressent le besoin d'être reconnu non seulement comme musicien, mais aussi en tant qu'homme.

Coco remonte ses manches, puis s'assied pour dîner. Elle porte un chemisier à col marin et une jupe longue en jersey. Un bandeau noir dans ses cheveux s'harmonise avec ses sourcils charbonneux.

Elle secoue une serviette.

« Catherine ne se joint pas à nous ce soir? » demande-t-elle.

Elle ne peut cacher qu'elle soupçonne cette dernière de simuler sa maladie. Cette façon qu'elle a de se plaindre sans cesse et le ton dolent de sa voix pour appeler Marie... Coco ne parvient pas à comprendre pourquoi Igor la supporte. Elle semble ne rien faire pour lui.

« Je crains que non », répond Igor.

Il lui relate la visite du médecin puis saisit ses couverts en silence. Il laisse Coco lui servir du vin.

« Si Catherine n'est pas à table, pouvons-nous nous passer de dire le bénédicité ? »

Coco a été stupéfaite par le rituel de la prière avant les repas.

Igor se fait complice.

« Je n'y vois pas d'inconvénient. »

Cependant, en disant cela, il lui semble trahir son épouse et sa propre foi profondément enracinée. Il ressent à nouveau cette exigence de loyauté qui remonte à son enfance. La dureté de l'expression du visage d'Igor indique à Coco qu'il est mal à l'aise.

Elle jette un coup d'œil aux enfants. Ils ne semblent pas s'en préoccuper. La plupart du temps, ils parlent russe, sauf lorsqu'ils s'entraînent à dire des politesses destinées à Mlle Chanel. Igor les harcèle afin qu'ils disent s'il vous plaît et merci et insiste pour qu'ils tiennent correctement leurs couverts. Si seulement ils étaient aussi agréables pendant la journée, songe Coco. Sans autorité maternelle, ils sont déchaînés, se chamaillent dans un vacarme épouvantable. Igor, lui, semble ne pas prendre leurs besoins en considération. Ils se tournent alors vers elle et l'interrompent dans son travail alors qu'elle est tout aussi débordée que lui, sinon plus.

Par générosité et pour son propre bien-être, elle a engagé une gouvernante pour leur donner des leçons durant l'été. Il faut bien que quelqu'un les discipline et les surveille. Hors de question de le faire elle-même !

Elle attaque son entrée : chicorée et gruyère, puis rompt le silence en demandant à Igor :

« Alors, vous vous plaisez ici ?

— Oui. Beaucoup, répond-il, oubliant son trouble.

— Mais vous préférez Saint-Pétersbourg. »

La voilà qui recommence. Elle ne cesse jamais.

« Pas vraiment, mais je l'aime plus que jamais.

— À présent que vous ne pouvez plus vous y rendre ? »

Il prend une gorgée de vin, ce qui ajoute de l'emphase à sa réponse.

« Tout à fait.

— Votre femme s'en languit terriblement, n'est-ce pas ?

— J'imagine que oui. »

Il repose son verre d'un geste élégant. Il s'avise à présent que depuis son arrivée à Bel Respiro, sa femme, intimidée par la sociabilité de Coco, s'est discrètement retirée dans son monde. Cependant, il ne lui en veut pas. Il est lui-même intimidé.

« Ce doit être difficile pour elle de se trouver ici.

— Oui, répond-il en regardant son assiette.

— Qu'en est-il des enfants ?

— Ils s'adaptent. Toujours. »

Il les embrasse du regard. Scrutant leur front pour y trouver l'innocence, un sentiment de culpabilité l'assaille à nouveau. Il retrouve sur leur visage des traits de Catherine, comme une broderie colorée sur une étoffe.

Peu à peu, à l'image de ses enfants, Igor se détend, puis s'anime. Coco répond à sa bonne humeur. Ils évoquent leurs ambitions avec passion. Elle veut démocratiser la mode féminine. Il souhaite redéfinir les tendances musicales. Ils parlent avec conviction. Tous deux détestent les chichis et les signes ostentatoires de richesse. Elle déteste les fanfreluches, le ruché et les plis bouffants. Il parle avec mépris du caractère purement ornemental de la musique des dernières années, de ses rythmes poisseux et de ses mélodies sirupeuses.

Elle est bien décidée à ne pas le laisser prendre le dessus. Elle considère son travail comme une forme d'art. Dieu n'ayant pas créé les hommes déjà vêtus, un deuxième acte de création s'avère nécessaire.

Elle lui dit à quel point elle adore travailler avec du jersey. À l'inverse de la plupart des tissus, indisponibles après la guerre, le jersey est bon marché, extensible et pratique à porter. Il permet une élégance simple, ajoute-t-elle. Quel intérêt de porter une robe dans laquelle on ne peut pas danser ? Et si le textile semble banal, on peut toujours l'agrémenter d'une broderie, de perles, de dentelles ou de glands. Il suffit d'ajouter un foulard pour comprendre que le plus simple des vêtements peut être métamorphosé.

Coco se montre convaincante. Son discours est sensé. Il l'écoute avec beaucoup d'attention. Ce ne sont pas seulement ses propos qui le fascinent, mais la manière dont elle s'exprime. Le charme de sa bouche, l'élégance de ses gestes, la douceur sombre de ses yeux.

Elle cherche à insuffler une nouvelle simplicité à ses dessins, lui dit-elle. Des lignes pures et simples, des coupes plus masculines. Elle se demande bien pourquoi les tenues les plus confortables sont destinées aux hommes.

« N'est-il pas temps que les femmes puissent porter des tenues dessinées pour elles par d'autres femmes au lieu d'être emballées comme des œufs de Pâques ? »

Les femmes ne sont pas des objets de décoration, ce sont des êtres humains, songe-t-elle.

« Elles ne doivent pas être entravées et à notre époque cela signifie : moins de tissu. Il faut en supprimer jusqu'à ce que les robes épousent le corps des femmes. Est-ce si difficile à comprendre ? »

Il admire l'exaltation de ses explications. Il n'a jamais rencontré une femme pareille. Elle est parfaitement féminine, avec cependant une confiance en elle et une indépendance surprenantes. Cela lui plaît, même s'il est un peu effrayé. Elle lui apparaît comme nimbée d'un halo au parfum d'érotisme.

Après s'être goinfrés de viande et de fromage, les enfants sont autorisés à quitter la table. Coco et Igor poursuivent leur conversation.

« Je commence rarement à composer sur papier. Je compose presque toujours au piano. J'ai besoin de toucher la musique, de la sentir naître sous mes doigts.

— Moi aussi. Je n'aime pas travailler à partir de croquis. Je préfère commencer directement sur un mannequin avec le matériel que j'ai sous la main. Avant tout, je veux arranger le tissu et le toucher. »

Ce besoin de contact direct dans leur travail tisse un lien entre eux. Leur engagement et leur dévouement commun les rapprochent, mais ils créent aussi une compétition.

Igor vide presque une bouteille de bourgogne, pendant que Coco s'en sert plusieurs verres. Ils se disputent pour savoir lequel des deux travaille le plus dur. Igor soutient qu'il commence beaucoup plus tôt qu'elle, qui ne se lève parfois pas avant midi. Elle rétorque qu'elle ne s'arrête qu'en début de soirée alors que lui termine souvent ses séances en milieu d'après-midi.

Dans l'ivresse, Igor se sent submergé par le flot des paroles de Coco. Les effets du vin se mêlent au discours passionné de cette dernière pour le griser. Une idée lui traverse l'esprit. Il entend une voix lui souffler la réplique. La phrase lui échappe.

« Misia m'a dit pour Arthur Capel. »

Il a tout de suite la sensation d'en avoir trop dit.

« Vraiment ? » répond-elle d'une voix blanche.

Elle semble choquée, incrédule.

« Elle vous a parlé de lui, alors ? »

Son visage se change en masque, sa voix faiblit.

« Tout le monde l'appelait *Boy*.

— Vous deviez l'aimer, se surprend-il à dire.

— Il m'a trahie, dit-elle après s'être ressaisie.

— Oh ? »

Bien qu'empreint de rancœur, le ton de sa voix reste calme.

« Sans m'en avertir, il a épousé une aristocrate. Anglaise, bien entendu. Une femme avec un meilleur pedigree, ajoute-t-elle, amère. Ensuite, il est mort. »

Comme si elle revivait son chagrin en accéléré, elle passe en quelques secondes de l'abattement à la torpeur, puis à la colère. Des larmes perlent au coin de ses yeux.

« Je suis désolé, s'excuse Igor.

— Vous pouvez.

— Comment est-il mort ? risque-t-il après une courte pause.

— Dans un accident de voiture. »

Ses yeux s'assombrissent comme baignés d'ombre.

« Il était toujours beaucoup trop pressé. »

Son cœur lui semble se briser dans le silence qui s'installe. Les vapeurs du vin lui donnent la nausée. Un rictus déforme sa bouche.

Comme dans une transe, elle se risque à dire :

« À sa mort, j'ai fait repeindre ma chambre en noir, posé des rideaux noirs et mis des draps noirs. Je voulais que le monde entier porte son deuil. »

Elle regarde Igor, froidement.

« Vous pensez que c'est idiot?

— Non, un tel deuil est terrible. »

Il se penche au-dessus de la table et pose une main sur celle de Coco. Un geste pour la consoler, sincère et humain.

Tous les muscles de ses doigts réagissent. La fraîcheur du métal de sa bague la surprend.

« Cela va bientôt faire un an.

— Vous trouverez quelqu un d'autre. »

De sa main libre, elle manipule un rond de serviette.

« Je ne crois pas. »

Leurs regards ont une douceur et une profondeur qui effacent l'espace qui les sépare.

Joseph entre dans la pièce pour leur demander s'ils désirent du café. Surpris par cette tierce présence, ils déjoignent leurs mains. Igor saisit son verre. Jusqu'à cet instant, ils n'avaient pas conscience de s'entendre aussi bien. À présent qu'ils l'admettent, chacun semble s'éloigner un peu. La gêne préalable s'installe à nouveau. Ils ont tous deux le réflexe de porter une cigarette à leur bouche. Et, non, ils ne prendront pas de café, merci.

Joseph se retire. Igor arrache une allumette à une pochette offerte en souvenir dans un hôtel suisse. Il doit la frotter deux fois avant qu'elle ne s'allume. Coco approche la tête. Cigarette en bouche, son visage occupe entièrement le champ de vision d'Igor. Le tabac flamboie. Coco se renverse sur sa chaise. La fumée qui s'élève au-dessus de la table dessine des boucles et des arabesques.

« Cela pourrait bien m'empêcher de dormir », dit-elle.

Son rouge à lèvres colore le filtre de la cigarette comme une blessure.

« Moi aussi », répond Igor.

7

Coco frappe doucement à la porte de Catherine. Quelques instants plus tard, un faible « entrez » s'échappe de la chambre. Coco pénètre dans la pièce, consciente de la transgression, et retient la porte tout en jetant un coup d'œil à l'intérieur.

La chambre est mal aérée. Il y flotte une odeur aigre de sueur et de maladie. Les rideaux sont à moitié tirés. Les notes du piano, au rez-de-chaussée, se répandent dans la maison comme des vagues.

« Ce n'est que moi, dit Coco.

— Oui, entrez », répond Catherine, en soulevant la tête de ses oreillers.

Coco place une chaise près du lit. Elle regarde le visage creusé et cireux de Catherine. La maladie a pâli ses joues, tiré ses traits. Ses yeux gonflés lui donnent en permanence l'air étonné. Des ombres se dessinent sur sa peau blême. À peine a-t-elle reposé la tête qu'elle doit déjà se redresser pour soulager une quinte de toux. Le son sec et métallique qui s'échappe de sa gorge fait frissonner Coco. Il lui rappelle les navettes des usines textiles.

Catherine se remet juste assez pour être consternée par son apparence. Elle tente de lisser ses cheveux blonds comme les blés, humides du côté où elle a dormi.

« Voulez-vous que j'aille vous chercher un verre d'eau ? lui demande Coco.

— J'en ai déjà un. »

Elle tend aussitôt le bras pour saisir son verre. L'eau plate est tiède. Elle boit plusieurs gorgées qui n'étanchent pas sa soif, puis repose le verre.

« Je suis désolée pour votre santé. »

Catherine remarque un certain manque de sincérité dans le ton de Coco, comme si la visite lui était dictée par son sens du devoir.

« Moi aussi. »

Elle a prononcé ces mots avec fermeté. Coco se redresse sur sa chaise pour se concentrer. Soudain, Catherine ne lui inspire plus la pitié. Cette femme n'admet pas la moquerie. Elle est sérieuse, éduquée. Près du lit, se trouvent des recueils de poésie, des romans, des volumes de théologie. Elle maîtrise mieux le français qu'Igor — il le parle moins couramment et d'une manière plus empruntée. Étudiante, elle a passé trois ans à Paris. Cependant, Coco ne parvient pas à se défaire de l'idée que son intelligence s'est épanouie aux dépens de sa vitalité, de sa santé. Coco déteste voir les gens malades et tolère mal leur état. Pour être honnête, cela tient aussi du rapport de classes. Elle voit en Catherine l'anémie de la classe privilégiée, la fragilité des sang bleu, la faiblesse de l'aristocratie dont l'arrogance a été dévoilée.

Sa réaction tient aussi au fait qu'à l'âge de onze ans elle a été témoin de l'agonie de sa mère, tuberculeuse. Elle éprouve de la rancune à voir Catherine dorlotée alors que sa mère a succombé avec une rapidité connue des seuls pauvres.

Le silence entre les deux femmes dû à leur trouble est ponctué des accords expérimentaux du piano. L'amitié qu'entretient Coco avec Igor ne fait qu'amplifier cette gêne. Catherine ne croit pas à l'amitié entre deux personnes de sexe opposé. Elle est toujours fallacieuse ou érotique, pour finir. À l'exception d'Igor qu'elle se plaît à considérer comme son meilleur ami, elle n'a jamais connu d'amitié authentique avec un homme. Elle apprécie Diaghilev, bien sûr, mais c'est différent. De toute façon, il préfère les hommes.

Les deux femmes se lancent des regards en coin. Mer d'huile.

« Le médecin vous a recommandé de prendre l'air.

— Je sais.

— Voulez-vous que j'ouvre la fenêtre ? »

Catherine hésite. C'est la première fois qu'elles se trouvent seules. De plus, ce geste conférerait un certain pouvoir à Coco. Elle se méfie instinctivement de cette dernière, car elle la trouve sournoise. Pourtant, malgré elle, elle souhaiterait l'aimer et s'en faire aimer. Elle doit admettre que cette femme possède un charisme indéniable. Elle tente de nouveau de lisser ses cheveux fins.

« Oui », répond-elle.

Coco se lève, tire complètement les rideaux, puis essaie d'ouvrir la fenêtre dont l'humidité a dilaté la menuiserie. Catherine n'a pas réussi à l'ouvrir, mais elle ne résiste pas à la poigne de Coco. Un souffle d'air chaud pénètre dans la pièce et l'envahit. Les rideaux volettent, légers comme de la gaze. La lumière éblouit Catherine et le souffle d'air caresse ses cheveux.

« Voilà qui est mieux ! déclare Coco.

— Oui, répond Catherine, que le ton décidé de Coco intimide d'autant plus.

— Le soleil donne de l'énergie. »

Mais l'astre du bonheur et de la santé se rit de Catherine. Coco regagne son siège, croise et décroise les jambes. Une phrase compliquée au piano comble le silence pesant.

Catherine regarde fixement les draps. Sa gorge est sèche, mais elle se garde de boire encore. Cela trahirait sa faiblesse.

Elle connaît les origines de Coco — enfant illégitime, orpheline — et admire l'énergie féroce dont elle a dû faire preuve pour réaliser son ascension sociale. Cette rage l'effraie aussi, car elle pourrait l'utiliser pour lui nuire. En sa présence, elle a l'impression de se trouver prise dans une tornade.

Soudain, Coco se lève et se dirige vers la penderie.

« Permettez-vous que je jette un œil à vos vêtements ? »

Cette question inconvenante surprend Catherine. Mais Coco se déplace avec une telle rapidité qu'elle ne lui laisse guère le temps de réagir. Cela lui rappelle encore qu'elle héberge sa famille par charité. Ils sont ici chez elle. C'est elle qui paie le médecin, qui règle les factures. Catherine se demande ce qu'elle pourrait faire. Refuser ? Un sentiment d'obligation pèse sur sa poitrine et avive sa gêne respiratoire.

« Bien entendu », répond-elle d'une voix faible.

Coco ouvre vivement la penderie. Une légère odeur de renfermé s'en échappe. Catherine se sent dépouillée de son intimité. C'est une intrusion totale dans sa vie privée. Le geste est si indécent qu'elle se sent presque violentée.

La plupart de ses vêtements, des jupes et des robes de soirée au style trop guindé, sont lourds et passés de mode. Des tenues d'hiver surtout, rien de vraiment approprié pour l'été. Elle possède quelques blouses à volants façon gitane, des chemisiers à col de fourrure, un grand nombre de jupes.

« La plupart sont trop grands pour moi maintenant.

— Celle-ci me plaît », dit Coco en dépendant une des jupes les plus simples, en forme de tulipe.

Elle examine la broderie au-dessus de l'ourlet. Catherine parvient seulement à dire :

« Oh ! C'est juste un jupon de paysanne. »

L'espace d'un instant, elle croit que Coco la taquine, mais la jupe semble réellement retenir son attention.

« Je l'ai achetée à Saint-Pétersbourg avant notre départ.

— Elle me plaît », répète Coco en décrochant le vêtement du cintre avant de l'ajuster contre elle.

Catherine observe Coco qui fait bouffer le jupon par-dessus sa jupe bleue.

« J'en suis ravie », répond Catherine.

Coco ne semble pas écouter. Sans aucun égard, elle choisit un autre vêtement.

« Encore un superbe vêtement, dit-elle en désignant une longue tunique de laine ceinturée avec des rubans brodés au col et aux poignets.

— C'est une *roubachka.*

— Une *roubachka* », répète Coco, bien décidée à prononcer le mot correctement.

À présent, Catherine comprend pourquoi Coco défend les étoffes rustiques comme le jersey : elles la mettent en valeur.

« Vous pouvez l'emprunter si vous voulez. »

Cette proposition ramène Coco à la réalité.

« Non, non ! Je ne voulais pas insinuer… »

Elle range la tunique en toute hâte, mais continue de fouiller sans gêne. Elle décroche encore quelques vêtements pour les observer. Pour chacun d'eux, elle soutire des commentaires à Catherine. Où les a-t-elle achetés ? En quelle occasion les a-t-elle portés ?

Enfin, Coco, au fond de la penderie, sent sous ses doigts du papier de soie. Elle fait glisser le cintre le long de la tringle pour le retirer. Catherine reste silencieuse. Dérangée, une mite couleur crème sort du placard en voletant, comme saoule. Sa légèreté semble déteindre sur l'humeur de Coco. Sous les couches de papier opaque, on devine une jupe.

« Qu'avons-nous là ? » demande Coco, intriguée.

Elle retire le papier jusqu'à ce que les dernières feuilles, froissées, révèlent la soie blanche et empesée d'une robe de mariée. Coco la soulève un instant, puis réalisant ce qu'elle représente, interrompt son geste et blêmit.

« Voilà des années que je ne l'avais pas regardée », dit Catherine.

Coco reste sans voix à la vue de cette robe. Elle lui fait l'effet d'une parure éphémère, apparue comme par magie. Une tenue qui n'a pas sa place dans cette penderie.

« Vous ne vous êtes jamais mariée ? » demande Catherine d'une voix calme.

Une figure nuptiale immaculée se dessine dans l'esprit de Coco, d'un blanc violent comme un cri. Sa domination, qu'elle pensait établie, s'évanouit en un instant. Célibataire à trente-sept ans, sans enfants, elle prend conscience que sa vie peut paraître un échec. Elle lutte contre le besoin de se justifier, de s'expliquer. Puis soudain, elle se laisse aller à un accès de dureté. À la vérité, depuis *Boy*, les hommes lui sont devenus superflus. À présent, elle reconnaît en Catherine la tendresse du dévouement, la faiblesse de l'épouse.

« Non », rétorque-t-elle sur un ton plus méprisant qu'elle l'aurait souhaité.

Elle recouvre vivement la robe avec les papiers, puis la range dans la penderie. Elle fait ensuite glisser le cintre sur la tringle et referme les portes en noyer. Une veste y reste coincée. Elle la remet en place. Cet incident la contrarie.

« Si jamais vous désirez m'emprunter la jupe, vous n'avez qu'à demander », insiste Catherine.

À peine consciente du malaise que ressent Coco, elle apprécie ce dénouement heureux. Pour l'instant, elle présume charitablement que Coco a réalisé son impudence lorsqu'elle a tripoté la robe de mariée.

« Comment ? » demande Coco, préoccupée.

Les mots cheminent lentement vers sa conscience.

« Non. Non. Merci. »

Sans trop savoir ce qui a motivé la violence de sa réaction, elle s'assied, comme anesthésiée, puis se relève brusquement. Son regard devient dur.

« Quelle heure est-il ? »

Catherine jette un œil à la montre sur la table de chevet, commence à répondre, mais avant qu'elle ait pu terminer, Coco décide qu'elle doit partir. Elle a des affaires urgentes à régler. Sur-le-champ, ajoute-t-elle.

« Eh bien, merci de m'avoir rendu visite », dit Catherine.

Le ton de sa voix est poli, mais il laisse transparaître une appréhension, la crainte que son état de faiblesse ne conduise Coco et Igor à se rapprocher. Elle se sent menacée par cette femme.

Leur présence sous le même toit appelle inévitablement la comparaison. Celle-ci déplaît à Catherine, même si elle en est à l'origine. De plus, elle se sent redevable en raison de l'insistance de Coco pour régler ses dépenses de santé. Elle est à la fois endettée et rancunière, et ses sentiments oscillent entre deux extrêmes.

« Pardon ? » demande Coco, déjà sur le seuil de la porte.

« Merci de m'avoir rendu visite. »

L'inflexion de sa voix est sincère. Elle ne peut pas se permettre de faire de cette femme son ennemie.

« Oui, bien sûr. Je vous en prie », parvient à dire Coco avec une indifférence candide. Elle s'arrête, puis se hâte, quittant la chambre dans un sillage lumineux.

Une violente quinte de toux secoue Catherine. Coco entend ses convulsions étouffées alors que, d'un pas mal assuré, elle descend l'escalier.

8

Au cours de l'après-midi, le ciel se pare de nuages tumultueux. Les cumulonimbus, couleur prune, se changent en un crépuscule prématuré. Les ormes s'agitent, les volets claquent dans un staccato métallique. La pluie se met à tomber par spasmes, drue.

Au premier éclair, les enfants regagnent la maison. Les chiens aboient avec fureur à l'approche de l'orage. Par superstition, Marie met l'argenterie à l'abri. Coco regarde la pluie éclabousser les vitres. Un éclair, comme le filament d'une ampoule électrique, illumine la vitre.

Le tonnerre gronde encore après le dîner lorsqu'on frappe à la porte d'Igor. C'est Coco ; il aperçoit son reflet dans la fenêtre. Des ombres liquides ruissellent sur son visage. Il se retourne. Elle semble euphorique.

« C'est magnifique, ne trouvez-vous pas ? »

Les orages la ravissent toujours — plus ils sont spectaculaires, plus elle les apprécie. Elle aime leur puissance, leur capacité à pulvériser la terre. Elle se sent vivante et éprouve le désir impérieux de prendre part au spectacle, de puiser, comme dans une pile électrique voltaïque, de l'énergie dans la violence de l'orage. Cependant, à peine entrée dans le bureau d'Igor, elle se sent curieusement hésitante. Sa présence ne se justifie que par l'envie de le voir. Elle trouve étrange que sa propre maison comporte des zones qui lui semblent interdites. Sans doute est-ce parce que Igor, avec un sens aigu de l'intimité, s'est approprié cet espace. L'audace de Coco laisse place à l'impatience de quitter la pièce. Elle ne peut pourtant pas partir. Sa visite paraîtrait absurde. Un éclair la pousse à agir.

« Faisons quelque chose, lance-t-elle.

— Quoi ? »

Dans ses yeux, grossis par les verres de ses lunettes, se reflète l'éclat du dernier éclair.

Lors de précédentes soirées, Igor a joué aux échecs avec ses enfants. Ce soir, Coco juge cette activité trop ennuyeuse. Elle propose que les enfants chantent et dansent.

Lorsque Igor la regarde, elle se penche d'un côté en inclinant la tête de l'autre. La position de son corps rappelle à Igor celle de ses doigts quand il joue des accords adjacents.

Elle s'approche de lui pour lui prendre la main.

« Venez. »

Le contact de sa paume lui est agréable. Il se délecte de sentir sa peau contre la sienne. Le fourmillement de ses doigts lui rappelle la caresse électrique de leur rencontre. Il se lève, puis se dirige vers la porte comme sur un petit nuage.

On transporte le piano au salon pour accompagner les chants. Catherine, bien que trop faible pour prendre part au spectacle, accepte de descendre pour y assister. Installée sur une chaise avec des couvertures, elle se prépare au divertissement.

Les premières chansons appartiennent au folklore russe. Coco participe du mieux qu'elle peut, en fredonnant lorsqu'elle saisit la mélodie. Puis les enfants entonnent des chansons françaises que Coco leur a apprises plus tôt dans la journée. Joseph et sa fille, Suzanne, âgée de quatorze ans, se joignent à eux. C'est elle qui dirige le chœur, car elle connaît les passages sur lesquels les enfants hésitent. Igor commence à jouer gaiement. Puis, Coco, Suzanne et les enfants se mettent à danser.

La musique résonne. Coco relève ses cheveux des deux mains. Puis, pendant que les enfants dansent par deux, elle s'écarte pour valser autour d'eux. Elle répond aux accents de la musique qu'elle sent vibrer dans son corps. Les notes aiguës évoquent une vive passion. Les graves inspirent des sentiments plus profonds. Un dialogue semble s'instaurer entre la musique d'Igor et les mouvements de Coco. Dans la lumière de l'éclair qui irradie soudain la pièce, elle a l'air stupide.

Catherine, toujours plus inquiète, remarque que la complicité entre Coco et Igor devient plus forte. De toute évidence, ils partagent un secret. Bouleversée par la rapidité avec laquelle ils se sont rapprochés, elle éprouve un douloureux sentiment d'exclusion. Les rapports entre les deux femmes se sont dégradés depuis la visite de Coco. À présent, Catherine déplore de s'être laissé abuser. La musique se mêle au tonnerre pour tambouriner dans son crâne.

À la fin de la danse, les enfants se précipitent vers leur mère pour obtenir des compliments. Mais elle pousse une exclamation désapprobatrice et détourne le regard. Les enfants s'éloignent d'elle pour courir vers Coco qui leur fait signe de la rejoindre sur la piste.

Sur l'insistance des enfants, le rythme de la musique s'accélère. Suzanne et Ludmilla virevoltent de plus en plus vite tout autour de la pièce en décrivant des cercles presque parfaits. Coco se tient très droite — une posture résultant d'années de cours de danse classique prodigués par son amie Caryathis. Sa silhouette se reflète, éthérée, dans les fenêtres à l'autre bout de la pièce.

Les accords se bousculent; la musique s'affole. Les éclairs traversent le ciel en rubans scintillants; les arbres sont secoués par des rafales. Le tonnerre gronde sourdement. Des morceaux de ciel déchirés filent au-dessus du toit. Igor se met à jouer plus fort, avec une sorte d'urgence. Coco ressent une douleur au cou à laquelle s'ajoute l'impression que sa tête va exploser. Cette sensation s'installe et se diffuse si bien que chaises, tables, lampe et piano se mettent à tournoyer dans une sarabande vertigineuse. Le plafond chavire. Au centre, le lustre projette des flocons lumineux. Les mouvements des danseurs s'accélèrent, en phase avec le tempo de la musique qui s'élève en forte toujours plus rapides si bien que Coco, au paroxysme de la transe, feint un évanouissement. Igor abandonne aussitôt le piano pour la rattraper dans ses bras.

Catherine n'en croit pas ses yeux. Son menton tremble sous l'effet de la colère. C'en est trop.

Igor semble perplexe. Coco simule toujours l'étourdissement. Marie, qui apporte du thé, est choquée par la scène dont elle est témoin. Elle éprouve de la sympathie envers Catherine, mais se doit de vérifier que Coco va bien. Elle est partagée entre ces sentiments. Avant qu'elle ait pu décider comment agir, on la somme d'aller chercher un linge et de l'eau.

Soutenant la tête de Coco d'une main, Igor l'aide à boire de petites gorgées d'eau. Les enfants, Suzanne y compris, s'empressent autour d'elle. Igor prodigue ses soins avec d'autant plus de sollicitude qu'il a un public.

Coco ouvre les yeux et le regarde, vulnérable. Igor remarque un film vitreux sur les pupilles de Coco. Il desserre son foulard. Lorsqu'il inspire, il dérobe un délicieux effluve.

« Allez ! Au lit maintenant ! enjoint Catherine aux enfants.

— Est-ce que Mlle Chanel va bien ? s'enquiert Soulima.

— Elle se porte à merveille, répond sèchement sa mère. Crois-moi.

— Elle n'en a pas l'air », insiste le garçon.

Appuyée au dossier d'une chaise, Catherine a l'impression qu'on tourne sa propre défaillance en dérision.

« Je t'assure qu'elle va très bien. »

Chaque syllabe lui écorche la bouche. Elle les prononce assez distinctement pour que Coco les entende.

« Merci, Soulima. Je me sens bien », parvient à dire Coco tout en se redressant.

Bien que Catherine ait peine à le croire, Coco n'a pas prémédité l'incident. Elle s'est vraiment sentie mal ; danser l'a étourdie un instant. Mais sa pâmoison et sa chute étaient calculées. Sa nature opportuniste a pris le dessus. Elle tire à présent profit de son évanouissement feint.

Soulima s'apprête à parler encore, mais conscient de l'indignation de sa mère, il y renonce, puis quitte la pièce. Les autres enfants prennent le chemin du lit à contrecœur.

Catherine, sur le point de se retirer elle aussi, lance avec une rage difficilement contenue :

« Bonne nuit, Igor. À tout de suite. »

Igor lève les yeux vers sa femme et lui adresse une mimique d'impuissance. Catherine n'en a cure. Le regard qu'elle jette à Igor traduit la pitié qu'il lui inspire. Qu'il en soit conscient ou pas, il s'est fait duper. Il doit certainement s'en être avisé. Sinon, c'est qu'il est idiot. S'il agit en connaissance de cause, il est alors cruel et déloyal. Elle remet soudain en question ce qu'elle pensait savoir de son mari. Elle claque la porte en quittant la pièce.

Joseph et Marie se retirent à la cuisine pendant qu'Igor éponge le front de Coco.

« Quel toupet ! lance Marie à son époux.

— Attention ! Elle pourrait t'entendre.

— Franchement ! continue Marie sans baisser la voix. Que diable fait-elle ? Elle invite ces gens pour les humilier ensuite ! Son problème, c'est qu'elle est trop riche et ne sait pas comment dépenser son argent.

— Chut !

— Elle se prend pour un grand mécène, mais ne se comporte pas avec la décence que cela suppose. En réalité, elle n'est pas meilleure que toi et moi. Et est-ce qu'elle augmente nos gages pour tout le travail supplémentaire ? Tu parles ! »

Suzanne est entrée dans la cuisine et a surpris la conversation. En écoutant sa mère, elle a tenté de démêler la situation. Inquiet que leur fille en devine trop, Joseph fait signe à sa femme de se taire. Il ne veut pas s'impliquer dans cette affaire. Comme Marie s'est tue, il recule vers la porte, un doigt sur les lèvres.

De retour au salon, il demande à Igor :

« Et le piano, monsieur ? »

Igor, distrait, n'entend pas la question. Joseph la répète.

« Je suppose que nous allons le laisser ici jusqu'à demain.

— Vous pouvez vous retirer, Joseph », lui dit Coco qui le congédie d'un geste las de la main.

Une fois seule avec Igor, elle le remercie à voix basse. Elle cligne des yeux. Sa poitrine menue se soulève.

L'écho des mélodies résonne encore dans la pièce qui semble d'autant plus vide à présent. Igor jette un regard furtif au décolleté de Coco, paré d'une ellipse de perles. Sa bouche est sèche ; il tente de ne pas déglutir. Un silence éloquent s'installe. Les yeux de Coco sont deux lacs sombres.

Puis, remarquant soudain le pourpre de ses joues et sa bouche offerte comme une fleur épanouie, il se surprend à désirer l'embrasser sur les lèvres. Il s'étonne d'imaginer la scène avec netteté et de n'y voir rien d'inconvenant. Ce désir qui émane du plus profond de son être lui semble légitime et naturel.

Coco, en s'appuyant au bras d'Igor, parvient à se lever. Elle parcourt la courte distance qui la sépare d'une chaise et s'effondre.

« Je vais bien, à présent, déclare-t-elle.

— Vous en êtes sûre ? »

Craignant un nouvel évanouissement, Igor se tient près d'elle, au comble de l'émotion.

Sentant la gêne d'Igor, elle s'abstient de répondre. Elle se débarrasse du bandeau qui retient ses cheveux, puis replace des mèches derrière ses oreilles.

Embarrassé, Igor lui avoue :

« Pendant un instant, vous nous avez fait peur. »

Après sa remarque, il s'efforce de rire.

Sûre d'elle de nouveau, Coco regarde Igor dans les yeux. Encore une fois, il résiste à l'impérieux désir de l'embrasser.

Après une pause qui semble durer une éternité, elle lui dit :

« Vous devriez monter. Votre femme vous attend. »

Elle n'a pu s'empêcher de le dire. Maintenant, ses traits se figent. Elle a perdu son assurance. Son visage se ferme. Lui se sent soudain vulnérable, mis à nu. Elle a recouvré son calme et il s'efforce d'analyser son attitude capricieuse. Son côté mystérieux le rend fou. Il lui est parfois difficile de savoir ce qu'elle pense. Difficile de savoir ce qu'il pense lui-même, d'ailleurs.

La pluie n'a pas cessé. Les gouttes glissent sur les tuiles.

« Vous êtes sûre que vous vous sentez mieux?

— Oui, je vous remercie. »

En quittant la pièce, il lui semble passer à travers un rideau invisible. L'air est plus frais dans le vestibule, la lumière plus crue. Penaud, il se rend à l'étage pour affronter une autre tourmente.

Lorsque Igor atteint le palier, il trouve la porte de sa chambre fermée. Il l'ouvre et découvre sa femme assise sur le lit. Plein d'audace, il siffle la mélodie qu'il jouait quand Coco s'est évanouie.

Catherine perçoit la raillerie.

« Arrête ce bruit affreux », lui lance-t-elle.

Il décide de ne pas répondre et s'obstine à siffler. Il est en colère. Il a agi en toute bonne foi tout à l'heure. C'est Catherine qui, en proie à sa tristesse, en a fait toute une histoire. Il se dirige vers la salle de bains. En fermant la porte, il l'exclut. Lorsqu'il ressort quelques minutes plus tard, il sait qu'il n'a fait qu'envenimer la situation.

« À quoi jouais-tu exactement?

— Comment ça? demande-t-il en ôtant ses chaussures et en défaisant sa ceinture.

— Eh bien, pourquoi as-tu regardé Coco toute la soirée avant de la prendre dans tes bras?

— Ne dis pas n'importe quoi! Et arrête avec cette possessivité et cette jalousie ridicules. Tu as gâché une charmante soirée.

— Suis-je censée rester sans rien faire pendant qu'une autre femme flirte avec mon mari sous mes yeux?

— Et moi, suis-je supposé la laisser tomber à la renverse et se briser le crâne?

— Elle n'est pas tombée, Igor. Elle a bondi! lui dit-elle comme si elle s'adressait à un enfant.

— Tu racontes n'importe quoi ! Tu n'as même pas eu la politesse de me demander si elle va bien, ajoute-t-il.

— Te demander si elle va bien ? Je pense déjà connaître la réponse.

— Grand bien te fasse ! »

Quelques instants plus tard, Catherine demande d'une voix plus douce :

« Que se passe-t-il, Igor ?

— Rien du tout, je t'assure.

— Vraiment ?

— Oui. »

Il essaie de rire de ce soupçon, mais il se rend compte que son rire sonne faux. Bien que rien ne se soit produit, un sentiment de culpabilité l'envahit. Cela le surprend. Il doit bien l'admettre à présent : il brûle de désir pour Coco. Il est sous le charme depuis son arrivée à Bel Respiro, mais il doit conserver un certain sens des convenances. Si le désir demeure inassouvi, ces pensées sont innocentes, songe-t-il. Le jeu de la séduction est naturel entre un homme et une femme et l'attirance réciproque une banalité. Cela ne présage pas forcément une quelconque aventure. Il est un mari et un père responsable. Catherine n'en a-t-elle pas conscience ? Il comprend qu'elle se sente menacée, mais elle devrait lui faire confiance. Il est blessé qu'elle doute de lui.

« J'attends une explication. »

L'émotion de la colère vibre encore en elle. Cependant, cette fureur dissimule une peur plus grande.

Désireux de ne pas prolonger la dispute, il préfère se montrer évasif. Il sait que trop parler le compromettrait.

« Tu fais toute une histoire de rien du tout », lui dit-il en continuant de se déshabiller.

Il plie ses vêtements avec une application obsessionnelle.

« Regarde-moi, lui intime Catherine.

— Pardon ?

— Regarde-moi ! »

Il s'exécute à contrecœur.

« Tu es coupable. »

Un rictus anime brièvement les traits de Catherine.

« Comment ça ?

— Coupable ! » hurle-t-elle d'une voix aiguë, avec véhémence.

Son inflexion trahit sa croyance en l'existence du péché. La ferveur religieuse lui empourpre le visage. Son regard d'ordinaire empreint de piété porte à présent le sceau de la vengeance.

Troublée, elle tire sur les draps.

« Je le vois.

— Coupable de quoi, bon sang ?

— Je ne suis pas aussi naïve que tu crois, Igor.

— Pouvons-nous arrêter maintenant ? S'il te plaît ? Tu te rends malade.

— C'est toi qui me rends malade. »

Elle s'efforce de raisonner calmement.

« Je n'arrive pas à croire que tu te sois comporté de cette manière, reprend-elle, et devant les enfants en plus. Que doivent-ils penser ? Un adulte qui s'abandonne avec une telle légèreté. »

Igor, soulagé, saisit l'opportunité de changer de sujet de conversation. Au lieu de s'emporter, il en appelle à la probité.

« Ils n'en pensent rien et ils ont raison. Souviens-toi que nous sommes invités. Si quelqu'un s'est mal comporté ce soir, c'est toi.

— Pourquoi nous a-t-elle invités d'ailleurs ? Que cherche-t-elle ?

— Ne t'est-il jamais venu à l'esprit que certaines personnes sont bonnes ? Qu'elles ne "cherchent" rien ?

— Je connais des tas de gens bienveillants, des personnes respectables, mais elle n'en fait pas partie. Elle s'intéresse à toi uniquement parce que tu lui sers de faire-valoir. Le grand compositeur ! Ah ! Un moyen de poursuivre son ascension sociale.

— Elle est plus gentille que tu ne crois, dit-il en se glissant dans le lit.

— Pourquoi n'est-elle pas mariée ? demande Catherine. Une gentille femme comme ça ? »

Puis, après un silence qu'Igor se refuse à interrompre, Catherine reprend :

« Je vais te dire pourquoi. Parce que aucun homme fortuné ne s'abaisserait à son niveau.

— Eh bien, moi, je ne suis certainement pas assez riche, si c'est ce qui t'inquiète.

— Je te préviens, Igor... », dit-elle sans percevoir l'ironie.

Elle ne termine pas sa phrase. Après la remarque acide de sa femme, Igor éteint la lampe de chevet. L'obscurité soudaine met fin à la dispute. Un silence accusateur s'installe, aussi impérieux que la lune dont la clarté envahit le lit. Allongés côte à côte sans se toucher, ils concoctent des discours qui n'appellent pas de réponse. Comme ils les tiennent secrets, les éloges dont chacun se gratifie pour son éloquence se tarissent. Chacun écoute la respiration de l'autre qui s'accélère. La colère les ronge. Pendant le reste de la nuit, ils se tournent le dos comme deux lettres *c* en miroir.

Dans la chambre attenante, Theodore, leur aîné, est encore éveillé. Il n'a pas saisi le sens des paroles de ses parents, mais de toute évidence ils se disputaient. Comme il n'a pas l'habitude de les entendre se quereller, il est bouleversé. Sa mère, en particulier, se montre toujours si calme. Il ne comprend pas, mais se doute que cela doit avoir un rapport avec Coco. Il s'insurge. Il décrète qu'il n'aime pas Coco. Il ne se plaît pas ici non plus, décide-t-il. La villa est trop grande. Il a pris l'habitude de vivre dans de petits appartements. Certes exigus. Mais l'atmosphère y était intime et la famille unie. Ici, il se sent seul et exposé à un danger confus. Il se révolte contre le déshonneur de l'exil et rêve de liberté. Les yeux ouverts dans l'obscurité, il écoute attentivement, mais tout est redevenu calme.

Au rez-de-chaussée, Coco a entendu les Stravinski hausser le ton. Elle tend l'oreille elle aussi alors que le silence enveloppe la maison. Elle s'avise qu'elle seule dans la villa n'a pas de famille. Bon sang ! Même les domestiques sont mariés et ont un enfant.

Elle a besoin d'air. Elle ouvre une fenêtre et hume le parfum de l'herbe humide. Son odeur prégnante se mêle à celle des lys sur l'appui de la fenêtre. Le ciel s'est dégagé pour dévoiler des étoiles si scintillantes qu'elles semblent hurler.

Elle suit les contours de sa bouche du bout d'un doigt. Elle inspire profondément, à plusieurs reprises. Puis, sans réfléchir, elle se rend dans l'entrée et décroche le téléphone.

« Allô ! Misia ?

— Coco, c'est toi ?

— Oui.

— Il est presque minuit. Que t'arrive-t-il ?

— Dis-moi, que sais-tu de Catherine ?

— Les choses se compliquent, n'est-ce pas ?

— Pas encore, rétorque Coco en plaçant sa main libre sur sa hanche. J'ai simplement besoin de quelques renseignements.

— Est-ce qu'il t'a déjà embrassée ?

— Comment ? Non ! répond Coco, indignée.

— En a-t-il envie ?

— C'est possible, dit-elle sur un ton plus calme.

— Et toi, tu as envie de l'embrasser ?

— Il n'est pas beau.

— Oui, mais c'est un grand artiste.

— Tu crois ?

— C'est ce que tout le monde dit.

— Je n'ai pas envie de le séduire pour autant.

— C'est ta maison, ma chère. Tu peux y faire ce qu'il te plaît.

— Il y a des limites.

— Vraiment ?

— Oui ! s'exclame-t-elle d'une voix sévère.

— Souviens-toi, c'est sa cousine en plus d'être sa femme, alors peut-être se sent-il doublement lié à elle. À vrai dire, il me fait de la peine.

— Elle est brillante.

— Crois-moi, un lit double peut paraître incroyablement petit si on le partage avec quelqu'un que l'on n'aime plus. »

Avant de se coucher, Coco rabat le clapet du piano et referme la fenêtre.

9

Le chauffeur lustre la carrosserie de la Rolls-Royce neuve de Coco. Cela fait plus d'une heure qu'il attend. Coco sort enfin et jette un œil à sa dernière acquisition. Elle aime ses lignes pures, ses angles nets, et sa couleur : noire.

Les vibrations de l'air chaud déforment les contours de la voiture. Le métal sombre luit. Le moteur émet un puissant ronflement. Dès que Coco ouvre la portière, elle est accablée par la chaleur de l'habitacle. Elle ôte son chapeau, puis s'évente vivement. La transpiration picote sa peau.

Dans la capitale, la circulation est intense. Les avenues grouillent de monde ; l'air est chargé de la poussière soulevée par les véhicules. Coco sourit. Qu'il est bon d'être de retour ! songe-t-elle. Elle éprouve un terrible besoin de retrouver l'immensité de la ville. Ici, elle se sent chez elle.

Elle remet son chapeau d'un geste vif alors que la voiture arrive devant sa boutique de la rue Cambon — étroite, mais très fréquentée, elle donne sur l'arrière du Ritz. Le nom CHANEL est peint au pochoir en fines lettres noires au-dessus de l'entrée du numéro 31.

Elle jette un coup d'œil aux tenues exposées dans la vitrine : une robe du soir à bustier, une veste de soie grise gansée de fourrure et des chandails de laine à larges poches. Sur l'un d'eux, une broche, accrochant la lumière, scintille.

Elle a travaillé dur à Bel Respiro, mais ne s'est pas rendue à la boutique depuis plus d'une semaine. D'habitude, ses visites sont bien annoncées. Pas cette fois-ci. Les employées s'affairent avec une certaine appréhension. Adrienne a appris à Coco qu'elles réclament une augmentation. Mon Dieu ! Dès qu'elle a le dos tourné, c'est le désordre. Bande d'ingrates ! Pourquoi devrait-elle les payer plus ? N'ont-elles pas conscience que travailler pour Chanel leur donne la chance extraordinaire de trouver de riches amants ? Ne voient-elles pas que certaines pourraient même trouver à se marier ? Que désirent-elles de plus ?

Seule Adrienne semble ravie de la voir. Bien qu'elle ait le même âge que Coco et qu'on la prenne souvent pour sa sœur, Adrienne est en réalité sa tante. Elles se soutiennent loyalement depuis vingt ans. Plus que Coco, Adrienne a un air de matrone. Elle est également plus collet monté. Elle a toujours suivi Coco. Les deux femmes prennent l'escalier en colimaçon qui mène à l'appartement, au troisième étage. Coco sourit de nouveau en retrouvant les miroirs vénitiens, les chandeliers de cristal fumé, les fleurs blanches et les rideaux de satin. Elle saisit un des animaux en bois sculpté posé sur la table et y cherche la poussière. Il est impeccable.

Elle se remet du rouge à lèvres, puis mord un mouchoir, y laissant l'empreinte d'un baiser carmin. Adrienne la questionne sur les deux dernières semaines. Coco lui paraît curieusement peu disposée à parler de son séjour à Bel Respiro, en particulier de ce qui concerne Stravinski.

« Il est glacial », lui confie Coco.

Le menton dans sa main droite, elle mordille l'ongle de son petit doigt.

« Peut-être. Mais c'est un homme de poids. »

Coco jette un regard réprobateur à Adrienne qui semble insinuer qu'elle veut le séduire. Puis ses traits se détendent.

« Il est assez mince en réalité », lance-t-elle, un sourire triomphant aux lèvres.

Toutes deux éclatent de rire.

Au détour de la conversation, Coco évoque le caractère difficile de Mme Stravinski et fournit des détails au sujet de sa maladie chronique. Elle évite ainsi de s'étendre sur ses rapports avec Igor. De toute façon, elle peine à formuler ce qu'elle pense de lui. Elle n'en sait rien.

Son opinion à son sujet est confuse, à l'instar des discordances entre le russe et le français qui provoquent des malentendus au cours de leurs conversations. Elle doit trouver le moyen de sonder ses propres sentiments. Peut-être ne ressent-elle rien. Qui sait ?

Brusquement, elle oriente la conversation sur la boutique. Elle demande à consulter la comptabilité. En parcourant les colonnes, elle constate une stagnation des ventes, comme toujours en juillet. Elle soupire.

« On ne pouvait pas s'attendre à mieux. »

Pour réconforter Coco et afin de prouver sa clairvoyance en matière de gestion, Adrienne l'informe du zèle et des efforts fournis par chacun en son absence.

« Qu'est-ce que c'est que cette histoire d'augmentation ?

— C'est l'idée des Françaises. Les autres ne se plaignent pas. Elles consentiraient à travailler plus pour un salaire moindre.

— Alors comme ça, ce sont nos compatriotes qui posent problème ?

— Ne t'inquiète pas, elles ne sont pas près de se révolter.

— Mmm.

— Je peux régler le problème. Fais-moi confiance. »

Peu à peu, un sourire se dessine sur les lèvres de Coco. Elle referme le registre, puis frappe la couverture des deux mains.

« Excuse-moi. Tu fais un travail formidable. Tu me connais, je n'aime pas capituler. »

De retour à la boutique, Coco marque une courte pause. À l'abri des regards, elle se penche au-dessus de la rambarde de la mezzanine et inspecte la boutique. Ses dessins ont pris vie : chemisiers ceinturés en crêpe de Chine, robe du soir à bustier en tulle noir, spencers en tweed à poches plaquées et manches retournées.

Elle observe les clientes palper l'étoffe des robes. Elle adore ça. Toucher les vêtements. La caresse du textile qui glisse sous les doigts. À cette seule évocation, un frisson voluptueux la parcourt. Elle a hâte de se remettre au travail.

Des bavardages montent jusqu'à elle ; elle distingue du russe et du français. Elle ne peut contenir un sourire. La voilà, l'une de ces arrogantes Françaises d'origine modeste qui prennent des airs supérieurs avec ces princesses et ces comtesses dépossédées, les indésirables de la révolution. La crème des salons de Moscou et de Saint-Pétersbourg qui lui servent de modèles et vendent ses créations.

Coco a une idée pour une robe et désire la concrétiser. L'un de ses modèles aux cheveux bruns est disponible pour l'aider. Elles se mettent au travail dans la pièce au-dessus de la boutique, entourées de plusieurs miroirs. Le modèle se tient aussi immobile que possible. Coco s'affaire autour d'elle, d'abord à genoux, puis à quatre pattes, debout, assise. Tout en s'activant, elle marmonne pour elle-même. Pendue à un ruban autour de son cou se balance une paire de ciseaux. Elle travaille directement l'étoffe, consultant un patron en toile de mousseline.

La robe est en soie beige avec un ourlet irrégulier et un col cravate. Ajustant une ruche par-ci, rectifiant un pli par-là, elle en épure peu à peu la ligne afin que la robe soit légèrement évasée. Elle s'applique ensuite à bâtir les manches.

« Je ne réussis jamais les manches », grommelle-t-elle.

Le parquet est jonché de chutes de tissu. Coco serre les épingles entre ses dents comme s'il s'agissait d'une rose ou d'un couteau. Au moindre mouvement du modèle, Coco hurle :

« Tu ne peux donc pas rester immobile, ne serait-ce qu'un instant ? Je me demande pourquoi je te paie. »

La jeune fille débute et n'est pas habituée à ces accès de colère. Abattue, elle se fige en une pose rigide jusqu'à ce que l'ankylose devienne insupportable. Lorsque, inévitablement, elle perd l'équilibre ou bouge un peu, elle s'expose à de nouvelles injures proférées sur un ton furieux.

« Tiens-toi droite ! »

Les épingles entre les dents, Coco s'adresse à elle avec une sorte de sourire crispé.

La chaleur est suffocante dans la pièce où elle travaille avec ardeur. C'est déjà l'après-midi et les deux femmes ne font pas de pause pour déjeuner. Inquiète jusqu'à l'obsession au sujet des manches, elle épingle et rentre l'étoffe avec dextérité jusqu'à pleine et entière satisfaction. La robe est expédiée au rez-de-chaussée où elle sera préparée pour une cliente. On passe un aimant sur le parquet pour s'assurer qu'il n'y reste pas d'aiguille ou d'épingle.

Coco se détend en fumant une cigarette sur un des canapés en suédine. Dans cette position, son corps forme un Z. Elle se demande incidemment ce qu'Igor est en train de faire, là-bas, à Garches. Elle est étonnée de se poser cette question. Elle doit se rendre à l'évidence : il lui manque.

Il a une telle présence, songe-t-elle. En ce moment, il occupe une place importante dans sa vie. C'est affreux! Elle est retournée à la boutique en partie pour voir comment elle se sentirait loin de lui pendant quelques jours. Plus tôt, elle s'est surprise à écrire son nom sur une serviette, comme une gamine s'entraîne à tracer sa signature. Elle a trouvé ensuite son geste parfaitement ridicule.

Elle apprécie Igor. Il ne ressemble pas aux autres hommes, il est plus sérieux, plus mature. Elle admire en lui le musicien de génie. En outre, elle se retrouve en lui; tous deux sont passionnés par leur travail. Il n'est peut-être pas beau, mais il n'est pas idiot. Il la stimule. Elle prend conscience qu'il lui plaît.

Elle lui commande un cadeau. Connaissant son goût pour les gadgets, elle va lui offrir un oiseau mécanique. C'est un objet compliqué à ressorts présenté dans une cage. Il penche la tête en claquant du bec et peut battre des ailes. Il pousse même des piaillements. S'il leur permet de jouer avec, les enfants eux aussi vont l'aimer.

Le bruit métallique de la sonnette, en bas dans la boutique, la ramène à la réalité. Elle termine sa cigarette, puis descend, en adoptant une démarche presque royale. Elle sait que toutes les employées l'ont entendue réprimander le modèle. C'est une bonne chose. Cela les incitera à plus de retenue. Elle doit rester stricte, si elle veut conserver son rang.

Coco partie à la boutique pour deux jours, la villa paraît soudain calme.

En son absence, Igor est envahi par une sorte de torpeur. Ses journées semblent se distordre. Il ne parvient pas à se concentrer. Toutes ses pensées sont pour elle, si bien qu'il en oublie son travail. Il pose son stylo, se rencogne dans sa chaise et remonte ses lunettes sur son front. Un insecte flâne sur sa partition comme un groupe de triples croches avec sa multitude de pattes.

Soudain, il se lève. Le silence règne dans la maison. La gouvernante s'occupe des enfants. Igor s'avance dans le corridor d'un pas décidé, puis monte l'escalier à grandes enjambées. Prenant garde à ne pas déranger sa femme — leurs relations sont difficiles depuis leur dispute de l'autre soir — il se glisse dans la chambre de Coco.

La porte n'est pas fermée à clef. Il entre en tremblant. Son intrusion est téméraire, mais il ne peut résister au désir de se sentir près d'elle, entouré de ses effets. Les murs de la pièce sont le théâtre d'un jeu d'ombre et de lumière. Il aperçoit des photographies de Coco et s'approche pour les observer. Sur l'un des clichés, pris dans une écurie, elle prend des airs de cavalière et arbore un galon sur la manche de sa veste. Sur un autre, elle lit sur une terrasse, les cheveux dénoués. Un troisième la montre sur une plage vêtue d'une vareuse.

Il se tourne vers le lit : le moelleux des oreillers, le secret des draps de soie. Il remarque des vêtements abandonnés sur un paravent. Il se retient de les toucher; une peur irraisonnée lui fait craindre que ces tenues aient conservé quelque chose d'elle : une présence spectrale que le moindre contact pourrait ramener à la vie. Lorsqu'il l'imagine près de lui, l'atmosphère semble s'épaissir. Il aperçoit son propre reflet dans le miroir de la coiffeuse. Un défaut du verre crée une zone floue près de la porte. L'espace d'un instant il croit voir quelqu'un entrer. Il panique. Son cœur bat à tout rompre. Son image fait des ricochets dans le miroir et s'incruste sur le mur. Puis tout redevient calme. Il se remet doucement de sa frayeur. Une voix intérieure lui crie de quitter la pièce, mais le désir d'y rester, de s'y enraciner triomphe avec une puissance presque dangereuse.

Il examine la porte qui conduit à la salle de bains de Coco. Intrigué, il pénètre à l'intérieur. Ses pas se mettent à résonner alors qu'il passe du tapis au carrelage froid. Un son mat. Une tierce mineure.

La faïence blanche des sanitaires reluit au point de l'éblouir. Voici la baignoire dans laquelle elle s'allonge, les robinets qu'elle touche. Il l'imagine émerger de son bain, la peau rosée, détendue dans ces instants de solitude, le port de tête altier comme dans une publicité, le corps enduit d'huile de bain ; ses seins, fleurs paradisiaques. Un frisson de désir le parcourt. Ses paumes sont moites. Une odeur poudrée lui caresse les narines. Il se tourne.

Sur les étagères, au-dessus du lavabo, il découvre les produits de beauté : eau de Cologne, parfums, onguents et savons parfumés, huile de bain, teinture, shampooings et baumes aromatiques. Il n'a jamais vu une telle profusion de cosmétiques disposés de manière si artistique. Cela lui rappelle une échoppe de conte arabe. Ces odeurs, se mêlant les unes aux autres, loin de produire un effet désagréable, créent une fragrance douce et entêtante.

Il soulève un vaporisateur et hume son parfum à plusieurs reprises. Une idée lui vient. Avec l'excitation de commettre un geste répréhensible, il défait deux boutons de sa chemise et applique un peu de parfum sur sa poitrine et son poignet.

Il se sent en état de grâce ici, à Garches. Il a l'impression de respirer plus aisément. C'est peut-être le climat, le grand air, certainement l'aura qui émane de Coco. L'allégresse qu'elle communique bonifie l'atmosphère. Il a trouvé de nouvelles sources d'oxygène, une énergie nouvelle et délicieuse qui lui donne de l'assurance. Et il sait que Coco en est l'origine.

Il regagne son bureau à pas furtifs, et renifle son poignet où affleure un dédale de veinules. Il inhale l'écho des odeurs. Puis il se replonge avec indolence dans sa musique pour savourer le plein après-midi.

Ce soir-là, Coco et Adrienne parcourent à pied la courte distance jusqu'au restaurant. Leur amie Misia Sert les rejoint bientôt.

« Je ne veux pas rentrer trop tard, prévient Coco. J'ai des choses à faire demain et je voudrais être de retour à Garches avant la nuit.

— C'est nouveau, note Adrienne.

— En général, tu te lèves tard et travailles jusqu'au soir, renchérit Misia.

— Je n'ai pas le droit de changer mes habitudes, ne serait-ce qu'une journée ?

— Ne prends pas la mouche », proteste Misia en adressant un clin d'œil à Adrienne.

Coco ne goûte pas la plaisanterie, ses amies le voient bien. Adrienne tente d'amadouer Coco en lui disant qu'elle se chargerait de tout à la boutique, mais Coco lui lance un regard obstiné. Elle n'accepte pas qu'on la contrarie. Adrienne se laisse fléchir. Dans un geste de capitulation, elle tapote sa cigarette pour en faire tomber la cendre.

Au cours du dîner Coco mange et boit moins que d'ordinaire. Elle observe les serveuses qui s'affairent dans la salle comme des modèles de personnel dévoué.

« Pourquoi mes employées n'ont-elles pas autant de cœur à l'ouvrage ? demande Coco.

— Oh ! Allons ! Que t'arrive-t-il ? »

Pliant devant l'insistance d'Adrienne, après plusieurs verres de vin, Coco leur avoue son attirance pour Igor.

« Mais il est marié, se plaint-elle.

— Et alors ? réplique Misia. J'ai été mariée trois fois, cela ne constitue pas un obstacle, crois-moi. »

Coco a été témoin du désarroi de Misia assez souvent pour savoir que sa désinvolture a été cruellement conquise.

« Mais il a des enfants, bon sang !

— Eh bien, cela détournera l'attention de son épouse », suggère Adrienne.

Coco se demande ce qui l'attire chez lui. On ne peut pas dire qu'il soit beau. Il n'est pas fortuné en tout cas. Il est marié et père de quatre enfants. Elle sait qu'elle peut séduire d'autres hommes, si elle le désire. Une liaison avec lui serait pure folie. Et elle ne supporterait pas de souffrir à nouveau. Pas après Boy. Au souvenir de sa disparition, elle frissonne.

Enhardie par la boisson, Adrienne lance :

« Au diable, le mariage ! La guerre a laissé trop peu de survivants pour qu'on se permette de les négliger ! »

Sa boutade ne déride pas Coco.

« Oh ! Ça m'a l'air sérieux », dit Misia qui mesure soudain l'ampleur du malaise.

Coco boit une petite gorgée d'eau et cligne des yeux. Puis une sorte de révolte éclate en elle.

« Je ne veux plus en parler. Je n'entends pas m'humilier. Il accorde trop d'importance à son travail pour ne serait-ce qu'envisager de s'engager dans une histoire. »

Elle se redresse sur sa chaise avant d'ajouter :

« Et, franchement, mon affaire a trop d'importance. »

Lorsqu'on lui propose de lui resservir du vin, Coco, résolue, place les mains au-dessus de son verre. Elle a déjà trop bu.

« De toute façon, j'ai d'autres soucis.

— Par exemple ? »

Le changement de sujet de conversation la ragaillardit un peu. Elle parle de son projet de lancer un parfum qui porte son nom. Misia manifeste de l'enthousiasme. Adrienne se montre plus réservée, car elle craint que cela ne cause du tort à l'activité de haute couture de la maison. Elle a peur que ce ne soit trop ambitieux.

« Il y a de la place pour une nouvelle fragrance, dit Coco. Les femmes devraient avoir une odeur de femme, pas de rose.

— J'ai besoin d'un nouveau parfum, acquiesce Misia, une senteur moins florale. Je me suis fait piquer à deux reprises ces derniers jours. »

Elle montre pour preuve deux petites piqûres sur son bras.

Pour marquer sa compassion, Adrienne esquisse une grimace, mais résolument opposée à la proposition, elle ajoute aussitôt :

« Rappelez-vous que la plupart des gens se fichent de l'odeur pourvu qu'elle masque leur défaut d'hygiène.

— Ils évolueront », rétorque Coco.

C'est une chose que les religieuses lui ont apprise : être propre, se laver comme il faut. Si les femmes désirent porter son parfum, elles se laveront. Ce n'est pas plus compliqué.

« Tu t'exposes à de lourdes pertes si l'entreprise échoue. »

Coco fait tourner son verre sur une tache humide, dessinant des cercles clairs sur la surface de la table.

« Il faut prendre des risques dans la vie.

— Je suis pour ! » s'exclame Misia.

Adrienne, exaspérée, ajoute avec emphase :

« Tu as déjà pris assez de risques pour toute une vie.

— Cela a pourtant fonctionné pour Poiret.

— Oui, mais…

— L'entreprise connaîtra une croissance exceptionnelle, si cela réussit. Il s'agit simplement de produire le parfum. Une fois qu'il sera élaboré, le plus dur sera passé. Ce n'est pas comme pour les collections qui requièrent d'être renouvelées à chaque saison. Il s'agit seulement de produire le parfum rapidement.

— Mais pourquoi mettre tout ce que tu possèdes en péril pour cette… »

Adrienne tente de trouver un terme dédaigneux, mais n'y parvient pas.

« Odeur?

— Cela apportera un peu de prestige à la griffe. Envisagez ce projet comme un exercice de style. »

Dans son esprit, il s'agit d'une innovation, une création sans précédent; quelque chose d'enchanteur et de sublime. Elle imagine un parfum si merveilleux qu'à la moindre inhalation n'importe quel homme sera sous le charme. Ce sera formidable, songe-t-elle. L'amour et le parfum comblent une femme de bonheur. Et si l'un inspire l'autre, c'est d'autant mieux.

La suspectant de tenir de tels propos sous l'effet de la boisson, Adrienne demande :

« Ne faut-il pas avant tout effectuer des recherches?

— Ma chère, c'est chose faite. J'ai choisi un parfumeur.

— Qui?

— Ernest Beaux.

— Un Français, donc.

— En réalité il est originaire de Moscou. Mais il travaille à Grasse.

— Encore un Russe! s'exclame Adrienne.

— Son père était le parfumeur du tsar.

— Tu as vraiment un faible pour les Slaves, n'est-ce pas? se moque Misia.

— Oh! Voulez-vous bien arrêter? »

Coco joint les mains, puis les décroise.

« Il est en train de mettre au point des échantillons.

— Tu l'as déjà rencontré?

— Non, mais nous nous sommes écrits et nous avons parlé au téléphone plusieurs fois. J'attends des nouvelles. J'irai à Grasse dès qu'il sera prêt.

— C'est ton argent après tout, dit gentiment Adrienne.

— L'argent m'importe peu, pense tout haut Coco, mais l'indépendance beaucoup.

— C'est ce dont on prend conscience après le mari numéro trois! renchérit Misia.

— Sans doute, concède Adrienne d'une voix résignée.
— À nous toutes ! s'exclame Coco.
— À ton parfum.
— À ton argent.
— Et à notre indépendance », conclut Coco.
Toutes trois lèvent leur verre vers la lumière et trinquent.

10

Le lendemain de son retour de la boutique, Coco propose à Igor une promenade dans les bois environnants. Le ciel s'étend au-dessus d'eux, immensément bleu. En contrebas, se déploient des champs de blé parsemés de coquelicots. Au loin, on aperçoit la flèche d'une église.

Ils s'arrêtent pour s'asseoir dans l'herbe, adossés à un cèdre. Le parfum des arbres rappelle à Coco celui d'un crayon tout juste taillé. Autour d'eux des criquets stridulent en un bouillonnement.

« J'aimerais savoir jouer d'un instrument moi aussi, regrette Coco.

— Vous chantez, remarque Igor.

— Si mal !

— Pas du tout. »

Il lui raconte alors l'histoire d'une soprano qui a abandonné le chant parce que sa voix la faisait pleurer.

« C'est ridicule, estime-t-elle.

— Pourquoi ?

— C'est un tel don.

— J'ai trouvé cela romantique.

— C'est de la sensiblerie, il ne faut pas confondre.

— Je pensais que cette idée vous plairait.

— Vous vous mépreniez », répond-elle sans détour.

Comme personne, elle possède ce pouvoir de le rabaisser. Peut-être parce qu'il la prend trop au sérieux.

Coco préfère parler de choses plus prosaïques : le montant de ses impôts, les intérêts que réclament les banques, le salaire du personnel en constante augmentation. Elle trouve dans le mépris d'Igor à l'égard des bolcheviks un écho à sa propre irritation face aux revendications ouvrières. Elle s'est faite toute seule, elle n'a aucune envie de rendre service. Ils réussiront s'ils possèdent suffisamment de talent.

Une idée imprudente lui traverse l'esprit. Elle se lève et prend à travers champs en direction d'un verger. Quelques instants plus tard, elle revient avec un air malicieux. Elle tient entre ses mains deux petites pommes.

« Tenez », dit-elle à Igor en lui tendant la plus appétissante et en lustrant l'autre contre sa poitrine. Elle ôte la queue du fruit avant d'y mordre à pleines dents.

Igor rajuste sa position contre le tronc du cèdre et ferme les yeux. La caresse du soleil sur son visage le réconforte. Le monde est beau, songe-t-il. Soudain le bourdonnement des insectes, le soleil et la bouchée de pomme croquante s'unissent en un accord sensoriel.

« C'est bon », dit-il à voix haute.

Il regarde Coco. Cette femme qui semble toujours tout maîtriser le fascine. Elle est non seulement capable d'assurer le quotidien, mais elle compose également son destin. Pour résumer, elle est douée pour la vie. Elle est vive et forte. Cela lui plaît. Tout à l'opposé de Catherine, ne peut-il s'empêcher de remarquer. De plus, elle est belle et intelligente. Elle l'émeut, cela ne fait aucun doute. Il sent une attirance animale le pénétrer jusqu'aux os. Il s'avise qu'il n'a pas fait l'amour depuis des semaines, des mois même. Il éprouve une agréable sensation de vigueur sexuelle. Il n'a jamais cédé à son désir pour d'autres femmes. Mais à présent, la tentation est irrépressible. Il la regarde dans le soleil. Soudain, il ne désire plus que tendre la main pour la toucher. Pour lui prouver ce qu'il ressent, pour répondre à son audace. Il se tient si près d'elle qu'il distingue les pores de sa peau. Il sent les voiles du badinage s'envoler devant le désir aveugle, l'instinct animal. Il approche la main, crispé. Le temps se fige. Tout son être tend vers elle, comme attiré par une force magnétique.

Craignant qu'une illusion d'optique perfide la fasse paraître plus proche qu'elle n'est, il se penche pour assouvir sa pulsion, mais se recule aussitôt, découragé. Il a manqué cette occasion. Elle est hors d'atteinte.

Sa pruderie a brisé son élan ; cette retenue conventionnelle, cette réserve. C'est un trait de caractère qu'il déteste chez lui. Il craint de dire ou faire quelque chose d'irrévocable. Voilà qu'il vit chez Coco et que grâce à son mécénat, il jouit d'un certain confort. S'il lui faisait des avances, il ne sait pas comment elle réagirait. Elle pourrait le prendre mal et tout raconter à Catherine. Peut-être que son invitation était pur altruisme, après tout.

Il frictionne son nez à l'endroit où les plaquettes de ses lunettes, sous l'effet de la chaleur, ont laissé leur empreinte. Le monde déborde d'amour, pense-t-il, et il se sent frustré. Il ne fera plus jamais l'amour à une autre femme que la sienne. Il envisage cette possibilité jusqu'à sa propre mort.

Puis soudain il songe âprement qu'il est venu à Bel Respiro pour travailler. C'est ce qui passe avant tout pour lui. De plus, il s'est toujours montré extrêmement loyal, en toutes circonstances. Jamais il ne cessera d'aimer Catherine et les enfants. Ils sont et demeureront des êtres nécessaires à sa vie. Le flirt est plaisant, mais résister à la tentation ne manque pas de noblesse. Cependant, la présence de Coco le torture.

Il la regarde jeter son trognon de pomme et en fait autant. Ensuite, ils reprennent leur promenade à travers bois. Sur les talus, les églantiers sont en fleur. L'herbe foisonne de papillons et de champignons. Sur la cime des arbres, les oiseaux gazouillent mélodieusement.

Coco lui donne le bras et, avec une galanterie excessive, Igor le prend. Ce contact renforce leur intimité ; ils respirent à l'unisson la même brise printanière. Coco se rapproche de lui.

Leur étreinte se resserre. Ils sentent le frôlement de leurs bras à travers l'étoffe de leurs vêtements. Soudain, dans un élan audacieux, il se penche pour l'embrasser, comme s'il s'agissait d'un jeu. Un baiser sur la joue, doux et humide, qui ne dure qu'un bref instant.

Elle ne s'y soustrait pas, sourit à la dérobée, mais ne l'encourage pas. Il se sent rejeté. Elle semble avoir fixé ses limites : ils n'iront pas plus loin.

Ils retournent à la villa sans un mot et se séparent avant de pénétrer dans le jardin où Catherine est en train de lire tandis que les enfants jouent.

Le soir même, sur le balcon, Catherine se tient aux côtés de son époux.

« C'est romantique, n'est-ce pas ? » lui dit-elle.

Romantique : le parfum du jasmin, la lune gibbeuse, les cigales dont les élytres crissent comme autant d'archets sur des cordes de violons. Il ne peut pas le nier.

« Oui », acquiesce-t-il en s'appuyant à la balustrade.

Après leur dispute de l'autre soir, il ressent le besoin de la rassurer. Cela fait plus d'une semaine qu'ils n'ont pas eu de véritable discussion. Encore humilié, Igor s'est montré taciturne et d'humeur maussade. Il peut bouder pendant des semaines. En général l'initiative de la réconciliation incombe à Catherine. Mais cette fois-ci, il prend les devants.

Il s'approche d'elle. Ils se donnent la main ; le regard d'Igor s'adoucit. Il l'enlace, puis l'embrasse chastement sur le front. Il caresse sa joue. Au contact de sa main, elle incline la tête. Les lèvres d'Igor frôlent les paupières de Catherine. Cependant, lorsqu'il tente de lui donner un baiser sur les lèvres, elle se dérobe.

« Non », dit-elle d'une voix presque inaudible.

Il semble à Igor qu'en évitant sa bouche, en détournant le visage, c'est tout son être qu'elle lui refuse. Il a soudain l'impression de tenir dans ses bras une poupée. Tout désir le quitte. Il l'enlace sans conviction encore un moment ; elle appuie la tête contre sa poitrine. Elle lui dit qu'elle est fatiguée. La journée a été longue. Les enfants dorment déjà.

Igor ne parvient pas à se rappeler la dernière fois où ils ont passé une vraie nuit d'amour. Sa maladie ne facilite pas les choses. Il ne devrait pas y attacher d'importance, mais il ne peut s'en empêcher. La frustration est douloureuse. L'absence d'amour charnel le ronge. Il brûle d'assouvir cette pulsion.

Après une dernière étreinte, il s'écarte doucement. Au même moment, un coup de vent fait chanceler Catherine. Il se demande comment elle parvient à garder l'équilibre. Elle doit s'appuyer à la balustrade. Il pense que Coco, elle, aurait trouvé cette bourrasque revigorante, qu'elle y aurait puisé de l'énergie. Il l'imagine avec ses cheveux foncés, ses yeux noir d'encre, sa bouche ardente, son sourire séduisant. Il pense à elle et regarde sa femme. Il superpose leurs visages en pensée, mais l'image ne convient pas. Elles sont trop différentes, leurs traits ne coïncident pas. Touche noire et touche blanche. Les accords sont discordants.

Catherine se retire à l'intérieur. Igor reste sur le balcon. Il regarde le ciel étoilé, écoute les stridulations des insectes, inhale le parfum des belles-de-nuit. Le mot le hante encore : romantique, songe-t-il.

Le dimanche matin, les Stravinski se rendent à l'église en famille.

À leur retour, Catherine et Igor se détendent dans le jardin, installés dans des chaises longues. Les enfants jouent au football sur la pelouse. Leurs cris résonnent. Au bout du jardin, pensant qu'on ne les entend pas, les deux garçons se mettent à jurer à la suite d'un violent tacle. Igor leur crie de surveiller leur langage.

La chaise d'Igor est un peu à l'écart de celle de sa femme. Depuis qu'ils sont rentrés de la messe, ils n'ont pas échangé un mot. Igor est occupé à prendre des notes.

« Tu les rabroues sans cesse. Tu ne joues jamais avec eux », lui reproche-t-elle.

La blancheur de sa peau contraste avec le hâle de son mari.

« Toi non plus », rétorque-t-il quelques instants plus tard.

Bien qu'il désire sincèrement se réconcilier avec son épouse, sa présence le rend irritable.

« Je le ferais si je ne me sentais pas si mal.

— Eh bien, je n'ai simplement pas envie de perdre mon temps. »

Il continue à écrire avec une ardeur redoublée.

« Theo s'est montré adorable ces derniers temps.

— Ah bon ?

— Tu t'en fiches ?

— Au contraire, je m'en soucie, dit-il en pesant ses mots, son stylo à la bouche.

— Je crois qu'il a entendu notre dispute.

— Non. Il t'a entendue crier, toi. »

Elle choisit d'ignorer cette remarque, puis reprend :

« C'est difficile pour eux. Ils ont souvent déménagé.

— Ce serait encore plus difficile en Russie.

— Je n'en suis pas si sûre.

— Ah bon ? lance-t-il sur un ton ironique.

— Tu sembles bien le seul à être heureux dans cette maison.

— C'est faux. Ludmilla se plaît beaucoup ici et Soulima semble s'amuser. En réalité, il n'y a aucune raison qu'ils soient malheureux.

— J'en vois quelques-unes pourtant.

— Catherine, tu ne vois pas que j'essaie de travailler ? » l'interrompt-il, exaspéré.

La situation ne s'arrange pas avec Catherine. Il désire Coco et n'a pas le moral quand elle n'est pas là. Et pourtant c'est une torture de la savoir si proche et de ne pas pouvoir la toucher. Cela le plonge dans les affres insupportables de la tentation. Il doit agir. Ce n'est pas bien. Il reconnaît qu'il est amoureux d'elle, mais il ne sait pas quoi faire. Il voudrait tant changer de vie.

Fuir.

Catherine semble deviner ses pensées.

« Pourquoi t'embêter à passer du temps avec nous ? Pourquoi ne t'installes-tu pas avec elle ? C'est ce que tu veux, n'est-ce pas ? »

Igor ne répond pas, il se contente de se mordre la lèvre et continue d'écrire.

« Tu ne me parles plus. Même Joseph m'accorde plus d'attention que toi. »

C'est vrai, à cet instant, la présence de son épouse le dérange et il n'a rien à lui dire. Il en conçoit de la honte, mais il ne peut le nier. Il se sent impuissant, entretenu par une autre femme et soumis à ses caprices. Il a besoin de dominer quelqu'un — et qui conviendrait mieux que son épouse ? Il a conscience que c'est pitoyable. Mais même s'il tente de résister, il n'arrive pas à se contrôler.

Les enfants courent vers eux.

« Allez, papa ! Allez, maman ! »

Igor, dont la composition a atteint une impasse, poussé à l'action par le reproche de Catherine, se joint à eux. Dans un mouvement censé manifester sa rancœur, il glisse la partition dans sa sacoche, repose son stylo et court derrière le ballon.

Catherine, lorsqu'elle se lève, éprouve de la difficulté à respirer. Même si le grand air lui fait du bien, les contrariétés mettent sa santé en péril.

Le sermon du prêtre louait la tolérance encore et toujours en exhortant les fidèles à empêcher le ressentiment de s'installer sur le chemin de l'amour. D'ordinaire, elle pardonne vite à son mari. Mais cette fois, elle est blessée et furieuse. Il n'a fait aucun effort pour se réconcilier avec elle, mis à part sa tentative sur le balcon la nuit précédente. Il ne voulait qu'un rapport sexuel — lui imposer son désir — alors que ce qu'elle réclame de plus en plus désespérément, c'est de la tendresse, de l'affection et par-dessus tout du respect. Elle ne compte pas capituler si facilement. Ce serait trop simple.

Elle le regarde courir dans le jardin. Il a l'air possédé. Il finit par taper si fort dans le ballon que celui-ci rebondit contre la remise et les perroquets et les perruches se mettent à criailler.

Pendant que les Stravinski sont à l'église, Coco furète dans le bureau d'Igor. Elle pénètre dans la pièce avec respect, avec quelque appréhension aussi, et s'attache aux moindres détails. Elle s'attend presque à voir Igor entrer et lui reprocher d'investir son espace privé. Elle laisse la porte entrouverte afin de se ménager une sortie, si nécessaire. Chaque pas lui semble être une transgression. Son attitude relève de la familiarité. Elle trahit son admiration mais aussi sa prédation.

Elle se dirige tout de suite vers le bureau et touche les bouteilles d'encre, les gommes, les stylos et les règles — des objets précieux puisqu'ils appartiennent à Igor. Elle ouvre son étui à lunettes qui se referme brusquement, la faisant sursauter. Elle saisit sa loupe et regarde ce qui se trouve sur la table. Tout lui apparaît déformé et enflé. La texture des choses lui semble un instant révélée : la trame du papier à musique, un filigrane. Un diapason devient gigantesque sous cet œil cyclopéen.

En tremblant à l'idée de commettre une violation de propriété, elle se permet une ultime audace et se dirige vers le piano. Elle lève le rabat du tabouret, ôte la petite clef en forme de trèfle qu'Igor y range et ouvre la serrure. Des deux mains, elle soulève le clapet. Il est plus lourd qu'il ne paraît, comme si sa résistance était une mise en garde pour l'empêcher d'agir ainsi.

Elle caresse doucement les touches du dos de la main. La délicate pression ne produit aucun son, mais elle suffit à hérisser le duvet de sa peau. Le contact du clavier est étrange. Il ne ressemble pas à ce qu'elle imaginait. Les touches blanches semblent tendres et fragiles alors que les noires sont plus dures, plus compactes. Puis de son index droit elle tient enfoncée une des touches les plus aiguës. Le son se propage en étoile, rompant le silence.

Un léger bruit la fait sursauter. Elle a un mouvement de recul, se retourne et voit Vassili entrer à pas feutrés. Le chat la regarde de ses yeux verts aux pupilles rétractées. Le compagnon d'Igor s'étire nonchalamment. Elle se sent à nouveau coupable, puis se raisonne : Igor ne sera pas de retour de sitôt. Elle appuie encore sur la même touche, moins timidement cette fois-ci. Elle recommence à plusieurs reprises, jusqu'à faire résonner la pièce de cette vibration. Elle la frappe ensuite plus doucement et écoute le son qui s'évanouit. La sensation n'est pas seulement auditive, elle est aussi tactile. L'écho mourant la fait frissonner.

Une fois de plus, elle se surprend à se languir d'Igor. Un jour loin de lui est un jour maudit. Pourquoi devrait-elle accepter un compromis ? Et si c'était pour elle l'occasion de vivre un amour authentique ? Pas les relations dissolues de sa jeunesse, mais quelque chose de plus important, de plus profond. Peut-elle vraiment refuser pareille opportunité à presque quarante ans ? Elle est libre de faire ce qui lui plaît. Elle possède l'argent pour réaliser ses désirs et elle a le pouvoir de les concrétiser. Catherine a eu sa chance. Pourquoi Coco devrait-elle avoir de la peine pour elle ? Jusqu'à présent, elle a mené une existence privilégiée. C'est à Igor qu'il revient de décider avec qui il veut partager sa vie. Elle est convaincue que le statut de martyr ne l'attire pas. Elle espère simplement ne pas l'avoir effrayé.

Elle regarde par la fenêtre et le monde lui semble plus vaste. Les feuilles découpées en forme de cœur oscillent contre le mur.

Elle referme le piano. Puis elle parcourt le bureau du regard pour vérifier que tout est à sa place initiale. Elle quitte la pièce comme elle y est entrée : sans un bruit. Derrière elle, le soleil perce dans l'entrebâillement des rideaux et réchauffe chaque objet qu'il caresse.

11

Coco organise une partie de tennis avec les Sert. Dans un village voisin, se trouve un club qui possède plusieurs courts sur gazon bien entretenus. Igor aime jouer et Coco est heureuse à l'idée de revoir Misia. Dans la chaleur de l'après-midi, les deux couples — car c'est l'impression qu'ils donnent — y sont conduits par le chauffeur de Coco.

Quand il approche d'un pont étroit qui enjambe un ruisseau, le conducteur freine brutalement. Une voiture arrive en face. Le chauffeur de l'autre voiture semble bien décidé à ne pas faire marche arrière ; c'est celui de Coco qui en prend l'initiative. Elle lui hurle aussitôt de ne pas bouger. Les deux véhicules restent donc bloqués pendant dix minutes juste avant le pont en bois. Igor lui suggère de céder, mais elle refuse de revenir sur sa décision. De plus en plus inflexible, elle demande au chauffeur de couper le moteur et d'attendre que l'autre conducteur capitule — ce que ce dernier finit par faire, furieux. Au passage, Coco le gratifie d'un geste magistral. Il est rouge de colère ; elle, blême d'arrogance.

« Abruti ! » lance-t-elle.

Par la vitre, Igor voit les poteaux télégraphiques alignés à l'infini comme autant de soupirs sur une portée.

« C'est une femme qui aime faire ce qui lui chante », dit José à Igor au sortir des vestiaires, une demi-heure plus tard.

Bronzés et fringants, les deux hommes portent leur tenue avec élégance. Igor se penche pour vérifier la hauteur du filet pendant que José s'entraîne à smasher. Coco et Misia s'attardent à l'intérieur.

« Catherine est encore malade évidemment, dit Coco. Elle a appelé Marie dans sa chambre toute la journée.

— Mon Dieu !

— Et les enfants sèment la zizanie.

— Igor ne réagit pas ? »

Coco rit.

« Je crois qu'il ne le remarque même pas. Il passe tout son temps au piano.

— Ah. Bien entendu.

— Il dit travailler à une nouvelle symphonie.

— Sensationnel !

— C'est vrai, renchérit Coco.

— J'ai aimé son *Scherzo fantastique*.

— Quel en était le thème ?

— Les abeilles, je crois », répond Misia en nouant ses lacets.

Elle a terminé de se changer, ramasse sa raquette et frappe le tamis contre sa paume. L'air siffle à travers le cordage. De petits carrés sont gravés dans le creux de sa main.

« Si mes souvenirs sont bons, la reine extermine le mâle une fois sa fonction reproductrice accomplie. »

Coco éclate de rire.

« Si seulement… »

Elle reproduit le geste de son amie, tapant la raquette contre sa main.

Sur le court, Igor, un peu fluet comparé à José, balance gauchement les bras pour s'échauffer. Double mixte. Igor va jouer avec Misia et Coco avec José.

Les femmes portent des robes de coton blanc et des bandeaux à cheveux couleur crème. Leurs tenues sont élégantes comparées à celles des hommes.

Après quelques minutes d'échanges, le match commence vraiment. José est lent sur le terrain et monte rarement au filet, mais sa frappe de balle est puissante. Il a un coup droit impressionnant qui siffle lorsqu'il le réussit bien. Igor est plus rapide et plus souple, il anticipe habilement et, même s'il ne possède pas la force de José, ses coups sont plus précis.

Il s'avise que Coco tient sa raquette d'une curieuse façon et la plupart du temps elle ne peut renvoyer que les balles de service faciles. Toutefois, elle réussit quelques jolies frappes et volées énergiques. De plus, en général, son placement est bon. Dans les retours Igor est plus indulgent avec elle qu'avec José. À deux reprises Igor doit reconnaître le talent de Coco lorsque, d'un large revers, elle envoie la balle très loin. Misia s'en avise, pour la plus grande honte d'Igor, et lui adresse un clin d'œil. Il fait mine de ne pas le remarquer. Elle aurait tort de croire qu'il est battu à plates coutures. Compétiteur-né, il est là pour gagner. Pendant le reste du match, il galope après chaque point jusqu'à ce que quelque chose gonfle en lui et semble sur le point d'éclater. Il frappe la balle de plus en plus fort comme s'il voulait la punir.

Comme il fait très chaud, il transpire à grosses gouttes. Sa main glisse sur la poignée humide de la raquette. Il se dépense plus que de raison. Comparés à lui, les autres s'économisent. Téméraire, il tire parti de la lenteur de José. Il décoche une série de frappes subtiles destinées à abattre son adversaire.

« Qu'est-ce qui lui prend? s'enquiert José. Il joue toujours comme ça? »

Le score est de un partout lorsque, au milieu d'un dernier set tendu, il s'élance pour renvoyer l'un des services cinglants de José qui, toujours, mordent la ligne. La balle frappe la raquette d'Igor avec un son pitoyable de cordes pincées. Au cours de l'échange déchaîné qui s'ensuit, Igor sent que le cordage de sa raquette s'est détendu. Ses coups perdent de leur mordant. La musique les quitte. Un examen de la tête de la raquette révèle une corde cassée qui frise piteusement lorsqu'il la retire. Il brandit le cadre pour le montrer à ses adversaires.

Le match est interrompu et déclaré nul.

« Alors, qu'en penses-tu ? » demande Coco à Misia.

Épuisée, elle s'écroule dans les vestiaires près de son amie.

« Il aurait besoin d'une chemise propre !

— Plus sérieusement ? »

Misia retend négligemment les cordes de sa raquette.

« C'est un bon partenaire de tennis en tout cas.

— Allons ! la presse Coco.

— Il se donne entièrement au jeu.

— Tu as vu, il n'abandonne jamais.

— Il aime parvenir à ses fins. »

Coco lui jette un regard en coin.

« Que veux-tu dire par là ? »

Même si Misia s'est empâtée au fil des ans, elle a gardé le pouvoir de séduction et la fougue de ceux dont l'appétit sexuel est dévorant.

« Rien, répond-elle d'une voix chantante. Aucun de nous ne rajeunit ma chère, souviens-t'en. Tu dois monter au filet, toi aussi.

— C'est le problème, en partie. »

Coco semble découragée.

« Je ne sais pas ce que je veux », reprend-elle.

Elle repousse difficilement l'impression tenace que cet homme a toutes les qualités. Il a du talent, il est sophistiqué. Il a de l'esprit, il possède cette grande sensibilité artistique qu'elle affectionne. Ce sont les affinités qu'elle perçoit entre eux qui la poussent vers lui. Il ne s'agit pas d'une toquade. De plus, son attirance pour lui augmente de jour en jour.

« Je change d'avis sans arrêt. J'ai besoin d'être sûre.

— De ses sentiments ou des tiens ?

— Des deux, j'espère.

— Toi seule peux savoir.

— Ce que je ne comprends pas, c'est…

— Continue.

— Comment peut-il avoir une sensibilité musicale si développée et être si froid ?

— Il veut qu'on l'aime, pourtant. Tu ne le vois pas ?

— Je suis certaine qu'il préfère qu'on apprécie son travail. Le reste est secondaire. C'est ce qu'il dit.

— Je ne serais pas aussi affirmative. Il est tout simplement timide.

— Tu crois ?

— Il a peut-être juste besoin que quelqu'un le fasse sortir de sa coquille.

— Tu as peut-être raison. Tu as vu sa tête quand la corde s'est cassée ? demande-t-elle sur un ton plus gai. J'ai eu envie de le prendre dans mes bras !

— Ah !

— Ne ris pas ! dit Coco en rangeant sa raquette dans sa housse.

— Attrape ! »

Misia lui envoie deux balles l'une après l'autre. Coco les saisit, en ouvrant et resserrant les poings.

Misia mime le vol d'une abeille, en battant vivement des bras.

« Bzz ! fait-elle.

— Allons, arrête ! » lui ordonne Coco.

Elle range les balles au fond de son sac et le ferme en tirant vivement sur les sangles.

12

C'est la torpeur de l'après-midi. Dans toute la région, les habitations sont calfeutrées pour empêcher la chaleur d'entrer.

Dans le bureau d'Igor, les volets sont à demi clos. La lumière filtre par l'interstice, esquissant des ombres sur les murs. Il travaille une mélodie de Pergolèse. Coco entre. Il ne l'entend pas, il ne la voit pas.

Comme une somnambule, elle a suivi les accents légers du piano pour remonter jusqu'à leur source. Elle se tient dans un coin de la pièce et observe Igor. Un tailleur de lin blanc met en valeur son bronzage. Une ceinture foncée maintient sa jupe. Le rai de soleil dessine une zébrure sur son visage. Sous ses pieds nus, elle sent la fraîcheur du sol.

Le spectacle des mains d'Igor qui ondulent sur le clavier enflamme lentement ses sens. Décidée, elle fait glisser sa jupe sans bruit. L'étoffe froissée gît à ses pieds.

Avec ne sorte d'intuition animale, Igor se rend brusquement compte de sa présence. Il cesse de jouer mais ne se retourne pas. Il s'est arrêté en plein mouvement, les doigts tendus, figés au-dessus des touches. Coco s'approche de lui comme une vague de chaleur. Deux mains agiles couvrent les yeux d'Igor.

Un délicieux murmure caresse son oreille.

Il ne répond pas, mais, parfaitement maître de lui, referme le clapet du piano. Lorsqu'il se retourne, elle recule. La sueur perle au front d'Igor. Sa gorge est sèche. Sa langue se paralyse.

Il perçoit le chant d'un oiseau dehors comme un grincement. Il se tient assis face à elle, stupéfait, les mains chastement posées sur les genoux. Ils échangent un long regard confiant. Coco, ravie, ôte son chemisier. Le tissu se prend dans le nuage de ses cheveux. Sous l'effet de l'électricité statique, quelques mèches se dressent et lui donnent l'air d'une sorcière. Avec un naturel surprenant, elle laisse tomber le vêtement sur le sol. Puis, sans hâte, elle enlève ses dessous. Igor est médusé de la voir nue.

Elle lisse ses cheveux, se tourne. Elle a conscience de prendre un risque, mais c'est ce qu'elle veut. Après avoir réfléchi, elle a conclu que la seule manière de réussir est de se montrer aussi ouverte et honnête que possible. Malgré sa franchise, elle se sent vulnérable.

Elle s'allonge sur le ventre en travers de la méridienne et fléchit les genoux. La lumière qui filtre par les ajours des persiennes dessine sur son dos nu un clavier improvisé. Elle penche la tête vers Igor, appuie le menton sur sa main.

« Alors ? » demande-t-elle.

Il y a dans l'air un bourdonnement, comme l'écho fantomatique de la musique. Igor, perplexe et effrayé, hésite.

« N'avez-vous pas envie de moi ? » Il y a comme du défi dans sa question. Coco semble presque fâchée.

Igor se sent tout à fait perdu, il avance gauchement vers elle comme s'il marchait contre le courant. Il s'arrête un instant et son ombre efface les rayures ensoleillées sur le dos de Coco. Les lunettes d'Igor sont en équilibre instable sur son nez. Dans un coin de la pièce, une mouche bourdonne.

Ses doigts picotent comme après un engourdissement. Ses membres ne lui obéissent plus. Il a la gorge nouée. C'est insensé, pense-t-il. Il a soudain l'impression que sa poitrine va éclater. Puis comme un élastique tendu qui se relâche d'un coup, il se débarrasse frénétiquement de ses vêtements comme d'autant de fardeaux. Elle se tourne sur le dos et le regarde se débattre avec sa ceinture, sourit de le voir arracher ses chaussures. Dans ses yeux, elle lit le besoin animal, la pulsion tyrannique.

Le désir le submerge. Avec avidité, Igor embrasse le ventre de Coco. Sa peau a le goût du sel. Il s'enivre du parfum de ses cheveux et hume l'odeur de ses seins comme s'ils étaient des roses humides avant de les sentir, moelleux, contre sa poitrine. La langue de Coco taquine la sienne. De courts baisers d'huître.

« Hé ! Doucement ! » lui dit-elle, sentant son impatience.

Étonné d'entendre sa voix, il lève les yeux vers elle. Maintenant que cela arrive, cela lui semble irréel. Son corps devient léger. Il surmonte son sentiment de culpabilité pour se laisser submerger par la pure sensualité de l'acte.

Coco lui sourit.

« Pas si vite ! » lui souffle-t-elle.

Il lui retourne son sourire, désarmé.

C'est comme si, jusqu'à présent, sa vie avait été une farce. Comme si en lui venait de s'ouvrir une porte. Son comportement a quelque chose de monstrueux : un abandon aveugle à ses pulsions. À cet instant, la musique lui semble une quête lointaine, une fade tentative, un projet obscur incapable d'assouvir la passion qui l'anime. Les compositions dans lesquelles il s'est jeté à corps perdu lui paraissent aussi insipides qu'une démonstration mathématique. Son amour physique pour Coco est sa seule raison de vivre.

Il est enivré par le parfum que dégage la peau de Coco. Sa bouche s'y attarde et ne la quitte que pour goûter d'autres parties, encore inexplorées, de son corps. Avec une ardeur violente, ses doigts s'attardent sur les cannelures de son échine. De ses mains froides, il caresse maladroitement l'intérieur de ses cuisses ; elle frissonne.

Quelques minutes plus tôt, coucher avec elle lui semblait tout à fait inconvenant. Maintenant, c'est la chose la plus naturelle qui soit. Il se rappelle la première fois où Catherine et lui ont fait l'amour — une défloration brouillonne et douloureuse.

Rien de semblable avec Coco. C'est ce qu'il a attendu toute sa vie en secret. Leurs membres se mêlent comme s'ils étaient conçus pour cela.

Peu à peu, Coco a l'impression d'être le centre de cercles concentriques, autour duquel tout ondule, tout est flou. Sa poitrine rougeoie comme une odeur imprégnerait un tissu. Le feu qui lui brûlait les joues s'empare de son corps tout entier. Elle gémit doucement, car quelque chose sourd en elle, avec toujours plus de force pour atteindre un rythme effréné avant d'exploser. Il lui semble que son ventre se désagrège. L'espace d'un instant, une expression idiote se lit dans ses yeux, puis elle détourne violemment la tête.

Un long frisson la parcourt. Ses membres se raidissent; des marques roses apparaissent sur la peau d'Igor sous la pression de ses doigts.

Ils sont allongés sur le sol tous les deux. Elle passe doucement la main dans les cheveux d'Igor et suit du doigt les contours rubescents de sa mâchoire. Elle caresse ses abdominaux, l'intérieur de ses bras. Il est figé un instant, mais elle l'aide à se détendre. Elle baise son crâne, ses paupières, son cou, sa poitrine, pour mieux l'attirer en elle avec une ardeur qu'il juge presque impudique.

Elle est incroyablement mince, songe-t-il. L'avidité juvénile de ses hanches qui l'entraînent. Il se glisse en elle plus profondément jusqu'à être submergé par sa chaleur. Une douceur brûlante et lisse qui lui rappelle la réglisse. Avec une délicatesse envoûtante, les mains de Coco parcourent le corps d'Igor. Chaque frôlement lui procure une sensation merveilleuse. Les yeux clos, elle lui suce les doigts. Elle se cambre en souplesse. Un peu intimidé, Igor s'avise qu'elle lui montre comment procéder. Peu à peu un renouveau se met en place. Tout son être lui paraît redéfini; son existence entière refaçonnée.

Ivre, il se perd en elle. Il sent son souffle chaud et irrégulier contre sa poitrine. Alors que ses mouvements s'affolent dans une certaine urgence, leurs corps brûlants se meuvent, synchrones, comme deux lignes mélodiques. Son visage se fait radieux ; il arbore le sourire épanoui du désir. Sous l'effet d'un plaisir violent, il est secoué de tremblements. Une décharge incandescente traverse sa chair. La fièvre se propage avec une lenteur douloureuse dans son corps.

Ils restent un moment allongés, sans bouger, dans un état de dissolution partagé. Elle repose son corps contre le sien. Il pose la main comme une fronde de lierre sur le ventre de Coco. Elle joue avec les cheveux sur sa nuque. Enfin, ils se lèvent. Un peu à l'écart, elle croise les bras, soudain pudique.

« Pardonne-moi, murmure Igor.

— De quoi ?

— Je n'ai pas pu me retenir.

— T'ai-je choqué ? »

Alors qu'elle se tourne pour ramasser son chemisier, ses omoplates bougent symétriquement comme si elle était une créature ailée au sol.

Bizarrement, il se prend à penser au dernier quatuor à cordes de Beethoven. Dans cette œuvre, le compositeur demande au violoniste d'exécuter deux notes simultanément sans les séparer — la seule indication est que la seconde note soit jouée « avec émotion » comme une sorte de sanglot. Toute sa vie Igor s'est demandé ce que cela signifiait. Maintenant, par magie, il a compris. Il a senti ce sanglot en lui, dans les mouvements auxquels leurs deux corps se sont adonnés en faisant l'amour.

« Tu es belle, lui dit-il en caressant sa paupière du pouce.

— Non.

— Très belle.

— Arrête !

— Je suis sincère. »

Après une courte pause elle lui demande :

« As-tu déjà couché avec une autre femme que Catherine ? »

Il sourit.

« Je veux dire, moi mise à part.

— Jamais.

— Pourquoi ?

— Je n'y pensais pas avant de te rencontrer. »

Ce n'est pas tout à fait vrai. L'idée lui est venue à l'esprit de plus en plus souvent ces derniers temps. Mais il a toujours craint d'être châtié par la main vengeresse de Dieu. Il le redoute encore.

« Avant de me rencontrer, moi ? » demande-t-elle, incrédule.

Il acquiesce.

« Et je n'ai cessé de le désirer.

— Moi aussi », dit-elle.

Encore un mensonge. Son admiration ne s'est transformée en une puissante attirance sexuelle qu'au cours des dernieres semaines. Cependant, ce qui l'aurait surprise quelque temps plus tôt s'avère à présent inévitable et nécessaire.

« Es-tu certaine de me trouver assez riche ? »

La réponse de Coco est énigmatique.

« J'ai pour habitude de prendre du bon temps. »

Devinant qu'Igor est sur le point d'ajouter autre chose, elle pose un doigt sur ses lèvres. Ils entendent à l'autre bout du couloir les enfants qui sortent de leur leçon.

« Je dois partir », murmure-t-elle avant de s'habiller en hâte. Elle s'arrête pour lui envoyer un baiser, puis se glisse sans bruit hors de la pièce.

Coco partie, Igor essuie un peu de poussière sur le dessus du piano. Il soulève le clapet qui s'ouvre comme un cheval relèverait les babines pour montrer des dents saines. La tête penchée sur les touches graves, il s'abandonne à leurs sons.

De la musique s'échappe du bureau tout le reste de l'après-midi.

Épuisé, Igor est allongé aux côtés de son épouse endormie.

D'habitude, il dort sur le ventre, mais ce soir il est étendu sur le dos. Il craint d'étouffer, le visage contre l'oreiller. La pleine lune confère à la pièce une lueur de couveuse. Il regarde fixement le plafond. Ses orteils sont dressés. Ses mains, légèrement refermées, reposent, inertes, de chaque côté de son corps. Il trouve la chaleur oppressante. Suffocante. Elle semble presser contre les vitres comme la douleur qui le saisit derrière les yeux. Il ressent une sorte de constriction intérieure.

Il se sent infâme. Pour un homme ayant reçu une éducation sévère, il vient de bafouer un principe essentiel. La loyauté a toujours eu pour lui la force d'une loi implacable. Le jour de son mariage, il a prononcé des vœux sacrés. À présent qu'il les a rompus, la culpabilité lui semble être un liquide qui épaissit son sang. Pourtant, lorsqu'il se demande s'il désire passer le reste de sa vie avec Catherine, il souffre de se répondre par la négative. Ne mérite-t-il pas le bonheur, lui aussi ?

Un espoir fou le saisit : peut-être Catherine ne l'apprendra-t-elle jamais. Encore mieux, elle pourrait finir par l'accepter. Mais Coco pourrait désirer autre chose. Que veut-elle exactement ? Une aventure ? Une relation longue ? Se marier ? Une simple liaison ? Il détesterait cela. Il est trop entiché d'elle pour se satisfaire de si peu. Le mariage tout de même... Cela lui demanderait de réorganiser toute son existence, et ce non sans heurts probablement. Les possibilités se bousculent jusqu'à ce que son avenir lui semble soudain incontrôlable.

À côté de lui, le visage de son épouse est visible au-dessus du drap. Sa respiration est irrégulière ; ses cheveux étalés forment une ombre. Il tend la main pour toucher son front. Il est brûlant. Ses joues sont fiévreuses. Son corps est plus chaud que le sien propre. Elle a toujours joui de cette supériorité calorifique. Il ferme les yeux. Il voit l'image de Coco. Il pense à Coco. Il pense à elle dès son réveil et avant de sombrer dans le sommeil, sa dernière pensée est pour elle. Elle est tout pour lui. C'est comme si rien n'avait existé avant. Le reste est annulé. Il veut que sa vie recommence, ici, maintenant, avec elle.

À cette pensée, il sent confusément une forme qui l'entoure. Dense et vengeresse, elle se déploie dans l'obscurité au-dessus du lit. Un poids lui comprime la poitrine. Il a froid au crâne. Il remonte les couvertures jusqu'à son cou, terrifié. Malgré ses efforts, il ne parvient pas à dormir, et ce bien qu'il ait tenté de s'anesthésier à grand renfort de vodka.

Quand s'approche le petit matin, il est toujours étendu du mauvais côté : sur le dos. Les moustiques le dévorent comme s'ils sentaient l'élévation de la température de son corps. Ils bourdonnent comme des montres que l'on remonte. Pire encore, les chats poussent des cris de bébé à la fenêtre. Le son — cette lamentation aiguë qui suggère les poils hérissés des animaux — écorche ses oreilles.

Parcouru par un élancement, il se réveille en sursaut. Dyspepsie. Des sécrétions acides déclenchent une sensation de brûlure dans son estomac.

Il est très tôt. Igor a la tête qui tourne sous les effets cumulés de la fatigue et de la culpabilité. Il s'assied et croit voir les murs pencher. Une gravité instable semble avoir pénétré la substance des choses. L'immutabilité de la surface des objets est incertaine, comme mue par une force invisible. Lorsque Igor pose un pied mal assuré sur le sol, il craint que le plancher ne se dérobe sous lui pour révéler un abıme. Il parvient à rester debout grâce à des puissances miraculeuses.

Il est préoccupé — une préoccupation joyeuse, désespérée — et soumis à des désirs incontrôlables. Il ne peut plus s'en empêcher. Tout lui rappelle Coco. Il sent encore son parfum; il la voit dans tous les miroirs. L'intense chaleur qui émane d'elle l'attire à lui. Il est au supplice. Cette fièvre le tourmente.

Il a peur qu'il y ait un prix à payer. Et si Catherine le découvrait ? Elle serait anéantie. Elle est déjà très faible. S'est installée entre eux une distance qui remet en question tout ce qu'ils ont partagé. Il tente de se rappeler une époque où ils ont été heureux. Il se remémore des scènes, mais elles lui semblent aussi figées que des tableaux, lointaines et presque irréelles. Sur la table de chevet de Catherine, un coquillage luit, crémeux, comme éclairé par sa nacre.

Il s'approche de la fenêtre pour regarder à travers les rideaux. Le ciel est encore sombre. Les étoiles scintillent comme à l'ordinaire. Curieusement, l'univers semble inchangé.

Igor songe aux fibres invisibles qui le lient au monde, à l'intrication des possibles qui l'ont conduit ici, avec Coco dans cette villa, en cet instant irréductible. Il se demande comment le destin l'a ainsi attiré vers elle. Pour le meilleur ou pour le pire ?

Il n'a jamais été homme à abandonner, à renoncer, à s'enfuir. Il aime se consacrer à une tâche jusqu'à en venir à bout. Mais à présent, où se trouve son sens des responsabilités ? Son endurance, sa capacité à mener à bien ses projets ? À quoi cela sert-il de toute façon ? Cette liberté entraperçue était-elle un rêve ? Ce plaisir goûté, nocif ?

Un film de sueur couvre son visage. Le haut de son pyjama lui colle lamentablement au dos. Une chaleur incandescente lui parcourt le corps. La peur l'étreint. Il résiste à l'envie de s'agenouiller pour prier avec plus de ferveur qu'il ne l'a jamais fait. Pour quoi ? Après tout, le sait-il ? Ce qui s'est produit, il le désirait. Il l'a espéré même, et il a cédé avec empressement, sans honte.

Il se rend à la salle de bains, où il observe son reflet dans le miroir. Il lui renvoie l'image d'un visage gris aux traits tirés. Il regarde ses cheveux qui s'éclaircissent, ses dents abîmées. Les lignes qui parcourent la paume de ses mains semblent s'être changées en tranchées. Dans deux ans, il aura quarante ans.

Qu'est-ce qui lui prend à son âge de tomber amoureux ? C'est absurde. Il est terrifié à l'idée de perdre ce sentiment d'extase. Il la veut encore, il a besoin de plus. Rien dans sa vie passée ne l'a préparé à cette expérience.

Il ôte ses lunettes, tourne le robinet, puis s'asperge le visage d'eau froide. Il grimace sous le choc. Puis, tel l'homme qui vient de se découvrir des appétits qui hurlent afin qu'on les apaise, il se fait couler un bain et se verse broc sur broc d'eau sur le crâne. Le liquide tombe en cascade sur son torse, lissant les poils noirs de sa poitrine et de son dos. Il frissonne d'aise.

Une fois habillé, il rejoint le rez-de-chaussée. Lorsqu'il pénètre dans son bureau, il se prépare à conquérir le monde par son travail. Il est encore trop tôt pour petit-déjeuner, trop tôt aussi pour risquer de réveiller la maisonnée en jouant du piano. De toute façon, il est désaccordé par la chaleur et l'humidité, très forte aussi. Au moins, il fait bon maintenant. Au-dehors, la lumière du matin ne dessine pas une ombre. Les pommiers sont glacés de rosée.

Il jette un coup d'œil aux photographies de sa femme et de ses enfants, sur son bureau. Ils lui semblent étrangers, comme si quelqu'un avait changé les clichés pendant la nuit. La culpabilité se tient perchée sur son épaule, les serres profondément enfoncées dans sa peau.

À la recherche de répit dans la musique, il prend une feuille de papier. Il saisit un crayon bien taillé, puis remonte ses lunettes sur son crâne. Ensuite, en se donnant beaucoup de mal pour que ses coups de crayon ne dépassent pas des portées de un millimètre, il délimite les mesures par des traits réguliers.

13

Les jours suivants, l'après-midi, toujours à la même heure, le piano s'arrête de jouer

Un silence épais s'installe dans la maison. Catherine tend l'oreille dans l'attente de sons qui n'arrivent pas. Elle écoute s'éteindre la dernière note du piano. Le silence attaque sa chair comme un acide et lui laisse une sensation de brûlure à l'estomac.

Tous les jours, quand brusquement la musique s'arrête, le chat se hérisse en faisant le gros dos ; les oiseaux dans leur cage penchent la tête ; les chiens, inquiets, dressent leurs oreilles. Les enfants se figent un instant et échangent des regards perplexes, surpris par le long silence qui règne au cœur de chaque après-midi.

Joseph et Marie se regardent d'un air entendu. Ils lèvent les yeux au ciel.

« Ça y est ! chuchote Marie.

— On avait bien besoin de ça, dit Joseph.

— Comme si la situation n'était pas déjà assez compliquée entre eux ! »

Durant les semaines suivantes, le rendez-vous de l'après-midi devient une habitude. La musique s'arrête au milieu d'une phrase, pour reprendre, un peu plus sautillante, une demi-heure plus tard. Le silence engendre un néant vers lequel tout converge.

Pour Catherine, au fil des jours, il se change en vide qu'elle comble avec sa peur et son angoisse. D'un côté, elle voudrait savoir ce que signifie cet étrange hiatus. D'un autre, elle a peur de ce qu'elle pourrait découvrir. Elle préfère l'ignorance à l'horreur possible. Elle est trop faible à présent pour faire face aux conséquences. Le silence s'étend en elle comme une plaie.

Igor, lui, est ensorcelé. Sans manifester le moindre regret, Coco lui offre un amour sensuel tel qu'il n'en a jamais connu avec Catherine. La passion de Coco est exempte de tout scrupule bourgeois, presque vulgaire dans sa franchise. L'assurance dont Coco fait preuve ainsi que son désir d'expérimenter l'étonnent. Il se demande si elle le trouve ignorant sexuellement.

Au lit, Catherine s'est toujours montrée plutôt passive. Au mieux elle ne réagit pas. Sa maladie rend maintenant les rapports sexuels difficiles. Si physiquement elle y prend part, c'est seulement par une sorte de réflexe qui répond à son désir à lui. En vérité, elle déteste ses revendications.

Catherine subit les rapports sexuels par devoir conjugal, exclusivement comme un acte de procréation par lequel ont été engendrés, trop vite, quatre enfants. Avec Coco, au contraire, Igor connaît un bonheur partagé, crûment jubilatoire. Comme la découverte soudaine et libératrice du jazz. Il y a un côté joyeux, merveilleux même. C'est comme si, affranchi de sa timidité, il se sentait libre d'improviser. Il n'y a pas de règles. Chaque fois est différente, car Coco encourage Igor à suivre ses envies. Ils font l'amour dans un joyeux abandon. Un désir insatiable anime leur relation. L'oiseau de la culpabilité a disparu de son épaule. À présent, il ne peut plus s'arrêter.

Sa liaison lui donne à voir le monde avec une intensité nouvelle. C'est comme si on lui avait donné une paire de lunettes qui lui permet de percevoir l'éclat des couleurs comme jamais auparavant. À présent qu'il voit les tons vifs, les contrastes, le panache de la vie, il répugne à y renoncer.

Ils prennent l'habitude d'échanger des lettres d'amour. Igor en écrit une et la cache dans le tabouret du piano. Puis, dans l'après-midi, Coco vient la chercher et dépose la sienne, rédigée de son écriture familière, irrégulière, étalée, un peu enfantine. Leur correspondance est simple, libre, pleine de mots tendres et de secrets, ce qui la rend encore plus excitante. Les lettres d'Igor sont souvent plus longues que celles de Coco. Mais elle possède une sensibilité, une éloquence troublante qui, en quelques phrases courtes, produisent un effet plus touchant, plus tendre, plus vrai que n'importe quelle phrase bien tournée qu'il pourrait lui écrire.

Le matin, ils travaillent. L'après-midi, ils font l'amour. Le reste du temps, lorsqu'ils se retrouvent à la table du dîner par exemple, ils tentent de se montrer distants. C'est comme s'ils opéraient sur deux niveaux. Ils n'interfèrent pas entre eux et n'ont pas pour l'instant à être réajustés. Ce sont deux clarinettes qui jouent ensemble sur deux modes dissonants. Pour les harmoniser, il suffit d'accepter leur dualité.

Ils coexistent dans une sorte de supramode.

Pour écarter le risque d'être surpris dans le bureau, Igor et Coco vont marcher dans les bois. La nature illicite de leur relation génère une chaleur soudaine. Un doux bouillonnement d'insectes les entoure. Leurs désirs convergent soudain pour les mener sur un coin d'herbe brûlée. Ils se dévêtent en hâte. Dans un concert de râles furieux, leurs corps se joignent avec le soulagement de la passion non plus entravée mais enfin libre de s'exprimer. Le bois tout entier semble en percevoir la vibration. Des plus hautes branches, les oiseaux répondent. Un chien aboie au loin. Pour Coco et Igor, les minutes se distendent, leur offrant ainsi une deuxième vie délicieuse et inattendue.

Plus tard, alors qu'ils ramassent leurs vêtements, Coco dit à Igor :

« Je crois qu'ils sont au courant.

— Qui ?

— Joseph et Marie.

— Comment l'ont-ils appris ?

— Ils s'occupent de la maison. Ils savent tout ce qui s'y passe. »

Le sang d'Igor ne fait qu'un tour.

« Mon Dieu ! Qu'allons-nous faire ? »

Il tente tant bien que mal de remettre son pantalon.

« Calme-toi. Ils ne me trahiront pas. Ce sont mes employés, souviens-toi.

— Penses-tu que Marie pourrait tout raconter à Catherine ?

— Bien sûr que non, répond Coco en fermant le dernier bouton de son chemisier.

— J'espère que tu as raison.

— Ne crois-tu pas que Catherine a déjà des soupçons ? »

Igor marque un temps d'arrêt.

« Même si c'est le cas… De là à prouver quoi que ce soit.

— Tu n'es donc pas très inquiet. »

Il la regarde.

« Je vis dans la peur qu'elle ne découvre notre liaison

— Veux-tu tout arrêter ?

— Impossible. »

Il ne s'est jamais senti aussi vivant. C'est un peu comme être père pour la première fois, songe-t-il. On aime tellement son enfant qu'on pense ne jamais être capable d'en aimer un autre à ce point. Puis le deuxième arrive et on l'aime autant, sinon plus. Il en va de même pour le mariage. Il n'aurait jamais cru rencontrer une femme qu'il aime autant que Catherine. Et maintenant il est là avec Coco et son monde est chamboulé.

« Je ne veux pas te pousser à faire une chose dont tu n'as pas envie.

— Je sais ce que je veux, seulement je ne souhaite pas la blesser.

— Tu penses donc que tu fais quelque chose de mal ?

— Non, au contraire. »

Il sent jusque dans les tréfonds de son âme que sa place est auprès de Coco.

« Mais cela ne m'empêche pas de me sentir coupable.

— Nous pouvons mettre un terme à cette aventure, tu sais. »

Il comprend qu'elle le met à l'épreuve.

« Ce n'est pas ce que je désire. De plus, nous ne pouvons plus faire marche arrière.

— Bien », dit Coco.

Elle aussi est amoureuse. Cela lui est essentiel; nécessaire comme les murs de sa maison, les fenêtres au travers desquelles le soleil entre, le toit en tuiles au-dessus de sa tête. Ce sentiment n'a rien d'excessif ni de superficiel. Il a les contours purs et nets du fait brut. Pas de méprise possible. À l'instar d'un parfum, il est là, tout simplement.

« Je promets de ne pas t'étouffer, lui dit-elle.

— C'est peut-être ce que je veux ! »

Il la prend dans ses bras.

« Laisse-moi être ta maîtresse.

— Cela me plairait.

— Tu serais mon amant. »

Ils se tiennent un moment front contre front, jusqu'à ce qu'Igor se détourne, surpris.

« C'est fou, mais pour la première fois depuis des années, je suis vraiment heureux. »

Il est sincère. Un sentiment de bien-être l'envahit.

« J'en suis heureuse », dit Coco.

Elle le regarde dans la lumière du soleil et tout autour d'elle disparaît dans la clarté.

Igor prend garde à se débarrasser de l'odeur de Coco. Il veille à s'assurer que, l'après-midi, les enfants soient occupés à leurs leçons ou jouent dehors hors de portée de voix. Si, en soi, entretenir une liaison est imprudent, il s'organise — mis à part cet après-midi dans les bois — avec une rigueur extrême.

Mais Coco possède une certaine espièglerie qui la pousse à vouloir perturber la régularité de leurs rendez-vous clandestins. De temps à autre, elle arrive en retard. Igor sent alors un vide glacial s'étendre à tout son corps. Avec une ponctualité qui confine à l'obsession, il honore avec un souci presque religieux ses rendez-vous. Même si Coco a une minute de retard, il se met à arpenter son bureau. Sa frustration ne cesse d'augmenter si cinq ou dix minutes s'écoulent encore. Bien entendu, elle finit toujours par venir et les désirs d'Igor sont bientôt assouvis. Mais elle prend un plaisir sournois à constater son abattement.

Catherine, inévitablement, entretient des soupçons Elle observe Coco et Igor, attentive à ce qui, dans leur comportement, pourrait constituer des indices révélateurs. Elle sait qu'il a déjà désiré d'autres femmes, mais cette fois-ci, c'est différent. L'intensité de sa relation avec Coco se distingue de ses précédentes amitiés avec des femmes. Ce qui inquiète Catherine est qu'Igor n'est plus un jeune homme. Leur aventure ne s'arrête pas à l'idylle passagère. Il a trente-huit ans, bon sang. C'est un adulte mature. La situation est préoccupante.

Malgré la discrétion que les amants prétendent observer, c'est au cours des repas que Catherine s'aperçoit avec un sentiment d'impuissance grandissant que quelque chose se passe. Lorsqu'ils se parlent, elle perçoit l'étincelle. Ils exposent leur relation aux yeux de tous. Et Igor ne semble pas conscient de la transparence embarrassante qu'il affiche.

Ils se trahissent sans le vouloir. Malgré leurs efforts, leur complicité transparaît. Leurs voix se font plus douces en présence de l'autre, s'unissant en un murmure unique. Une sorte de langueur les envahit. Ils mangent peu. Elle lui lance des œillades humides. Il y répond par des regards entendus. Le genou de Coco to che négligemment celui d'Igor.

Écœurée, Catherine perd l'appétit. Elle n'a pas d'amis dans les environs à qui se confier. Elle vit dans une bulle, seule. Lorsqu'elle se trouve avec Coco et Igor, elle se sent complètement anesthésiée — comme si son organisme, sous l'effet du choc, ne conservait plus que les fonctions vitales. Elle ne s'évade que pendant la messe, le dimanche.

Avec une fortune personnelle plus que réduite, Catherine ne peut compter financièrement que sur Coco. La voilà, avec ses boutiques, sa Rolls-Royce, sa villa et ses domestiques. Catherine se sent prise au piège, isolée, abusée et trahie. Les employés de maison prennent d'extrêmes précautions avec elle comme si une bombe pouvait exploser. Les enfants, par instinct, la savent contrariée, sentent que quelque chose ne tourne pas rond, mais cependant, aussi grotesque que cela puisse paraître, elle doit leur garantir que tout va bien pour les rassurer.

Igor met du temps à s'apercevoir des doutes des enfants quant à leur présence à Bel Respiro, et ce bien que Theodore se soit montré boudeur ces derniers temps. Convaincu de faire preuve de discrétion, il pense que Catherine ne se doute de rien. C'est comme si, aveuglé par le désir, il n'avait pas l'impression de mal se comporter. Si bien que lorsqu'elle lui fait part de ses soupçons, il se met à rire en lui disant qu'elle est paranoïaque et qu'elle raconte n'importe quoi avant de lui demander d'arrêter de se montrer si possessive. Bien sûr, elle désire plus que tout croire à son innocence. Chaque fois, malgré ses réserves, elle se laisse duper. Mais elle ne parvient pas à éradiquer sa peur.

Si elle le questionne encore, Igor devient maussade et avare du temps qu'il accorde à son épouse. Coco, bien que polie, se montre de plus en plus distante. Catherine souffre le martyre. Comment accuser la femme qui les loge gratuitement, par bonté, d'entretenir une liaison avec son mari ? Qu'adviendrait-il d'elle ? Et si, après tout, il n'y avait rien entre eux ? Et si Igor avait raison ? Peut-être que dans sa fébrilité elle invente l'instrument de son malheur qui, en réalité, n'existe pas ?

Pourtant le poison du soupçon s'insinue dans ses veines. Les regarder se livrer à leur pantomime secrète pendant le dîner est une torture insupportable. Elle se pince les bras sous la table. La douleur la distrait. Catherine trouve une certaine noblesse dans le martyre.

Durant les journées suivantes, lorsque le piano s'arrête et que le silence envahit la villa, Joseph s'acquitte de sa tâche, Marie continue de nettoyer la maison et les enfants poursuivent leurs jeux. Les chiens, le chat et les oiseaux cessent de réagir au moindre mouvement.

Pour le reste de la maisonnée, ce vide participe de la trame de l'après-midi. Pour Catherine, seule dans sa chambre, bordée dans les draps, ce silence est le feu qui la consume. Attentive au moindre bruit, elle remonte les genoux contre sa poitrine malade.

14

Le médicament prescrit par le médecin apaise Catherine, mais il provoque aussi chez elle, qui se souvient rarement de ses rêves, une série de cauchemars perturbants, proches de la réalité, dont le premier se déroule comme suit : elle se trouve dans l'appartement de Coco qu'elle a visité, au-dessus de la boutique de la rue Cambon. Coco est assise à une table, entourée des recettes en espèces de la journée qu'on vient de lui monter. De gros sacs de monnaie et d'épaisses liasses de billets. Il fait nuit. Pas un bruit dans la boutique. Coco est seule. Elle compte l'argent. Elle fait des piles de pièces et de billets.

Igor arrive à l'improviste. Pas de doute, c'est bien lui. Coco interrompt ses comptes. Igor et elle se dévêtent. Puis Coco rassemble les billets qu'ils lancent ensuite dans les airs, jubilant. En retombant, ils forment un tapis semblable à celui des feuilles en automne. Le sol est bientôt couvert de papier-monnaie tout neuf. Elle n'entend aucun son dans son cauchemar, mais, à l'expression de leur bouche, elle devine que les amants sont en train de rire.

Elle les voit ensuite étendus, nus. Ils font l'amour. Ils se vautrent sur les billets qui collent à leur peau moite puis se détachent. Ils font l'amour jusqu'à ce que l'encre imprime des tatouages, jusqu'à ce que leurs corps luisants portent la couleur de l'argent de Coco.

À son réveil, Catherine se sent sale. Elle éprouve le besoin urgent de se laver de ce cauchemar. Elle remonte ses manches, et lorsqu'elle se frotte les mains, l'entremêlement de ses doigts sous le filet d'eau lui paraît un instant obscène.

Igor et elle n'ont fait l'amour qu'une fois depuis leur arrivée à Bel Respiro. Et encore, cela s'est produit pendant les toutes premières semaines de leur séjour. Elle n'y a pris aucun plaisir. En réalité, il lui a fait mal. Et à présent elle se sent souillée. Impure.

Catherine ne comprend pas pourquoi il pourrait s'intéresser à Coco. D'accord, elle est séduisante, mais elle est aussi vulgaire, mal élevée et elle a des idées très arrêtées. Une parvenue. Une *arriviste*. Elle ne comprend rien à sa musique et sa musique est toute sa vie. Peut-il vraiment être amoureux d'elle ? Est-ce juste du désir sexuel ou bien les sentiments d'Igor sont-ils intéressés ? Sans aucun doute, Coco le considère comme une sorte de trophée. C'est une collectionneuse. Peut-être n'est-il qu'une marque de son avidité ? C'est un objet, quelque chose qu'elle doit posséder. Dans ce cas, elle se lassera vite de lui. Il est l'article à la mode cette saison. En outre, elle espère qu'il verra bientôt clair dans son jeu. Mais si leur relation prend une tournure sérieuse, qu'adviendra-t-il d'elle, Catherine ? Et que deviendront les enfants ? Ces questions fusent dans son esprit comme des étincelles menaçantes.

Plus que tout, elle désire retourner en Russie afin de savourer l'humble dignité d'une épouse dans son foyer. Comme elle, loin de son pays, sa santé semble en exil. La vie qu'elle mène lui paraît complètement irréelle. Mais sans doute ne va-t-elle pas rester ici pour l'éternité. Elle a sa foi pour la soutenir. Elle prie. Tout va rentrer dans l'ordre. Elle maîtrisera de nouveau sa vie. Comme un verre brisé dont les fragments se reconstitueraient pour retrouver leur place initiale, le monde se reconstruira. Les choses se ressouderont. Elles guériront. Il le faut.

Le médecin secoue un thermomètre qu'il place ensuite sous la langue de Catherine. Ces derniers jours, sa respiration est devenue plus difficile.

Catherine se désole que le médicament qu'il lui a prescrit la fatigue beaucoup.

« C'est normal. Il est censé vous faire dormir », rétorque-t-il.

Un sourire se dessine sur les lèvres du médecin. Il l'a voulu ironique pour inviter Catherine à rire d'elle-même.

« C'est juste que je me sens si faible, lance Catherine en frappant les couvertures des mains, ce qui ne fait que confirmer pitoyablement ses propos.

— Vous devez ménager votre organisme si vous voulez vous remettre complètement. Il faut que vous vous reposiez. Il n'y a pas d'autre solution. »

Il lui fait une nouvelle ordonnance et la lui tend.

« Qu'est-ce que c'est ? demande-t-elle, son élocution gênée par le thermomètre, en essayant de déchiffrer son écriture.

— Cela devrait vous aider à respirer plus facilement... répond-il, hésitant à poursuivre. Ce médicament peut toutefois avoir un effet sédatif.

— Vous voulez dire que je vais me sentir encore plus fatiguée ? s'enquiert-elle, exaspérée.

— Je le crains. »

À ces mots, Catherine reste silencieuse. Le docteur consulte sa montre, puis lui ôte le thermomètre de la bouche. Il l'approche de la lampe et le regarde derrière ses lorgnons. Dans la lumière, les verres semblent opaques.

« Elle a de la fièvre ? demande Igor.

— Ça t'intéresse ? » lâche Catherine, une pointe de rancœur dans la voix.

Ses lèvres sont exsangues.

Prudemment, le médecin observe Catherine, puis Igor. Il jette ensuite un dernier coup d'œil au thermomètre avant de l'abaisser. Il hésite, ne sait pas s'il doit s'adresser à Catherine ou à Igor et choisit finalement de parler dans le vide.

« Rien d'inquiétant. Mais je recommande quand même de garder le lit.

— Encore ! » siffle-t-elle d'un ton méprisant.

Le médecin est irrité par ce constat de son impuissance.

« C'est un remède naturel et c'est le meilleur. »

Comme il la gronde, elle baisse les yeux et lisse la couverture de la main. Il reprend :

« Bien entendu, je pourrais vous prescrire des drogues plus modernes. »

Puis, avec une curieuse insistance, il ajoute :

« Elles sont chères et ne font pas beaucoup plus d'effet que le repos. Sans parler des effets secondaires…

— La dépense n'inquiète pas mon mari. C'est Mlle Chanel qui se chargera de régler !

— Catherine ! » s'indigne Igor.

Il s'empourpre et agrippe les bras du fauteuil.

« Eh bien ! Je n'ai pas raison ? »

Elle savoure cet instant privilégié où elle a le dessus. Les occasions sont rares de voir son mari embarrassé. Elle est ravie de découvrir qu'elle peut encore le blesser de cette manière.

« Je suis désolé », dit-il au médecin.

Il en veut à Catherine et il est contrarié de se montrer si nerveux.

Le médecin, quant à lui, est gêné par cette allusion à ses honoraires. Catherine s'en avise et sent qu'elle va s'emporter. Elle laisse déferler sa colère.

« Est-ce qu'elle te paie, toi, pour me droguer afin que je reste tranquille ? Est-ce que c'est ça ?

— Tu deviens hystérique ! hurle Igor.

— Je le savais. Vous êtes tous complices ! »

Elle s'imagine avec horreur que le complot n'est pas seulement fomenté par Coco et Igor, mais aussi par les domestiques et même les murs de cette fichue maison.

« N'oblige pas le docteur à entendre tes accusations insensées…

— Ce n'est pas la peine de nier. Il se passe quelque chose. Personne ne m'a rien dit, mais je le sens. Je ne suis pas idiote, tu sais. Être malade ne m'empêche pas d'avoir conscience de ce qui se trame ici…

— Catherine ! crie Igor, consterné.

— Ne me parle pas sur ce ton ! »

Ils se disputent alors en russe.

Le médecin tente de les calmer.

« Allons. Allons. »

Il pose les mains sur la poignée de sa sacoche. Puis fixant Catherine dans les yeux, il lui dit :

« Le fait est que vous souffrez de tuberculose. Et je fais de mon mieux pour vous prodiguer de bons conseils — dont vous tiendrez compte, je l'espère. »

Puis, sur un ton plus calme, il ajoute :

« Il n'y a aucune raison pour que vous ne guérissiez pas. Mais cela va prendre du temps. Il ne faut pas essayer d'accélérer la guérison. »

Catherine se sent lasse.

« Ce qui me manque en ce moment, c'est une raison de me rétablir. »

Le ton de sa voix traduit un appel. Elle lance un regard noir à son mari.

« Bien, à présent… »

Le médecin s'interrompt. Une expression bienveillante se lit sur son visage. Il soulève sa sacoche en souriant à Catherine : il tente de la convaincre qu'il est de son côté.

Igor reconduit le médecin dont le calme et le tact l'ont impressionné. Il lui présente ses excuses à voix basse et essaie de lui confier son exaspération face au comportement de sa femme.

Le médecin ne s'en émeut pas. Il s'arrête dans le couloir et adopte un ton solennel.

« Le moral peut être crucial pour hâter la guérison du patient dans des cas comme celui-ci. »

Il s'avance vers l'escalier.

« Il est important qu'on lui accorde de l'attention, qu'on la dorlote, qu'on soit aux petits soins avec elle. Vous comprenez ? »

Igor lui lance un regard vide. Que sait-il ? Quelqu'un a-t-il parlé ? Est-ce que les domestiques ont commis des indiscrétions ? C'est lui à présent qui songe à une conspiration. Dans son imagination, les branches de la trahison se ramifient comme le réseau de rues d'une ville.

« Elle est extrêmement lunatique, dit-il.

— C'est possible. Mais pour l'instant, à mon avis, vous devriez redoubler de patience et faire preuve de générosité. Montrez-lui qu'elle compte pour vous et son état s'améliorera.

— Oui. »

Même à ses oreilles, ce mot semble équivoque et contraint, si bien qu'il se sent obligé de le répéter.

« Oui. Oui. Vous avez raison. »

Joseph, qui attend en bas de l'escalier, a probablement entendu la conversation. Il rend son chapeau au médecin, puis lui ouvre la porte. Igor tressaille imperceptiblement. Il ne parvient pas à regarder le médecin dans les yeux. Coco est au jardin, sécateur à la main. Elle vient de couper deux œillets blancs et s'avance vers les deux hommes pour leur en offrir un à chacun.

« Par une si belle journée, un homme se doit de décorer sa boutonnière. »

Le médecin semble sceptique. Coco ôte ses gants fauves et accroche les œillets aux boutonnières des vestes. Le médecin ajuste la fleur avec soin.

« Vous êtes bien aimable, mademoiselle.

— Il n'y a pas de raison pour que les hommes soient privés d'un parfum agréable. »

Elle saisit un arrosoir à long bec.

Le médecin semble sur le point de partir, puis, l'air de se rappeler soudain quelque chose, il s'enquiert :

« Désirez-vous me régler maintenant, mademoiselle ? »

La condescendance de Coco ne lui facilite pas la tâche. Après un silence gênant, elle manifeste un souci exagéré en s'exclamant :

« Ah, oui ! Bien sûr. Et comment se porte cette pauvre Catherine ? »

Igor est pris d'un élan soudain de loyauté envers sa femme. Elle n'a pas choisi d'être malade. Elle n'a pas toujours été dans cet état, veut-il expliquer. Il remarque le regard interrogateur que lance à Coco le médecin, tentant de décrypter l'évidente complexité des rapports entre les occupants de la villa. Igor observe ses yeux qui se plissent alors qu'il réfléchit, évalue, conjecture, interprète. Il est terrifié à l'idée de voir les ragots redoubler si une autre personne devine son secret. Il lui faut absolument reprendre en main la situation.

Le médecin répond posément à Coco :

« Avec du repos, elle devrait se remettre. »

L'attitude enjouée de Coco ne laisse rien deviner de ses sentiments.

« Bien. Bien. Je vais vous régler la visite. »

Avec une rapidité qui ressemble presque à de l'impatience, elle conduit le médecin à l'intérieur. Igor, remarquant que Joseph se tient encore dans l'entrée, impassible, s'attarde et réprime l'envie d'expliquer, de dire quelque chose. Mais à quoi bon ? Pendant quelques secondes au cours desquelles il se sent parfaitement idiot, il reste là sans rien faire. Puis il file au fond du couloir se réfugier dans son bureau.

On entend le tic-tac de l'horloge pendue au mur de la cuisine. Marie fait la vaisselle et Joseph l'essuie. Les fenêtres sont ouvertes ; du bureau d'Igor s'élèvent les accords du piano. Des voix leur parviennent du jardin. Dans un coin, sur la pelouse, les enfants font de la balançoire chacun leur tour. Leurs mouvements rappellent ceux d'un métronome.

« Je ne sais pas quoi penser de ce qui se passe ici, dit Joseph, essuyant une assiette brûlante d'un geste ample.

— Vraiment ? » se moque Marie.

Elle plonge les mains dans l'eau savonneuse et en sort une nouvelle assiette dégoulinante. Suivent une tasse blanche et sa soucoupe.

Joseph les empile sur la table.

« Est-ce qu'elle t'a confié quelque chose ? s'enquiert Joseph.

— Bien sûr que non, répond Marie, presque indignée par la question.

— Crois-tu que Mme Stravinski soit au courant ?

— Elle a des yeux et des oreilles comme tout le monde. À moins qu'elle ne se voile la face évidemment. »

Marie remarque que le bout de ses doigts s'est fripé dans l'eau.

Dehors, les garçons jouent à s'asperger avec un tuyau d'arrosage. Suzanne pousse vigoureusement Milène sur la balançoire. Marie continue.

« Même ta fille est assez grande pour comprendre ce qui se passe.

— Tu dis n'importe quoi ! Elle n'a que quatorze ans.

— Elle n'est pas aussi naïve que tu crois. »

Un verre à vin émet un glouglou alors qu'elle le plonge dans l'eau. Au fond, le dépôt a laissé une tache rouge vif.

« D'accord ! J'imagine qu'elle doit avoir des soupçons. Mais le pire serait que tout ça éclate au grand jour.

— Ce n'est pas possible ! Les hommes sont vraiment des trouillards ! J'ai presque envie de tout dire à cette pauvre femme, s'exclame Marie avec une violence telle qu'elle en tremble presque.

— Chérie, n'oublie pas envers qui nous devons nous montrer loyaux.

— Je l'aurais déjà dit à Catherine si elle n'était pas aussi fière et désagréable. »

Joseph place une pile d'assiettes dans le buffet. Ranger et remettre chaque chose à sa place est sa façon de faire face à la tempête qui secoue la maisonnée.

« Du moment que tu es tranquille, tu t'en fiches, hein ? »

Joseph sent qu'en jouant à ce petit jeu, ce badinage entre époux, elle oublie l'essentiel. Il repose le verre, puis déclare avec sérieux :

« Que ça te plaise ou pas, Mlle Chanel est notre patronne. Il est dans notre intérêt de défendre les siens. »

Marie retourne à l'attaque.

« Je trouve absolument scandaleux qu'elle ne mette pas fin à cette situation.

— Nous n'avons pas à juger, Marie.

— Il faut bien que quelqu'un le fasse ! »

Par la fenêtre, Joseph observe Milène qui enroule les cordes de la balançoire jusqu'à ce qu'elles soient complètement entrelacées.

« En tout cas, ce n'est pas notre rôle. Souviens-toi de ce qui s'est passé avec Misia. Dès qu'elle a eu un nouvel amant, elle nous a renvoyés.

— Tu n'as pas besoin de me le rappeler.

— Je crois que si. Les domestiques changent avec les amants. C'est la première règle de la haute société. »

Lorsque les pieds de Milène cessent de toucher le sol, les cordes de la balançoire se déroulent, la faisant tournoyer.

« Oui, je sais, concède Marie.

— On ne peut pas se permettre que ça se reproduise. »

Marie ôte la bonde de l'évier. La chaîne tinte lorsqu'elle l'enroule autour du robinet.

« Je ne vois pas ce qu'elle lui trouve de toute façon, ajoute-t-elle.

— Mmm.

— Ce qu'il cherche en revanche est assez évident.

— Oh ! Arrête ! »

À cet instant, le chat des Stravinski entre dans la cuisine et se met en quête de nourriture.

« J'ai bien peur qu'il n'y ait plus rien ici, Vassili, dit Joseph.

— File ! » s'écrie Marie, moins charitable.

L'eau s'écoule de l'évier dans un long gargouillis, avant le rugissement du tourbillon ultime. Marie fait couler de l'eau froide pour chasser la mousse gélatineuse et les miettes de nourriture. Quelques bulles de savon éclatent silencieusement dans le rayon de soleil.

Catherine, clouée au lit, endure une longue succession de journées toutes identiques.

Chaque matin au réveil, le poids de l'ennui l'oppresse. Elle peine à se concentrer. N'osant pas s'aventurer au rez-de-chaussée où elle ne se sent pas la bienvenue, elle est également effrayée de ce qu'elle pourrait y découvrir. Au fil des jours, l'impression d'être emprisonnée s'accentue. De la fenêtre de sa chambre, trop haute, elle ne peut observer que les oiseaux qui décrivent des cercles dans le ciel. Son nouvel horizon se réduit à ce trou vide. De plus, la pièce, où les meubles sont rares, lui paraît toujours aussi austère. Les heures passent et elle reste là, allongée, immobile, à regarder le soleil projeter des dessins sur les murs.

Elle lit beaucoup. Des poèmes d'Akhmatova, des nouvelles de Dostoïevski et Tchekhov. La Bible : les épîtres de saint Paul, en particulier, ainsi que les actes des Apôtres. Mais pas les nouvelles de Colette que Coco lui a prêtées. Elle lit jusqu'à ce que ses yeux s'épuisent. Puis l'après-midi elle sommeille, s'abandonnant aux vagues de fatigue venues d'un rivage lointain.

Lorsque Milène vient la voir et tire sur ses couvertures, c'en est trop.

« Laisse ça ! » crie-t-elle en la repoussant.

Cependant, Milène reste près du lit, pensant qu'il s'agit là d'une sorte de jeu. La fillette tire de nouveau sur les couvertures et griffe le bras de sa mère sans avoir conscience de sa brusquerie.

« Fiche-moi le camp ! » hurle-t-elle si méchamment que sa fille s'immobilise. La pauvre Milène fond en larmes. Elle ne comprend pas pourquoi sa mère, autrefois si tendre et enjouée, semble à ce point tourmentée et pitoyable. Bien entendu, Catherine regrette aussitôt ses paroles. L'incident met sa déchéance en lumière. Elle a eu tort mais n'a pas pu s'en empêcher. Elle est trop angoissée, trop troublée, désire trop ardemment de l'espace, du calme. À la maladie s'ajoute l'abattement. Ses sanglots s'élèvent dans l'obscurité. Le liquide qui lui vient aux yeux est plus amer que des larmes. Elle repousse les enfants, les tient à distance, afin de ne pas sombrer. C'est tout ce qu'elle peut faire pour survivre.

Ses nerfs sont en miettes. Le bruit d'un pétale tombant sur le rebord de la fenêtre suffit à la faire sursauter. Elle sent une légère odeur de pourriture dans la chambre, un relent lointain de putréfaction. Elle pense d'abord qu'il vient des fleurs. Puis, il lui vient à l'esprit qu'il s'agit de ses organes. C'est son odeur qu'elle sent, sa propre décomposition. Elle a l'impression d'être morte. Elle perdait déjà ses cheveux par poignées et maintenant elle commence à pourrir. Elle doit se battre si elle veut rester en vie.

Le soir, avant qu'Igor ne rejoigne leur chambre dans un parfum d'adultère, Catherine verse des gouttes de son remède dans une cuillère. Le liquide rouge adhère au métal et sa surface frissonne. Lentement, tremblant elle aussi, elle approche la cuillère de la béance sombre de sa bouche.

15

Finalement, à la mi-août, Coco reçoit des nouvelles d'Ernest Beaux. Les échantillons de parfum sont prêts. Après un échange de promesses puériles et solennelles avec Igor, elle prend le train pour le Sud, en première.

La ville de Grasse compte de nombreux parfumeurs. Une odeur délicieuse flotte dans toute la région. La ville attire une foule de curieux séduits par ses senteurs, mais beaucoup d'habitants ont préféré la quitter. Le permanent assaut olfactif n'est pas du goût de tous. Un relent d'odeurs écœurantes plane parfois dans l'air et s'étire en un voile invisible au-dessus des toits. Les vents, trop rares, ne suffisent pas à chasser les parfums. Et lorsqu'une douce brise vient à souffler de la côte, elle soulève une vague d'arômes qui submerge à nouveau la ville.

Ces fragrances composites n'échappent pas à Coco lorsqu'elle descend du train. Elle est enthousiaste à l'idée que parmi toutes ces odeurs se cache, unique, une senteur qui sera mise en flacon et portera son nom. Elle a toujours rêvé de créer son propre parfum et de laisser ainsi son empreinte dans le monde.

Mais chaque chose en son temps. Il lui faut avant tout beaucoup travailler.

Le lendemain matin, elle se rend à la parfumerie de Beaux avec ses vitres carrées et sa façade sobre. Elle consulte nerveusement un bout de papier pour vérifier que l'adresse correspond à celle de la boutique devant laquelle elle se trouve. C'est bon.

Le carillon de l'entrée sonne bruyamment. L'écho se prolonge après la dernière note. Un homme émerge de l'arrière-boutique pour rejoindre le comptoir.

« Madame ?

— Je souhaite voir M. Ernest Beaux.

— C'est moi-même. Que puis-je faire pour vous ?

— Je suis Gabrielle Chanel. »

L'attitude de commerçant obligeant du parfumeur se change en celle d'humble sujet qui rencontre la reine. Beaux soulève l'abattant du comptoir et se dirige vers Coco. Ils échangent une poignée de main ferme qu'ils prolongent un peu plus longtemps que nécessaire.

Comme Igor, Beaux est un émigré russe de Saint-Pétersbourg. Coco remarque qu'il parle français avec le même débit heurté.

« Par ici, je vous prie. »

Il la conduit derrière le comptoir jusqu'au laboratoire de l'arrière-boutique. Il semble plus âgé qu'elle ne l'aurait cru. Naïvement, elle avait imaginé son parfumeur comme un brillant jeune homme. Sur sa large mâchoire, une barbe fleurie de patriarche. Ses yeux injectés de sang révèlent les longues heures passées à la tâche. Cependant, ses mains soignées ravissent Coco. Une alliance brille à son doigt.

Beaux, quant à lui, constate que Coco est beaucoup plus jeune et jolie qu'il ne le croyait. Il est frappé par son air décidé, son attitude professionnelle et sa beauté raffinée.

Coco est éblouie par la blancheur du laboratoire. L'espace d'un instant, elle est presque atteinte de la cécité des neiges. Mais cela ne dure pas. Les parfums qui lui parviennent de toutes parts l'enivrent. Une merveilleuse alliance de senteurs. La tête lui tourne : c'est la première fois qu'elle hume pareils arômes ainsi entremêlés.

Elle s'assied et observe la pièce. De longues planches de bois longent les murs. D'un côté se trouvent des brûleurs, des flacons et des agitateurs. Là, deux assistants vêtus de blouses blanches s'affairent au-dessus de leurs cornues et lavent à grande eau des vases à bec. De l'autre côté, des verres gradués côtoient des entonnoirs ; pilons et mortiers sont rangés avec les cuillères et les baguettes. Cette organisation minutieuse plaît à Coco. Elle apprécie que Beaux soit rigoureux. Les surfaces blanches et aseptisées la rassurent aussi.

En face d'elle se trouve un orgue à parfums avec des bocaux de verre. Chacun porte une étiquette sur laquelle est inscrit à l'encre noire son contenu : alcool, huiles volatiles, divers mélanges de graisses, ainsi qu'une série d'essences naturelles ou artificielles sous forme liquide. Un inventaire complet de senteurs : ambre gris, camphre, frangipane, jasmin, musc, néroli, santal et violette — des essences distillées dans le sud de l'Europe et au Moyen-Orient. La sueur des dieux récoltée.

« Extrayez-vous les essences vous-même ? s'enquiert Coco.

— Nous ne disposons pas de suffisamment d'espace. Le procédé est industrialisé aujourd'hui. Nous les achetons déjà raffinées. De plus, la manière dont elles sont extraites importe peu. »

La voix de Beaux se fait plus profonde, comme s'il détenait un savoir occulte.

« C'est leur "combinaison" qui compte. »

Il se déplace dans son laboratoire à la manière d'un grand chef dans sa cuisine, rassemblant tous les flacons qu'il a préparés à l'intention de Coco Chanel. Elle reconnaît son talent pour sélectionner des senteurs discrètes, pour isoler une essence heureuse ou indomptable, afin de la chasser par distillation ou de la siphonner. Cela lui rappelle le don d'Igor pour repérer le musicien de l'orchestre qui joue un peu faux.

Tout se passe à une vitesse déconcertante. La clarté, les senteurs, les mouvements des chimistes vêtus de blanc donnent le vertige à Coco. Puis, après quelques minutes, les assistants s'immobilisent et se tiennent prêts. À l'aide d'une pipette, Beaux dépose une goutte de parfum dans une boîte de Pétri. Coco imagine les centaines de fleurs utilisées pour donner naissance à cette seule goutte de distillat, cet élixir.

Il répète l'opération plusieurs fois, si bien que les essences se mêlent. Puis il les présente à Coco et l'invite à les sentir. L'émanation vaporeuse de leurs notes parvient à ses narines.

Maintenant que le calme règne dans le laboratoire, Coco remarque un bruit. Le ronronnement des ventilateurs, pense-t-elle. Elle lève les yeux, mais leur rythme est trop régulier et insistant pour être à l'origine du son qu'elle a perçu. Un bourdonnement plus effréné et aigu venu de la fenêtre s'y ajoute. Elle remarque que celle-ci est ouverte à cause de la chaleur. Un écran de gaze est fixé au cadre et derrière lui s'agite un nuage épais de mouches excitées par la suavité des arômes. Frustrées, elles se livrent à une danse folle contre le tissu.

Beaux s'avise qu'elle a remarqué les insectes. Frottant ses mains l'une contre l'autre, il lui dit :

« C'est ainsi que l'on réagira à votre parfum, mademoiselle. »

Coco lui lance un regard caustique qui se change bientôt en sourire timide.

« J'espère ! »

Beaux place ensuite six assiettes inondées de parfums devant Coco. Leur couleur est celle d'un miel translucide, ambré. Il plonge une touche à sentir dans le premier récipient, puis l'agite sous le nez de Coco.

Lorsqu'elle inhale, chaque fragrance se déroule comme un pétale de fleur.

Elle écarte vite deux senteurs qui lui rappellent des fruits trop blets. Une autre est un peu trop âpre. Il en reste encore trois. Les mouillettes frémissent comme des baguettes magiques sous ses narines. Elle en rejette une autre qui ne l'enchante guère, ce qui en laisse deux en course : les échantillons numéro deux et cinq.

Après une tentative de choix, elle dit :

« Ils me plaisent tous les deux. »

Beaux l'incite à les sentir de nouveau. Elle doit se décider. Elle inspire profondément chaque touche à sentir. Les deux parfums sont exquis et évocateurs, chacun à sa manière.

« Il y a du jasmin, n'est-ce pas ?
— Oui.
— Et de la tubéreuse ?
— Oui.
— Et celui-ci a une note animale.
— Vous m'impressionnez. »

Coco hume, compare et réfléchit encore. Puis enfin, ça y est. Lentement il s'impose à elle : subtil, mais sensationnel, merveilleux et, dans son mariage d'extraits, presque divin. Elle n'a jamais rien senti de tel. La nausée se mêle au désir. Et soudain, une chose étrange se produit. Dans cet état proche de la contemplation, elle revoit le sol du couvent et l'orphelinat d'Aubazine où avait lieu la classe. Elle s'abandonne un instant au souvenir de la mosaïque du carrelage dans le couloir avec son motif de chiffre romain V.

Elle montre du doigt l'objet de son choix.

« Numéro cinq. »

Beaux semble enchanté. Ses deux assistants se redressent. Ils débarrassent les récipients. Comme une aura, la fragrance enveloppe encore Coco. Il lui faut quelques instants pour se ressaisir.

« Exquis.
— Il vous plaît ?
— Quelque chose m'intrigue, cependant.
— Vraiment ?
— Je ne parviens pas à détecter d'extrait précis. Qu'est-ce que c'est ?
— Il n'y en a pas qu'un. Il contient plus de quatre-vingts ingrédients. Mais il y a une forte note d'aldéhyde.
— Est-ce que ça ne le rend pas moins naturel ?
— Vous voulez que votre parfum exhale son odeur longtemps, non ?
— En effet.
— Eh bien, le problème de la plupart des parfums est qu'ils s'estompent vite. Il faut sentir trop fort en début de soirée si l'on veut encore être parfumé à la fin. Ceci, en revanche, dit-il

en brandissant l'un des flacons, ne s'altère pas et ne s'estompe pas. Et vous n'aurez pas à vous en asperger, je vous le garantis. Il est bien plus stable. Un zeste suffira. »

Coco semble douter.

« Faites-moi confiance »

Elle accepte de le faire essayer à ses amies en guise de test. En attendant, Beaux va en produire une petite quantité pour l'offrir en cadeau. L'idée est que le produit fasse partie du quotidien de ses clientes. Il faut, pour la première fournée, renoncer au profit. Et ensuite passer à l'attaque ! Elle a préparé une liste d'une centaine de femmes qui seront les premières à recevoir la fragrance. Beaux se chargera des envois et elle les fera emballer avec un mot de remerciements.

« Mais avant cela, je veux que vous me disiez tout. Si je dois investir dans votre fragrance, je dois connaître le processus entier de fabrication.

— Bien entendu. »

Coco se retire en fin d'après-midi après une visite assortie de commentaires détaillés et plusieurs coupes de champagne pour fêter l'événement. Du Krug, son préféré.

Elle est un peu grise. Le trottoir lui semble lointain et irréel. L'écho de ses escarpins paraît en décalage avec le rythme de ses pas. Elle tient à la main une valise qui contient une douzaine de flacons de son parfum. Les fioles sont douillettement lovées dans le velours rouge comme un instrument de musique.

Le champagne continue de faire son effet. Elle résiste à l'envie d'appeler Igor. Elle est trop excitée pour parler normalement. Elle ne pourrait que crier et paraîtrait idiote. Il lui manque pourtant. Elle a décidé de donner trois cent mille francs à Diaghilev pour une reprise du *Sacre*. Le don sera anonyme pour que personne ne se sente redevable. Avec le lancement du parfum et la prospérité de la boutique, elle peut se le permettre. Sans doute.

Après sa sortie de la parfumerie de Beaux, elle a remarqué une chose étrange. Un escadron de mouches vole autour de sa valise. La plupart s'éloignent lorsqu'elle monte dans le taxi.

D'autres s'écroulent quand elle monte dans le train. D'autres encore tombent au sol, ivres de désirs frustrés, lorsqu'elle en descend. Certaines, férocement tenaces, la suivent toujours lorsqu'elle arrive à Bel Respiro presque douze heures plus tard. Une dernière est encore là, enivrée, quand la valise rejoint le coffre-fort.

Le courageux petit insecte étouffe dans cet espace hermétique. Mais sa mort n'en demeure pas moins sublime — elle est délicieusement saoule et heureuse. Son corps fragile se raidit et se désagrège vite, ses atomes se mêlant au parfum dans une atmosphère poudrée.

16

Après une série d'exercices intensifs, Igor se relève d'un bond. Ses mouvements sont fluides comme s'il était fait de caoutchouc. Et malgré sa minceur, ses muscles sont bien dessinés. Il passe aux étirements, se place en sous-vêtements devant le miroir de la chambre et décontracte son cou en inclinant la tête en tous sens.

Catherine l'observe, écœurée. Elle se sent offensée par la santé et la vigueur ostensible de son mari.

« Coco rentre aujourd'hui ?

— Non, demain, je crois.

— Je te trouvais l'air plutôt content.

— Je suis heureux parce qu'il fait beau et que je suis en vie.

— Tu m'en vois ravie.

— Pourquoi faut-il que tu sois si amère ?

— Et toi aussi cruel ?

— Cruel ? On s'occupe bien de toi. Tu es soignée par un médecin extrêmement compétent...

— Ah !

— Les enfants ont une gouvernante rien que pour eux...

— Et qui dois-je remercier pour ça ? Mademoiselle *Nouveau Riche* ?

— Je trouve juste que tu devrais te montrer un peu plus reconnaissante, c'est tout.

— Reconnaissante ! Très bien. »

Catherine se replace de manière à lui tourner le dos. Igor ouvre la bouche comme pour ajouter quelque chose, puis se ravise et se dirige vers la salle de bains. Il remplit le lavabo d'eau chaude et fredonne en se rasant. Il feint l'indifférence. Son cœur bat la chamade et ce n'est pas à cause de l'exercice. Il ne supporte pas les disputes. Il a horreur qu'on attise son sentiment de culpabilité. Mais maintenant, chaque conversation avec sa femme se termine sur un registre acerbe. Rien de ce qu'il dit ne convient.

« Je vais me mettre au travail.

— Va ! » s'exclame-t-elle en le congédiant d'un revers de main. Elle aimerait qu'il s'évapore. Sa présence est un reproche permanent. Même dans le plus exigu des appartements, elle ne s'est jamais sentie ainsi piégée.

Lorsqu'il sort de la chambre, Igor a l'impression de quitter un pays pour pénétrer dans un autre : un territoire où le climat est plus agréable et où règnent des lois différentes. C'est comme si, en franchissant le seuil, il jouissait de nouveaux droits : liberté et bonheur ; droit au silence également s'il le souhaite.

Au rez-de-chaussée, il prend son café. Le bruit des jeux des enfants lui parvient du jardin. Par cette journée ensoleillée, se tenir là, à savourer son café en les sachant joyeux l'emplit d'aise. Le matin, il apprécie ce breuvage plus que tout. Il savoure son arôme corsé, son effet tonifiant. Il le sirote en parcourant la rubrique sport du journal pour connaître les résultats des Jeux olympiques. Bien qu'exilé, sa sympathie se dirige le plus souvent vers les athlètes russes. Il ressent une certaine fierté à les voir réussir.

Il travaille sans faire de pause jusqu'au déjeuner. Il révise sa création, lunettes sur le crâne et loupe suspendue comme un monocle au-dessus de la partition. Il reprend les thèmes, modifie les motifs. Il explore les arrangements qui convergent vers différents points, crée des intervalles variés entre les notes.

Essayant différentes phrases au piano, il provoque des rencontres fortuites entre les tons. Il essaye de mêler des accords mineurs et majeurs, se délectant de la complexité des modes. Il apprend à saisir le fil affectif de la musique, laisse celle-ci le conduire dans des régions qu'il n'avait jamais explorées auparavant. Avide d'expérimentation, il compose avec une plus grande liberté, avec davantage de souplesse. Il est plus ouvert aux accidents et au hasard. Peut-être que c'est mieux de ne pas chercher à tout contrôler, songe-t-il.

Il avance vite. Son génie étant plus fécond le matin, il travaille dur pour pouvoir se détendre dans l'après-midi.

De nouveaux livres sont arrivés : les œuvres de Sophocle et des dictionnaires russe-français et français-russe. Il coupe les pages des volumes de Sophocle et se délecte du son du papier filigrané et de l'odeur de cuir qui se dégage des tranches.

Il cherche « coco » dans le dictionnaire. Il apprend qu'il s'agit d'un terme d'argot signifiant la cocaïne, d'une synecdoque renvoyant à la noix de coco et qu'on l'emploie pour proposer le biberon aux bébés — définitions associées à la couleur blanche. Le mot possède aussi le sens de réglisse en poudre, noir. Le blanc, vacuum d'entre toutes les teintes, et le noir, absence de couleur, avec tout un spectre de sentiments entre ces extrêmes.

Vers la fin de l'après-midi, Soulima frappe à la porte du bureau. Le garçon sait que la porte fermée indique qu'il ne faut pas déranger. Cette règle a été établie de longue date. Mais avec sa mère alitée, Coco à Grasse, les domestiques qui préparent le repas et son frère et ses sœurs trop écrasés de chaleur pour jouer avec lui, il est attiré vers la porte interdite. Igor répond au geste de son fils par un grognement. Soulima pénètre craintivement dans la pièce.

« Soulima ! Qu'est-ce que tu veux ? »

Le garçon lève la tête, puis lance de ses grands yeux bleus un regard timide à son père. Igor est submergé par une vague d'affection.

« Je m'ennuie.
— Pourquoi donc ?
— Parce que. »
Cette logique imparable fait sourire Igor.
« Qu'est-ce que tu aimerais faire ? »
Voyant que son père est de bonne humeur, Soulima sourit et répond :
« Est-ce qu'on pourra danser encore ce soir, papa ?
— Approche », dit Igor en poussant ses livres.
Il fait signe à son fils de s'asseoir sur ses genoux.
« Bon, tu sais que ta mère n'aime pas la danse...
— Pourquoi ?
— Parce que ça lui donne le tournis.
— Mais elle n'est pas obligée de danser. »
Igor sait que les enfants ne comprennent pas bien la maladie de Catherine.
« Oui, mais quand elle vous regarde, ça lui fait mal à la tête.
— Alors il ne faut pas qu'elle nous regarde.
— J'ai peur que sa décision soit irrévocable. Plus de danse.
— Mais pourquoi ?
— De toute façon, il fait trop chaud.
— Pas le soir.
— Ça la contrarie quand même.
— Ce n'est pas juste.
— Allons !
— Mais il ne fait pas trop chaud.
— Tu sais que ta mère ne se sent pas bien et que nous devons être gentils.
— Oui, répond Soulima avec une moue boudeuse.
— Tu es un bon garçon. On aime tous maman, n'est-ce pas ? »
L'enfant, qui semble douter, réplique :
« Moi, je l'aime. »

Son père, surpris, l'interroge :

« Qu'est-ce que ça veut dire ?

— Rien. »

Soulima a l'air grave. Igor cherche à lire une explication sur le visage de son fils. A-t-il deviné ? A-t-il des soupçons ? Quelqu'un lui a-t-il dit quelque chose ? Il semble pourtant si doux, si innocent, si timide. Il doit simplement être d'humeur maussade, rien de plus. Toutefois, cela rappelle à Igor qu'il lui faut se montrer extrêmement prudent devant les enfants. Il prend alors conscience que ses enfants ne doivent en aucun cas apprendre quoi que ce soit de sa relation avec Coco. Cela le rendrait fou de chagrin.

Ne sachant pas comment consoler son fils, Igor lui propose de jouer de la musique. Le garçon est prometteur, c'est le plus doué de la fratrie au piano.

« Non ! » répond le garçon qui se dérobe.

Un silence s'installe pendant lequel Igor caresse les cheveux de son fils. Soulima se détend. Il pose la tête contre la poitrine de son père. Igor l'observe. Le même air renfrogné. C'est comme s'il se voyait au même âge.

« On joue aux échecs, plutôt ? »

Soulima, enthousiaste, relève la tête. Il esquisse un sourire et semble se dérider. À présent, l'activité lui importe peu tant qu'il passe du temps avec son papa.

« D'accord. »

Igor va chercher le jeu rangé en haut d'une étagère. Il tend la boîte rectangulaire en bois à Soulima qui en fait glisser le couvercle, avant d'ôter les pièces. Un motif marbré se devine sous les cases. Le garçon prépare l'échiquier pour la partie. Il manque un pion noir. Comme ils ne le retrouvent pas, ils utilisent un petit bouton noir à la place.

Igor saisit une pièce de chaque couleur, puis les cache derrière son dos. Il tend ses poings fermés à son fils. Soulima choisit le gauche.

« Les blancs ! »

Le garçon, concentré, se penche sur le plateau ; son menton le touche presque. Igor s'installe plus confortablement sur sa chaise et allume une cigarette.

Le frère et les sœurs de Soulima l'ont cherché sans succès et se dirigent à présent vers le bureau de leur père. En quelques instants, ils sont attroupés autour de l'échiquier.

« Je peux jouer ?

— Et moi aussi ? »

Igor expire un peu de fumée, puis grogne.

« D'accord, d'accord ! Mais pas ici. Vous savez que vous n'êtes pas censés venir dans mon bureau. Il n'y a pas assez de place. »

Il ne tolérera pas cette invasion de son lieu de travail. De plus, il craint que ses enfants ne viennent le déranger un jour où il sera avec Coco. L'image d'une telle scène lui vient à l'esprit et le fait tressaillir. Il émet presque un gémissement si bien qu'ils se tournent pour le regarder. Il s'éclaircit la gorge pour éviter toute question. C'est le signal pour les faire sortir. Ils filent au salon.

« Et après avoir joué avec moi, vous jouerez ensemble », insiste Igor.

Les enfants acquiescent.

Igor gagne la partie contre Soulima. Le bouton toujours sur l'échiquier atteste de la défaite du garçon. Il gagne facilement toutes les parties. Le tournoi continue entre les frères et sœurs jusqu'en début de soirée.

Catherine descend rejoindre sa famille. Toujours en robe de chambre, l'air épuisé, elle n'en est pas moins ravie de voir les enfants si contents. En même temps, elle supporte mal qu'Igor soit parvenu aussi facilement à ce résultat. Tout se passe toujours selon son bon vouloir, à sa convenance. Et voilà, il préside de sa chaise comme un dieu.

Les enfants montent se coucher vers neuf heures, débattant du sens de leurs défaites et de leurs victoires. Dans le calme retrouvé, Igor et Catherine s'installent l'un près de l'autre. Igor boit un verre de vodka d'un trait.

« Comment te sens-tu ?

— Patraque. »

Tenant cette réponse pour machinale, Igor préfère l'ignorer.

« Les enfants se sont bien amusés.

— Ah oui ?

— Tu n'en as pas eu l'impression ?

— Je ne sais plus quoi penser. C'est comme si je te connaissais à peine.

— Tu es encore de mauvaise humeur. »

Il se baisse pour ramasser une pièce du jeu d'échecs, puis la tripote nerveusement.

« Je le suis sans raison, d'après toi ?

— Ce n'est pas à moi de le dire.

— Ce n'est jamais le cas, n'est-ce pas ? »

En silence, Catherine rabat la robe de chambre sur ses jambes. Igor remarque à quel point sa femme est amaigrie. Elle a perdu tant de poids que son alliance ne cesse de glisser. Il faudra la faire réajuster.

Sans crier gare, Catherine lance :

« Partons d'ici, Igor.

— Comment ?

— Allons ailleurs et recommençons.

— Où ?

— Je ne sais pas. Sur la côte, peut-être.

— Je ne peux pas. »

La pièce de bois encore à la main, il gratte le feutre vert à sa base.

« Pourquoi pas ?

— Je travaille bien ici.

— Tu es sûr ? Tu ne m'as rien fait écouter de nouveau depuis des semaines.

— Rien n'est encore au point. Mais l'inspiration me vient comme jamais auparavant.

— Tu es sincère ?

— Évidemment !

— Tu as l'air agité.

— C'est toi qui as l'air agité.

— Je l'avoue. C'est parce que je ne suis pas heureuse ici.

— Eh bien, moi, si.

— C'est très égoïste.

— Je préfère voir ça comme une dévotion à l'art.

— Moi, j'appelle ça de l'égoïsme. »

Elle lui lance un regard résolu.

« Je suis désolé.

— Vraiment ?

— Je te l'ai dit. »

Mais le regard d'Igor ne traduit pas le moindre remords. Ils ont déjà eu cette discussion.

« Ton talent ne te dispense pas de te comporter convenablement.

— Si ce n'était pas pour mon talent, comme tu dis, nous serions encore en Russie.

— Est-ce que ce serait si terrible ?

— Si ce sont des comportements convenables que tu recherches, oui. Ce serait même atroce. »

Un pan de la robe de chambre glisse, découvrant un genou. La jambe légèrement dévoilée est vite recouverte.

« Au moins nous aurions nos amis.

— Nous serions fauchés.

— Nous le sommes déjà.

— Ce n'est pas vrai. Je suis payé pour mes transcriptions pour le Pianola. C'est l'occasion de faire des économies.

— Je préférerais être heureuse.

— Tu le seras. »

Catherine en semble peu convaincue.

« Tu ne peux pas me reprocher de ne pas t'avoir soutenu, ajoute-t-elle.

— Je ne l'ai jamais fait.

— Alors pourquoi ne peux-tu pas m'apporter ton soutien pour une fois ?

— Mais je t'ai soutenue. Pendant des années. Depuis que tu es tombée malade. J'imagine que ça aussi, c'est de l'égoïsme pour toi !

— Cet endroit ne m'inspire pas confiance. Je veux partir, implore-t-elle alors qu'elle fléchit sous le poids de sa supplique. S'il te plaît ! »

Igor soupire.

« Écoute, rester ici jusqu'au Nouvel An me paraît sensé.

— Sensé pour toi.

— Nous sommes en vacances ici.

— Non, pas du tout, le corrige-t-elle. Nous sommes en exil.

— Si c'est pour critiquer tout ce que je dis, tu ferais mieux de retourner te coucher.

— Ça t'arrangerait bien, hein ? » lui lance-t-elle, le regard noir.

Après un silence, Igor répond :

« Oui. »

Catherine se mord la lèvre. Elle a le sentiment d'avoir perdu. Même en s'humiliant, elle n'a pas su l'émouvoir. Dans un éclair de lucidité, elle prend conscience que sa vie à Bel Respiro n'est qu'une mascarade.

« Tu as changé, Igor. Tu t'en rends compte ? »

Sur son visage se lit l'expression d'une violence contenue. Elle semble percer le front de son mari du regard.

« Le problème, c'est que toi, tu es toujours la même ! » répond-il.

Blessée, elle se lève et quitte la pièce. Elle ferme la porte derrière elle avec un calme étrange. Igor est étonné de cette sortie si peu mélodramatique. Le bruit de la poignée en devient insolite.

Il hoche gravement la tête. La soirée avait pourtant si bien commencé. Les enfants s'étaient amusés. Même Catherine semblait heureuse, au début. Et pourtant, chaque fois qu'ils se retrouvent seuls, une force invisible les oppose. L'avoir blessée le chagrine. Il n'en avait pas l'intention. Il se sent pris au piège de la culpabilité. Mais qu'y peut-il ? La vérité, c'est qu'il est amoureux d'une autre et l'amour à donner n'est pas inépuisable.

Il regarde les cases de l'échiquier, la pièce dans sa main, puis la fenêtre.

Dehors, derrière les arbres sombres, la lune flotte, parfois visible, parfois cachée.

17

Coco est rentrée. Elle secoue la mallette qui contient les fioles.

Quand il entend ce son étouffé, Igor lève les yeux du piano. Elle veut l'impressionner. Elle soulève le fermoir et exhibe deux douzaines de flacons de parfum, luxueux dans leur écrin de velours rouge. Elle en ôte un de son alvéole et le débouche.

« Sens ! dit-elle, le plaçant sous le nez d'Igor.

— Est-ce que ce sont les échantillons de Grasse ? »

Il se recule légèrement. Elle acquiesce.

« Qu'est-ce que tu en dis ?

— Je ne suis pas spécialiste. »

Il s'approche, maintenant le flacon d'une main. Lorsqu'il inspire, le nez lui pique comme s'il allait éternuer. Il pince ses narines pour se retenir.

« Attention ! » crie Coco.

Elle débouche une autre fiole et, comme pour le taquiner, l'approche du nez d'Igor. Il inspire trop profondément, ses yeux coulent un peu et il a la nausée.

« Doucement ! dit-il en se levant.

— Allez ! Dis-moi ce que tu en penses. »

Il dissimule son admiration. Il n'avait jamais songé auparavant que le parfum représentait l'aboutissement d'un acte de création humaine. Il le considérait comme un élément immémorial à la manière du soleil.

« C'est plus agréable que l'odeur de résine de la fosse d'orchestre, dit-il.

— Je vais prendre ça pour un compliment.

— Si je devais créer un parfum, il aurait l'odeur du café qui sort de la boîte.

— Beurk !

— Je te l'avais dit, mon odorat ne vaut rien.

— C'est le cas de la plupart des hommes. »

Elle remet les flacons à leur place et pose la mallette sur le sol. Il la regarde et s'étonne de nouveau de la beauté de Coco. Son visage a pris une couleur miel foncé qui paraît irréelle à Igor. Coco se relève ; Igor l'enlace. Ils s'embrassent et Igor ressent cette chaleur frémissante qui l'envahit dès qu'elle se trouve près de lui. Leurs mains finissent par se rejoindre.

Après un silence, Igor déclare d'un ton solennel :

« Catherine veut partir. »

Inquiète, Coco lève la tête.

« Vraiment ?

— Oui.

— Elle te l'a dit ?

— Oui.

— Quand ?

— Hier.

— Pourquoi ?

— À ton avis ? Parce qu'elle est malheureuse.

— Qu'a-t-elle dit d'autre ?

— Rien. »

Il se revoit manipuler la pièce du jeu d'échecs, la lune flottant dans le ciel.

« Elle a dit quelque chose sur moi ?

— Pas directement.

— Elle sait ?

— Pas avec certitude, je pense.

— Alors ? demande Coco après un bref silence.

— Quoi ?

— Que vas-tu faire ?

— Je n'ai pas l'intention de partir, si c'est le sens de ta question.

— Tu es sûr ? »

S'il hésitait, il a pris sa décision à présent.

« Oui. Je ne pourrais pas. »

Sa vie avec elle possède une richesse, une plénitude dont il n'avait jamais fait l'expérience auparavant.

« Bien. »

Dans les yeux de Coco, Igor lit à la fois la confiance et la fragilité.

« Bien », dit-il comme en écho, souriant.

La notion d'adultère lui est encore étrangère. Le terme, trop dur et lourd de culpabilité, ne correspond pas à l'amour qui l'envahit. L'adultère, ce sont les autres qui s'y adonnent.

« Je n'irai nulle part. »

Son expression se fait plus tendre.

« J'ai besoin de toi. »

Puis après une pause, il ajoute :

« Si tu veux toujours de moi

— Oui, plus que jamais. »

Comme pour insister, elle lui lance un regard appuyé.

Dans le silence qui s'installe, Coco s'approche de lui. Sur sa peau, elle sent le parfum laissé par une goutte échappée du flacon. Igor ressent une brûlure, puis une grande douceur. Coco susurre son nom. À présent qu'elle l'a prononcé, il a l'impression de la posséder entièrement. Ils s'embrassent de nouveau. Tous deux succombent lentement à un désir déraisonnable.

Plus tard, la musique s'élève du bureau et résonne dans toutes les pièces. Les accords avancent tels des nuages au-dessus du jardin. Conduite comme un thème, la musique offre cette gaieté, douce brise d'été transportant son miracle de confiance en soi.

Seule dans son bureau, Coco fait l'esquisse d'un cube. Avec des gestes secs, elle ajoute un long goulot et un bouchon oblong. À la base, une fossette — la seule courbe parmi les lignes du dessin. Ensuite, en grandes capitales noires sur fond blanc, elle forme les lettres de son nom. La tête penchée sur le côté, elle suçote le bout de son crayon. Elle cherche la pureté. Rien de sophistiqué. Juste une bouteille cubique, simple et transparente.

Elle ne supporte pas ces noms exotiques tels que *Dans la nuit, Cœur en folie* ou *La Fille du roi de Chine.* Ils sont prétentieux et stupides. Elle désire plus de mystère, quelque chose d'évident, mais intrigant. Un nom puissant. Un chiffre, peut-être. Son favori : cinq.

Ce sera la première fois que le nom d'une couturière apparaîtra sur un flacon de parfum. Et pourquoi pas ? Elle l'a conçu après tout. Pourquoi les gens devraient-ils l'ignorer ? Ce n'est pas de l'arrogance, simplement une fierté légitime.

Les premières réactions des clientes semblent prometteuses. Beaux avait raison : elles aiment la fragrance. Elle est discrète et tient une nuit entière. De plus, ce qui est tout aussi essentiel, leurs maris et leurs amants l'apprécient aussi. Si les hommes aiment sentir ce parfum pendant l'amour, le succès est presque assuré.

Au fond du couloir, Igor ôte un disque de sa pochette. Une fois placé sur le tourne-disque, il remarque qu'il est légèrement rayé. La surface striée renvoie la lumière. Igor remonte le gramophone. Un grésillement s'élève lorsqu'il pose le diamant. Il observe les sillons qui donnent vie à une ligne musicale. Le divin Franz Schubert. La sonate n° 29 pour pianoforte de Beethoven. Un concerto pour clavecin de Bach. Igor passe disque après disque et ressent une profonde émotion.

À l'étage, Marie apporte un verre d'eau à Catherine. Celle-ci se redresse dans son lit, un sourire reconnaissant aux lèvres.

« J'espère que la musique ne vous empêche pas de dormir, madame.

— J'ai assez dormi pour toute une vie, Marie.

— J'espère que vous vous sentez mieux.
— Un petit peu oui, merci.
— Vous désirez autre chose ? »

Catherine s'assied.

« Non, merci. Mais dites-moi, demande-t-elle avant de boire une gorgée d'eau, depuis quand travaillez-vous pour Mlle Chanel ?

— Depuis plus de deux ans maintenant, madame. »

Un peu gênée, Marie joint les mains sur son tablier. Catherine essaie d'en savoir plus.

« Et vous trouvez que c'est un bon employeur ?

— Que voulez-vous dire, madame ?

— Eh bien, est-elle honnête et franche ? »

Catherine voit que Marie hésite. Elle rit, cherchant à la désarçonner.

« Soyez sans crainte, je ne moucharderai pas.

— Elle s'est montrée bonne envers nous. »

Puis une réponse mieux argumentée :

« Et Suzanne l'aime beaucoup.

— Elle peut être très généreuse, je sais.

— Oui.

— C'est dommage qu'elle n'ait pas d'enfants, vous ne trouvez pas ?

— Si.

— Elle mérite de se marier.

— Je suis d'accord.

— Mais c'est une femme moderne.

— Moderne, oui, reprend Marie, soudain sur ses gardes.

— Vous voyez ce que je veux dire, très indépendante.

— Très. »

Catherine sent que cette conversation ne la conduit nulle part. Elle a l'impression d'être en train d'ôter une écharde. Elle décide d'être plus directe.

« Parfois, je me demande quand même… »

Elle s'arme de courage pour terminer sa phrase.

« Parfois je me pose des questions sur sa moralité. »

Enfin, elle l'a dit. Elle a exprimé sa pensée.

Marie a l'impression de s'être brûlée.

« Je vous demande pardon ? »

Elle voit bien ce qu'attend Catherine et cela lui déplaît.

« Eh bien, l'est-elle ? De bonne moralité, j'entends », précise Catherine d'un ton embarrassé.

Marie sent un abîme s'ouvrir sous ses pieds et de petites créatures saisir ses talons.

« Eh bien, madame, cela dépend, répond Marie en séparant bien chaque mot.

— De quoi ?

— Les idées des gens ont évolué depuis la guerre…

— Vraiment ? »

Marie est soucieuse. Elle ne veut pas s'attirer d'ennuis. Un poids l'oppresse.

« Que voulez-vous que je vous dise, madame ? »

Elle veut gagner du temps.

Le regard de Catherine se fait férocement suppliant.

« Je veux que vous me disiez la vérité. »

Soudain, toute distance sociale s'évanouit. Elle en appelle à Marie en tant que femme.

Marie voudrait tout révéler. Le désir d'avouer est fort. Il tire sur sa mâchoire comme un fil invisible. Mais la réserve nécessaire à son travail balaie tout sentiment de solidarité féminine. La réponse qui lui vient, comme un spectre sorti de sa bouche, est éprouvée, tactique, cruellement neutre.

« Mlle Chanel a connu son lot de tragédies, madame… »

Catherine est exaspérée par cette réponse fuyante.

« Et son lot de chances aussi.

— En effet, concède Marie, toujours prudente.

— Elle est très riche.

— Je pense que oui.

— Et elle a de l'influence.

— Oui.

— Contrairement à moi ? »

Marie s'agite sous la pression de l'interrogatoire. Les créatures venues de l'abîme la tirent à présent à eux. Ses jambes sont sur le point de se dérober. Elle se mord la lèvre avant de capituler.

« Madame, je ne suis que la bonne. Je ne peux pas répondre à ce genre de questions. »

Déçue par les propos évasifs de Marie et souhaitant établir de nouveau la distance qui convient, Catherine adopte un ton proche de la condescendance.

« Évidemment. Excusez-moi. »

Après un silence, Marie demande :

« Autre chose, madame ?

— Comment ? Non. Vous pouvez disposer. »

Marie s'exécute. Respirer devient plus facile une fois franchi le pas de la porte. Ses mains tremblent. Elle a des sueurs froides. Pourtant, bien que soulagée par la fin de cette épreuve, elle est tourmentée. Elle est devenue conspiratrice, obscure actrice de la trahison. Elle n'a pas saisi l'occasion de dévoiler la vérité. Plus que Catherine, c'est elle-même qu'elle a déçue.

Catherine, elle, a honte. Elle ferme les yeux et songe à l'humiliation à laquelle elle vient de s'exposer. Qu'espérait-elle ? Bien sûr, Marie s'est montrée loyale : elle ne dirait jamais rien qui nuise à sa patronne. Son silence a été acheté. C'était injuste et idiot de l'interroger. Mais son désespoir est si grand. Catherine se mord le poing.

Au rez-de-chaussée, Coco entend la musique qui monte du bureau d'Igor. Sur le carnet devant elle, elle observe la forme cubique du flacon. Puis elle imagine la circularité du disque qui répand les notes dans le couloir. Une chose étrange se produit : les deux formes se superposent et, l'espace d'un instant, elles semblent s'accorder.

Ses lèvres se plissent autour du crayon. Elle se remet à dessiner, avec plus d'hésitation, cette fois-ci. Sur le papier se profile un sceau noir : deux lettres *c* dos à dos qui se chevauchent. Elle pense à l'acronyme de la Cour des comptes, située près de sa boutique, rue Cambon. Une sorte de disposition héraldique, une signature. Comme une version inachevée des anneaux olympiques ; une boucle. Ou deux profils unis en un tracé intime.

18

Joseph tend le téléphone à Stravinski.

« Monsieur ?

— Serge !

— Vous ne croirez jamais ce qui vient d'arriver.

— Quoi ?

— J'ai reçu une grosse somme pour une reprise du *Sacre*.

— Sans rire !

— Je n'ai jamais été aussi sérieux, mon vieux.

— Oserais-je demander combien ?

— Trois cent mille francs.

— C'est énorme ! s'écrie Igor en se passant la main sur le front.

— Oui, c'est vrai.

— Qui a fait la donation ?

— Je ne sais pas. Le don est anonyme, on dirait.

— Je n'arrive pas à le croire !

— Je savais que ça vous ferait plaisir.

— Je veux qu'il soit joué correctement cette fois-ci, Serge, dit Igor soudain inquiet.

— Bien sûr.

— Et je dirigerai.

— Ce serait bien.

— J'ai de l'inspiration en ce moment.

— Oui ?

— J'ai écrit beaucoup de fragments dont je suis très satisfait. Quelques exercices de dextérité que j'essaie d'introduire dans un morceau.

— Ah! Ah!

— Un concertino.

— Bien.

— Et la symphonie.

— Celle pour instruments à vent?

— Oui.

— Vous y travaillez encore?

— J'essaie différents tempos.

— Ah bon?

— Plusieurs instruments qui jouent des rythmes différents.

— Ça semble compliqué.

— J'y travaille sans trop m'inquiéter de la structure.

— Elle s'imposera d'elle-même. C'est toujours le cas.

— Je l'espère. Je compose par bribes. J'orchestre aussi des vieilles créations. Je les transcris pour le piano mécanique.

— Ne perdez pas votre temps avec ça.

— C'est la seule chose qui rapporte vraiment...

— Très bien, mais j'espère que vous allez travailler au *Sacre* maintenant.

— Je voulais réécrire les parties des instruments à cordes. Et j'ai déjà réfléchi aux modifications que je veux apporter pour le deuxième groupe de cuivres. »

Un silence s'installe.

« Et comment va Catherine? »

Igor, soudain hésitant, répond :

« Toujours pas très bien.

— Vous m'en voyez désolé. »

Après un nouveau silence, Diaghilev reprend d'un ton plus grave :

« Vous êtes-vous mal comporté, Igor?

— Serge, quelle question! s'écrie Igor, déstabilisé.

— Je dois vous avouer que j'ai entendu certaines choses.

— Qui a dit quoi ?
— Ne vous inquiétez pas.
— C'est Misia, n'est-ce pas ?
— Ça se pourrait…
— Quelle hypocrite !
— C'est une femme bien.
— À qui on ne peut pas faire confiance.
— Ne vous en faites pas pour elle. Vous devez profiter de votre séjour.
— Vous ne croyez pas que le donateur soit Coco, si ?
— J'en doute. Elle a d'autres moyens pour vous soutenir. »

Igor raccroche le combiné en pestant. « Misia, cette ordure ! »

Le vendredi, Coco et Igor se rendent à l'hippodrome. Le samedi, on peut les voir ensemble au *Bœuf sur le toit*, un petit bistrot où un groupe de musiciens noirs joue du Mozart et du jazz, et où les habitués dansent sur les tables. Le lundi, ils retrouvent les Sert au cinéma dans le centre de Paris. Ils aiment tous les deux les films. Ils ont déjà vu *Le Cabinet du docteur Caligari*. Ce soir, ils ont leurs tickets pour *Le Signe de Zorro*.

Dans la salle, il fait chaud. Les sièges sont inconfortables. Coco, mal installée, cherche une position plus commode. Ses jambes touchent celles d'Igor. L'obscurité instaure une intimité, une paix qui les enchantent. Il est bon de s'échapper de la maison le soir, de laisser le travail aussi. Ici, ensemble, ils se sentent libres et insouciants.

Le film d'action est captivant. Voir Douglas Fairbanks réaliser des acrobaties donne envie à Igor de faire ses exercices. Il remue les jambes involontairement à chaque nouvelle cascade.

L'accompagnateur retient également son attention. Jeune homme d'une vingtaine d'années, il est assis dans la fosse et, la bouche ouverte, fixe l'écran devant lui. Il met en valeur les mouvements et ajoute du chromatisme aux images en noir et blanc qui semblent ruisseler sur son visage.

Pas question de pièce construite ou de transitions. Les sauts sont trop abrupts. Il doit réagir aux effets visuels dès qu'il les voit. Igor hoche la tête : il apprécie l'ingéniosité du pianiste, son sens précis du tempo, sa sensibilité à l'atmosphère. Cependant, la médiocrité de l'instrument, dans l'aigu surtout, lui fait grincer des dents. Cela ralentit presque l'action. Il se demande si le musicien a eu le temps de répéter, s'il a déjà vu le film ou si sa performance est improvisée.

En même temps, il est galvanisé par une scène : Zorro enlace farouchement sa compagne, l'amenant à lui en l'entourant de son bras. La femme — cheveux bruns, tenue négligée et boucles d'oreilles de gitane — se cambre, soumise, alors que le héros se penche pour lui donner un baiser. Igor ressent alors une délicieuse douleur, les pulsations d'un engorgement qui durcissent son entrejambe. Il tente de trouver une position confortable, surpris que le film l'ait ému de cette manière. Coco devine la source de son inconfort. S'éclaircissant la gorge pour masquer l'excitation qui l'embarrasse, Igor laisse Coco caresser sa cuisse pendant quelques secondes.

Misia saisit la scène du coin de l'œil et hausse le sourcil. Un peu plus tard, elle murmure à Coco :

« Les choses se passent bien, on dirait.

— Je suis satisfaite, oui, merci », répond Coco, tout sourires.

Lorsqu'ils sortent du cinéma, la nuit est déjà tombée. Les deux couples se dirigent vers un troquet du quartier. Assis à une table près de la fenêtre, José et Igor parlent du film. Le premier trouve que les prouesses d'athlète de Zorro sont improbables. Il ne peut pas se livrer à toutes ces cascades et y survivre. C'est un effet spécial. Igor, lui, est convaincu que l'action est réelle. Il a lu quelque part que Fairbanks est gymnaste et qu'il joue sans doublure. Les deux hommes font un petit pari.

De l'autre côté de la table, Coco raconte à Misia son excursion à Grasse pour voir Ernest Beaux et lui apprend qu'il s'est chargé d'envoyer des échantillons aux clients pendant la semaine. Puis sur le ton de la confidence, elle la met au courant des derniers événements survenus à Bel Respiro. Igor essaie d'écouter. Il en veut à Coco de se confier ainsi à Misia, il aimerait qu'elle s'en abstienne. Les indiscrétions de Misia l'inquiètent vraiment. C'est une incorrigible commère. Il déteste la manière dont elle déforme et modifie les informations. Et si elle a jasé auprès de Diaghilev, à qui d'autre a-t-elle parlé ? Il ne la supporte pas ; avec ses cheveux rouge flamme et ses éventails orientaux. Se montrer poli avec elle est déjà un effort.

Ils quittent le bar aux alentours de minuit et profitent de la fraîcheur de la nuit étoilée. Les deux couples se disent au revoir, puis se séparent. Les Sert hèlent un taxi.

« Nous pourrions passer la nuit au-dessus de la boutique, propose Coco à Igor.

— Ne devrions-nous pas rentrer à Garches ? »

Il pense à ce que va dire Catherine, mais aussi au travail qui l'attend. S'ils passent la nuit à Paris, le temps que Coco soit prête à partir, lorsqu'ils seront de retour à Garches, il aura perdu une matinée entière. Et il a tant à faire.

Coco passe un cardigan sur ses épaules.

« Il est tard. L'appartement est à quelques minutes à peine.

— Je sais, mais... »

Igor hausse les épaules comme pour s'excuser.

« Ça nous mettrait dans l'embarras.

— D'accord, d'accord. »

Elle est déçue. Elle a beaucoup travaillé aujourd'hui. Fatiguée, après quelques verres de vin elle est aussi un peu amoureuse.

« Je me disais simplement que tu aimerais peut-être passer la nuit avec moi.

— Je veux... C'est juste que...

— Épargne-toi les excuses, lance Coco, frustrée. Elles ne m'intéressent pas. »

Mais Igor se montre également peu enthousiaste parce qu'il est préoccupé. Après un silence, il demande à Coco :

« Qu'est-ce que tu as dit à Misia ?

— C'est parce que tu n'aimes pas que je me confie à elle que tu ne veux pas aller à l'appartement ?

— Bien sûr que non. Je te pose la question par curiosité.

— Mmm.

— Alors, que lui as-tu dit ? insiste Igor.

— Rien.

— Tu as parlé longtemps pourtant.

— On a discuté affaires.

— J'espère que tu n'as rien dit sur nous.

— Et si c'était le cas ?

— Est-ce bien sage ?

— Si tu veux tout savoir, je crois qu'elle est jalouse.

— Jalouse ! Pourquoi ?

— Parce que je t'aide.

— Ah bon ?

— Elle se considère comme ton mécène et je ne suis pas sûre qu'elle apprécie que je me mêle de ta carrière.

— Je ne lui appartiens pas.

— C'est une jalouse.

— C'est une commère.

— Et mon amie, ajoute Coco d'un ton étonnamment sec.

— Eh bien, j'en ai assez qu'elle s'interpose.

— Qu'elle s'interpose ?

— Oui.

— Il fallait le dire. Je croyais que tu aimais recevoir de l'argent.

— Tu sais ce que j'ai voulu dire, dit Igor, gêné.

— Je suis sûre que tu m'as bien comprise aussi !

— Eh bien, je crois que je n'aime pas qu'elle en sache trop…

— Vraiment ?

— Pour être franc, je n'aime pas qu'elle sache quoi que ce soit sur nous ! »

Ses traits se durcissent ; il sait qu'elle observe sa réaction.

« Tu aurais honte si les gens l'apprenaient ? »

La force de Coco le déconcerte.

« Honte ? Non.

— Eh bien, quoi, sinon ?

— Ne dis pas n'importe quoi.

— Quelle autre raison y aurait-il ? »

Igor se sent pris au piège.

« Sois raisonnable, Coco. J'ai une famille. Une femme, des enfants.

— Eh bien, pas moi. »

Elle fronce les sourcils.

« Et si j'ai envie de me confier à mes amies, ça ne regarde que moi. »

Igor sait que s'il y avait eu une porte à claquer, Coco l'aurait fait.

Ils regagnent la voiture. La présence du chauffeur met fin à toute discussion. C'est leur première dispute et tous deux sont fâchés et agités. Chacun trouve que l'autre s'est montré déraisonnable et têtu. Sur le chemin du retour, ils cèdent tous deux à une pulsion enfantine et restent assis chacun de leur côté sans rien dire. Leurs griefs rendent le silence plus dur.

Igor ne comprend pas que Coco fréquente un parasite comme Misia. C'est vrai, par le passé, il a accepté son argent. Mais c'était la seule alternative au dénuement. Il n'en aurait jamais fait son amie sinon. Et pour ce qui est de passer la nuit à Paris, il aurait pu se montrer plus enthousiaste. Mais Coco ne voit-elle pas que ce serait faire preuve de peu de considération étant donné sa position et que, de toute manière, il doit travailler demain matin ? Leur quotidien à Bel Respiro est très agréable. Pourquoi le gâcher ? Ce n'est pas la peine.

Au même moment, Coco rumine son incompréhension du refus d'Igor de passer la nuit avec elle pour une fois. Ce n'était pas trop lui demander, après tout ce qu'elle lui a donné. Elle n'arrive pas à croire qu'il soit si égoïste. Elle trouve soudain leur vie à Bel Respiro sordide, mesquine et dégradante. Elle est furieuse, car elle se sent rejetée. Son expression se fait sévère. Dans l'obscurité, aux côtés d'Igor, elle semble se statufier.

Par la fenêtre, elle observe la lune, tantôt à gauche, tantôt à droite. Les feuillages des haies luisent intensément. Les phares éclairent les insectes qui volettent avant de s'écraser sur le pare-brise. Elle aperçoit un renard. Puis elle entend un bruit, un choc étouffé. Ils l'ont peut-être heurté. Elle ferme les poings et tressaille. Elle en est sûre, désormais. Personne ne dit rien, pas même le chauffeur qui doit sentir la tension à l'arrière. Coco a un goût horrible dans la bouche.

Lorsqu'ils atteignent enfin l'allée, la maison semble engloutie par l'ombre. La fenêtre de Catherine est éclairée. Le chauffeur gare la voiture. Igor croit voir une ombre bouger dans le cadre de la lumière à l'étage, et cette fois il en est certain, d'apercevoir les rideaux se refermer d'un coup sec.

19

Clic. Catherine, pâle, le visage creusé, appuie sa poitrine contre la machine à rayons X. Son état a empiré ces dernières semaines. Le médecin lui a conseillé de se rendre à l'hôpital à Paris pour une radiographie des poumons. Stoïque, elle rassemble ses forces comme si elle craignait un coup.

Le radiologue la fait venir dans son bureau pour la confronter aux clichés de sa cage thoracique.

« La bonne nouvelle, c'est que ce n'est pas galopant », l'informe-t-il.

Une à une, il glisse les radios sur un écran lumineux. Catherine observe cet aperçu d'invisible avec un calme étrange. Son corps est exposé dans toute sa matérialité. Révélé, le secret échafaudage d'os. L'ombre emplit le vide entre les côtes, sauf à l'endroit où sont logés ces sacs translucides, ces méduses, son cœur et ses poumons. Elle est troublée par ces espaces sombres et nus.

« Cependant, comme vous pouvez le constater, la tuberculose a progressé lentement. »

Le médecin désigne les cavernes propres à ce mal qui couvrent les poumons. Engourdie, elle parvient à peine à entendre ce qu'il lui dit. L'horreur se mêle difficilement à l'impression de magie qui se dégage des clichés. Un frisson la parcourt.

Elle s'approche pour mieux voir et ne peut s'empêcher de toucher les radiographies. Ce qui la fascine et la choque le plus, cependant, ce ne sont pas les ombres blanches. L'image de sa propre dissolution est trop désincarnée pour l'effrayer. Non, ce qui la frappe le plus, c'est l'aspect de sa main gauche, qui apparaît sur l'un des clichés. Elle pose la main sur cette image décharnée, doigt vivant contre doigt sinistre. Et à son majeur, l'alliance flotte, tendre négatif, halo autour de l'os.

La bague oscille, fantomatique. Catherine a la sensation d'avoir pénétré des épaisseurs de mystère pour découvrir soudain la vérité. Mais si c'est une révélation, elle est dépourvue de grâce. Aucune satisfaction ne l'accompagne, aucun rayonnement, aucune joie. Au contraire, elle se sent tirée vers le bas. Sa condition de mortelle prend un sens nouveau. Et cela la terrorise.

Elle essaie de penser à Dieu qui vit dans le calcium de ses os. Mais les radiographies en face d'elle et l'existence de Dieu au-dessus lui paraissent à cet instant incompatibles. En lieu et place du Tout-Puissant, ce qui lui vient à l'esprit n'est qu'un incommensurable néant, un sentiment épouvantable de déclin, un vide ultime qui veut la happer.

Elle s'est toujours raccrochée à l'idée qu'il existe quelque chose, une entité puissante et obstinément opaque, pourtant merveilleuse et infiniment bonne. C'est une miette à laquelle s'accrocher qui apporte réconfort et consolation, comme la petite croix pendue à son cou. Jusqu'à présent, cela lui a donné l'espoir que tout ne se réduit pas à cette existence pitoyable et lamentable. Et si c'était le cas ? Cette possibilité l'effraie. Elle trouve la perspective de l'oubli épouvantable. Sa bague en or pèse à son doigt ; symbole du vide dans lequel tout se précipite.

Bien qu'Igor l'accompagne, elle ne s'est jamais sentie aussi seule.

« Merci », dit ce dernier en échangeant une poignée de main avec le radiologue.

Très bien, pense-t-elle, Igor ne veut pas qu'elle panique, mais est-il obligé de remercier le médecin aussi chaleureusement ? Il vient de lui apprendre que sa femme souffre de consomption. Ne se rend-il pas compte qu'elle vient de recevoir son arrêt de mort ? Ne comprend-il pas qu'elle peut mourir ? La poignée de main dont elle gratifie le radiologue est plus réservée.

Ensuite, Igor lui dit ce qui convient, la rassure de façon adéquate, mais comme avec les radiographies, il lui semble qu'il manque quelque chose. Elle peine à trouver quoi : la conviction derrière les mots, peut-être, ou un ton plus réconfortant. Sa seule certitude est qu'un fossé est apparu entre eux, une barrière, un mur. Peut-être, songe-t-elle, est-ce parce qu'il est vivant et en bonne santé alors qu'elle est souffrante ? Est-ce que ce pourrait être aussi simple ?

Le lendemain elle se réveille, terrifiée, en sueur, avec un sentiment d'épuisement, de vies qui se délitent. En se tournant, elle remarque l'absence à ses côtés et se sent terriblement diminuée.

Igor s'est déjà mis au travail et martèle le piano. Elle entend aussi la voix des enfants s'élever d'une pièce éloignée. Et elle distingue le timbre de Coco, pénétrant sa conscience comme une salissure. Elle leur chante une chanson.

20

Igor termine sa matinée de travail par une cascade de notes. Le clavier ondule sous le dos de sa main comme une pellicule dans un projecteur. Il quitte ensuite son bureau et se dirige jusqu'à celui de Coco. Elle l'évite depuis deux jours, depuis leur dispute à Paris.

Il la trouve à sa table de travail; épinglant et coupant inlassablement. Elle a préparé les pièces pour créer une tunique blanche et un chapeau couleur sable. Lors de la séance l'autre soir, elle a été frappée par le contraste entre la chemise blanche et le masque noir; le clair-obscur : cheval blanc et cape noire. Pour elle, cela confirme la domination du noir sur toutes les autres couleurs. Elle se rappelle ses années à l'école du couvent où elle devait porter un uniforme noir et blanc comme les nonnes. Il y a quelque chose à creuser, songe-t-eLe, lorsque Igor l'interrompt. Elle pousse un soupir.

Elle se rencogne contre le dossier de sa chaise.

« Tu ne t'arrêtes donc jamais? » lui demande-t-il.

Il n'a pas l'habitude de voir des femmes travailler; pas celles de la haute société en tout cas. Comme son épouse, cela lui a toujours paru quelque peu inconvenant.

Coco remarque cette désapprobation. Pourtant, c'est ce qui l'exalte, ce qui l'a toujours motivée : la détermination à faire ses preuves; combiner une nouvelle définition de l'élégance féminine avec les besoins quotidiens des femmes.

« Je n'ai jamais terminé. »

Elle souhaite lui faire comprendre qu'elle est toujours fâchée.

Igor hésite à entrer. Elle lui fait signe d'approcher. Puis elle se penche au-dessus du bureau pour saisir un bout de laine dont elle fait un jeu de ficelle.

« Voilà, dit-elle en tendant à Igor la branche d'olivier qu'elle a confectionnée. À ton tour ! »

Entre les mains d'Igor la structure s'emmêle puis se défait.

« Tu es nul, lui dit-elle pour le taquiner. Regarde bien comment je fais. »

Une fois de plus, Coco place la laine entre les mains d'Igor.

« Voilà. Essaie encore. »

Il tente de nouveau, mais la structure s'effondre encore.

« Très bien, dit Coco feignant l'exaspération. Essayons autre chose.

— Une chose plus facile alors. »

Elle fait un nœud avec la laine.

« Bien, le truc, c'est de tirer sur un fil pour que l'ensemble se démêle. Regarde ! »

Elle tire doucement sur une extrémité et le tout se défait.

« Tu vois ? »

Coco emmêle de nouveau la laine, puis tend la toile à Igor. Il tire la langue, appliqué. Ses mains tremblent un moment ; il tire sur un fil. L'écheveau résiste.

« Ce n'est pas la peine », dit-il.

Il pose la laine et se penche vers elle. Il caresse ses lèvres, puis sa joue.

« Je suis désolé pour l'autre soir.

— Ce n'est rien, dit-elle en détournant le regard.

— J'étais fatigué. »

Elle ne va pas lui pardonner si facilement.

« Moi aussi.

— Je n'avais pas les idées en place.

— De toute évidence.

— Mais je ne peux pas laisser Catherine en ce moment. Elle ne va pas bien. »

Lorsqu'il prononce le nom de sa femme, Coco écarte la main d'Igor de son visage. Ses excuses sont bien gauches.

« Je n'ai pas envie d'en parler maintenant.

— Mais c'est avec toi que j'ai envie d'être, se défend-il.

— Alors fais quelque chose ! lance-t-elle.

— Qu'est-ce que tu suggères ?

— Tu ne me facilites pas les choses, répond-elle, excédée.

— Les choses simples n'ont pas de valeur.

— Et celles qui sont compliquées ne valent pas toujours la peine d'être obtenues.

— Parfois si », insiste-t-il.

Plus déterminé cette fois-ci, il se penche de nouveau vers elle.

« Moi, j'en vaux la peine ! »

Le voir ainsi décidé l'impressionne.

Igor sait qu'il doit faire un geste, se montrer courageux et humble en se soumettant. Il s'allonge soudain sur le plancher. Il remonte sa chemise, bande les muscles et invite Coco à se mettre debout sur son ventre.

« Viens !

— Ne fais pas l'idiot !

— Ce n'est pas idiot, viens. »

C'est sa manière de se réconcilier, songe-t-elle, de regagner sa confiance. Mais sous couvert de se rabaisser, il tente de l'épater.

« Très bien », concède-t-elle, en s'assurant de laisser paraître la moq erie dans le ton de sa voix.

Elle ôte ses chaussures et pose un pied, puis l'autre, sur son abdomen qui gigote un instant. Pendant plusieurs secondes, il supporte son poids sans fléchir. La concentration se lit sur ses traits. Elle ne peut retenir un sourire. Elle saute sur le sol, mais avant qu'il ait le temps de baisser sa chemise, elle saisit une épingle fichée dans une pelote. Il la regarde, inquiet.

« Tu ne vas pas t'en sortir comme ça.

— Qu'est-ce que tu fais ?

— Je vais te marquer du signe de Zorro ! »

Imitant Douglas Fairbanks, elle inscrit prestement le monogramme à ses initiales : deux *c* majuscules en miroir qui se chevauchent.

« Tu es à moi ! dit-elle en remontant avec l'épingle le long de sa chemise jusqu'à sa gorge. Tu comprends ? Tout à moi ! continue-t-elle en chantonnant, avec toutefois un sous-entendu sérieux. Et je ne veux te partager avec per-so-nne. »

Elle éloigne l'aiguille, puis termine par une estocade à l'aine.

« Compris ? »

Se savoir à la merci de Coco le fait paniquer. Mais cette peur lui est douce. En se soumettant au jeu qu'elle impose, il se sent comme un esclave mis au défi de satisfaire son maître ; l'excitation de la servitude volontaire ; la soumission à devoir lécher les chaussures d'une femme pour découvrir qu'elles sont couvertes de miel.

« Compris », dit-il la gorge serrée.

Les jours suivants, dans l'après-midi, il accompagne Coco à Paris. Pendant qu'elle se rend à la boutique, il marche dans la capitale. Il aime l'énergie vibrante que dégage la ville, sa symétrie radiale, ses larges avenues, et ses ponts comme les frettes d'une guitare qui traversent la Seine. Il aime les bouleaux qu'on a plantés partout, avec leurs troncs boursouflés et leurs feuilles dans lesquelles le soleil se reflète par endroits. Les parcs ont une majesté qui lui plaît et dénotent un goût manifeste pour le spectacle. La France est peut-être une république, mais tout dans la capitale rappelle la royauté : ses arcs et ses flèches, ses monuments et ses tombeaux, ses jardins et ses palais. Cela lui rappelle Saint-Pétersbourg.

Il se rend régulièrement à la boutique Pleyel où il soumet ses transcriptions pour le piano mécanique et prend les nouvelles commandes. Même si cette activité n'est pas particulièrement stimulante, elle est facile et lucrative. Par-dessus tout, elle lui fournit un prétexte pour venir à Paris avec Coco et, pour cela, il est reconnaissant.

En attendant que Coco termine de travailler, il se promène aux Tuileries et prend le café dans l'une des brasseries voisines. Il se retire ensuite invariablement dans l'appartement au-dessus de la boutique où ils font l'amour.

Un après-midi, elle lui offre un cadeau pour le surprendre.

« Alors ? Qu'en pensez-vous ? »

Igor laisse les enfants venir dans son bureau pour leur montrer son nouveau jouet.

« Qu'est-ce que c'est ? » demande Milène.

Elle penche la tête et ses couettes se balancent, révélant par intermittence deux rubans roses.

« Un Pianola, répond Soulima.

— Regardez ! » dit Igor.

La promesse de faire apparaître la musique fait briller ses yeux comme ceux d'un magicien. Il remonte l'instrument. Lorsqu'il lâche la poignée, la musique commence. Un peu faux, peut-être, à cause du rythme ralenti à la fin de chaque tour avant de s'accélérer au début du suivant, mais l'effet est enlevé. La remarque de Coco lui revient à l'esprit : le Pianola sonne comme un instrument qu'on trouverait dans un bordel.

Les touches s'abaissent sous la pression de doigts invisibles. Un rouleau perforé tourne sur un cylindre fixé sur le panneau central de l'instrument. Les enfants sont transportés de joie. Comme s'ils assistaient à un miracle, ils s'approchent, bouche bée.

« Attention ! Ne touchez pas !

— Comment ça marche ? demande Theodore, que la magie apparente de la machine a tiré de son humeur maussade.

— Vous voyez ce rouleau ? »

Les enfants observent le papier perforé qui se déroule à l'avant de l'instrument.

« Eh bien, les petits trous indiquent aux touches quelles notes il faut jouer. C'est malin ! »

Igor est ravi de voir que ses enfants sont intéressés. Il a été blessé lorsque Catherine lui a reproché de ne pas passer assez de temps avec eux. Elle dit que Theodore ne dort plus, qu'elle s'en inquiète, et que les autres enfants sont anxieux. Igor s'est avisé de la distance qu'il a instaurée, sans doute pour ne pas leur imposer sa double vie. Cet après-midi est l'occasion de recréer de bonnes relations, de leur montrer qu'il se soucie d'eux.

« Qu'en pensez-vous ? s'enquiert-il de nouveau.

— C'est chouette ! répond Milène.

— Mais trop de touches s'enfoncent à la fois ! se plaint Ludmilla.

— C'est ça qui est formidable ! »

Il explique qu'on peut régler le Pianola pour obtenir l'équivalent de quatre ou huit mains, même plus.

« Quatre mains sans sentiments ! » grommelle Soulima, moins impressionné que son frère et ses sœurs. Ces dernières semaines, un champ de taches de rousseur est apparu sur son nez et ses joues. Cette éruption soudaine semble souligner sa critique.

« C'est vrai qu'on ne peut pas changer le tempo ni le volume comme si on jouait. Mais c'est très utile pour se faire une idée d'une création sans avoir à répéter avec trop d'instruments. Et ça évite aussi de payer des musiciens.

— Je trouve ça extra ! s'écrie Milène.

— Moi aussi, acquiesce Igor.

— C'est cher ? » demande Theodore.

Il développe son sens pratique ces derniers temps. Physiquement aussi, il change. Bien que toujours en culotte courte avec les membres minces d'un adolescent, il mesure à peine quelques centimètres de moins que son père. Sa minceur le fait paraître plus grand.

« Oui, répond Igor.

— Comment peut-on se permettre la dépense ? » insiste Theodore.

Après un instant d'hésitation qui révèle sa gêne, Igor répond :

« Nous devons remercier Coco pour ça. »

Son sourire semble forcé.

De tous les enfants, seul Theodore paraît s'en soucier. Peut-être, sentant quelque chose d'hostile dans l'attitude de sa mère à l'égard de Coco, s'est-il toujours méfié d'elle. En tant qu'aîné, il est le plus sensible à la dépendance financière de la famille envers leur hôte. D'instinct, cela lui déplaît. Il trouve cela avilissant et honteux ; comme un affront à sa virilité à venir. Son visage, aux traits grossiers qui rappellent ceux des Mongols, se crispe. Il pince les lèvres. Pendant un instant, la tension entre le père et le fils devient palpable.

« Elle a payé les disques aussi ? demande innocemment Ludmilla.

— Oui, répond Igor, à contrecœur.

— On peut les écouter ?

— Plus tard, plus tard... »

Igor souhaite que la découverte du Pianola reste un triomphe. Il ne laissera pas Theodore tout gâcher avec sa mauvaise humeur. Pour distraire les enfants, il place sa main droite sous son aisselle gauche et appuie en rythme. Tous rient, à l'exception de Theodore.

Essayant d'amadouer son fils qui va bientôt fêter son quatorzième anniversaire, il passe le bras autour de ses épaules. Il remarque pour la première fois le duvet au-dessus de sa lèvre supérieure.

« Tu sais à quoi je pense quand je te regarde, fils ?

— À quoi ? » demande à son tour Theodore, d'un ton grincheux comme à son habitude.

Igor lui adresse un large sourire. Il vient d'avoir une idée.

« Je me dis que le moment est venu de boire notre première bière ensemble. Qu'est-ce que tu en dis ? »

Le visage de Theodore s'illumine. Soulima observe la scène avec une admiration silencieuse. Les deux fillettes, le visage rayonnant, regardent leur frère qui ne peut retenir un sourire pudique.

« Viens, buvons un verre. Et pour vous, il y a une carafe de citronnade.

— Youpi ! » s'écrie Milène.

Accompagné par le Pianola qui continue de jouer dans son bureau, Igor conduit ses enfants à la cuisine pour célébrer ce nouveau sacre.

21

Coco et Igor prolongent leur soirée sur le balcon. Nous sommes début septembre, il fait encore beau. Une lampe extérieure les éclaire alors qu'ils conversent en fumant dans la fraîcheur du soir. Excitée par la lumière éblouissante, une nuée de moustiques volette dans un halo fluorescent.

« Saletés ! » dit Igor en les écrasant.

Coco rajuste le pull noir en angora dont elle s'est couvert les épaules. Elle joue avec le collier de perles qui orne son cou.

« Regarde les étoiles ! Elles tremblent. »

Elle porte les perles à sa bouche et les mordille.

C'est vrai. Plus ils les observent, plus les étoiles semblent se trémousser imperceptiblement comme si elles dansaient, comme des animalcules dans une mare. Les constellations s'affichent avec solennité. Igor les fixe pendant plusieurs secondes pour tenter de localiser les liens invisibles qui les unissent. Il écoute leur musique : un bourdonnement céleste.

« Si on regarde la ville, en bas, ça fait le même effet. »

Au loin, la lueur ambrée de la capitale inonde le ciel. À la gauche d'Igor, le visage de Coco dessine une ombre en forme de cœur.

« Les étoiles au-dessus de nos têtes et la ville en contrebas. Que pourrions-nous désirer de plus ?

— Quand j'étais petit, je rêvais de venir à Paris. »

La ville oscille comme une teinte ou un parfum habillant le ciel.

Coco tire sur sa cigarette.

« Et maintenant, tu retournerais en Russie, si tu pouvais ? »

Igor sirote une gorgée de vin, puis répond :

« Il y a des choses qui me manquent.

— Comme ?

— Ma mère. Mes amis. Mon piano. Ma maison. Et le printemps quand la glace fond et que la terre semble soudain se fendre pour prendre vie en craquant. On a la sensation de revivre. »

Une bourrasque souffle et fait vibrer la porte. La lumière vacille un moment. Les feuilles bruissent doucement. Igor se penche pour prendre une bouteille de vin à moitié vide. Il fait un signe à Coco qui couvre son verre de la main. Il hausse les épaules et se ressert. Le vin semble noir dans le clair de lune.

« Tu sais, tu ne m'as jamais dit comment tu l'as rencontrée. »

Jusque-là, ils ont évité de parler de son épouse. Il a été clair ; le sujet ne doit pas être abordé. Et Coco s'est pliée à cette règle. Sa simple présence dans une chambre à l'étage était suffisante. Elle n'a rien dit, mais elle a dû faire preuve d'une volonté énorme pour ne pas y accorder trop d'importance. Pourtant, à présent, il lui semble ridicule de l'ignorer. Catherine est devenue un blanc dans leurs conversations. Une brèche sans fin. Fortifiée par l'alcool, Coco l'interroge. Le naturel avec lequel Igor répond prouve leur complicité grandissante.

« Nous avons quasiment grandi ensemble. »

Libérées de la tension du silence, ses paroles sont légères

« Oh ! Un amour d'enfance, comme c'est romantique ! »

Igor ignore cette remarque.

« Mais la première fois où je me souviens avoir été attiré, nous devions avoir quatorze ans. On était dans une cathédrale.

— Attends, laisse-moi deviner. Elle jouait la Madone dans une scène de Nativité.

— Pas exactement. Elle était dans la chorale.

— Tu es tombé amoureux de sa voix. »

En prélude à son récit, Igor propose du vin à Coco. Elle cède cette fois-ci et le laisse lui en verser un doigt qu'elle accepte comme un billet d'entrée pour cet épisode de sa vie.

« C'était par une journée de printemps ; l'air était vif. Il faisait froid dans la cathédrale. Le chœur entonnait un hymne ; la lumière perçait par les vitraux et éclairait un endroit près de l'autel où se tenaient les choristes. Je me rappelle l'odeur entêtante de l'encens et la musique qui s'élevait sous les voûtes. Tu connais l'acoustique des églises ?

— Oui, oui, continue.

— Bon, au moment où le prêtre s'est mis à psalmodier : "Tu seras admis au jardin des délices éternels", il s'est produit quelque chose. J'ai vu Catherine, au bout d'une rangée et...

— Quoi ?

— Elle portait une chemise de fin tissu blanc et avec la lumière qui venait de biais, elle est devenue transparente.

— Elle devait porter quelque chose dessous.

— J'en suis sûr. Mais les formes ont suffi à produire un effet ravageur sur mes jeunes sens. J'étais...

— Tendu vers les cieux ?

— C'est ça.

— Sans doute parce qu'il faisait froid.

— Il se dégage un grand érotisme dans les églises.

— Pardon ?

— C'est vrai. Si on pense à l'architecture des cathédrales, c'est totalement érotique. Les flèches, la coupole, les voûtes nervurées qui semblent attendre de gonfler et se contracter...

— Sainte Vierge, dit Coco qui se lance ensuite dans une parodie de catéchisme. Dispensatrice de paix.

— Médiatrice de grâce.

— Reine élevée au ciel.

— Sainte Mère de Dieu. »

Ils rient. Coco a les yeux brillants. De fines mèches de cheveux se dénouent, accrochant la lumière de la lampe.

« Et ensuite, que s'est-il passé ?

— Eh bien, aucun de nous n'avait beaucoup de contacts avec les membres du sexe opposé, mais nous nous sommes habitués à la compagnie l'un de l'autre. Et nous sommes vite devenus très bons amis.

— Amis ? demande Coco avec un rictus sarcastique.

— Oui, vraiment, amis, dit Igor sur un ton plus sérieux. Nous étions comme frère et sœur.

— Frère et sœur, répète Coco, incrédule.

— J'ai toujours eu envie d'avoir une sœur.

— Ce n'était pas la peine de l'épouser, tu sais !

— Tu ne vois que l'invalide alitée, rétorque Igor. Mais c'est une femme intelligente. Très instruite. Elle a du goût, elle est subtile…

— Il me semble qu'elle court le danger de voir sa vie subtilisée ! »

Coco a du mal à dissimuler son mépris pour Catherine. Elle n'a pas essayé une seule fois de sortir de sa chambre aujourd'hui. Et pourtant elle demande à Marie de pourvoir à ses besoins toute la journée. Coco ne supporte pas ce genre de faiblesse. Elle n'est pas combative.

Igor imagine sa femme en train d'écouter cette discussion et tressaille. Il n'aime pas qu'on l'éloigne comme cela. Il voudrait qu'on lui témoigne plus de respect. Leurs corps se moquent déjà bien assez d'elle.

« Elle ne va pas bien, dit-il.

— Je sais. Excuse-moi.

— Eh bien, voilà. »

Il ne souhaite pas poursuivre. Sentant qu'il faut changer de sujet, Coco demande sur un ton enjoué :

« Qu'est-ce que tu as pensé de moi la première fois où on s'est vus ? »

Igor saisit son verre, en fait tourner le pied et regarde le vin lécher les bords.

« Ce que j'ai pensé quand je t'ai rencontrée ? »

Il répète la question pour lui-même à voix haute et réfléchit un instant. Il ferme un œil machinalement pour observer le verre qu'il lève. Le vin, à la surface, forme un disque dont la forme reste inaltérable quelle que soit l'inclinaison du verre.

« Allez ! Dis-moi la vérité.

— Je t'ai trouvée plutôt agressive, répond-il.

— Vraiment ?

— Je veux dire, verbalement.

— Quoi d'autre ? »

Coco allume une cigarette dont elle souffle nerveusement la fumée.

« Je t'ai trouvée intelligente et généreuse...

— C'est tout ?

— Eh bien, évidemment, je t'ai trouvée séduisante, si c'est ce que tu veux savoir. Bien faite, mince... »

Igor fait encore tourner le verre qu'il a posé sur un genou.

« Tu veux que je continue ? »

Coco contemple le jardin et le ciel brodé d'étoiles.

« Non. Ça ira.

— Et toi ? Qu'est-ce que tu as pensé quand tu m'as vu ?

— Tu semblais un peu lointain et froid, répond-elle d'un ton résolu.

— Désolé.

— Mais assez vulnérable au fond. Et passionné.

— Passionné ?

— Oh, oui ! C'est une chose que j'ai remarquée à la première du *Sacre*. Et je me suis fait un devoir de révéler cet aspect de ta personnalité, ajoute-t-elle en haussant la voix.

— Tu as réussi ? »

Il observe une feuille que la lumière fait étinceler.

« Je ne m'en suis pas mal sortie, je crois. Étant donné les circonstances. »

Elle le regarde dans les yeux ; ils se sourient. Il passe la main sur sa nuque.

« Ça m'a donné des cheveux blancs.

— Mais tu as l'air... plus distingué. »

Comment se fait-il que les femmes trouvent les cheveux gris séduisants ? Peut-être cela leur rappelle-t-il la mort et elles trouvent ça excitant? Peut-être aiment-elles l'idée que leurs amours sont éphémères?

« Je m'habille mieux, ça, c'est sûr. »

Il entend un bourdonnement près de son oreille.

« Ce n'est pas difficile. »

Il se gratte le bras.

« Je me fais dévorer vif ici!

— Moi aussi.

— C'est ton parfum. Ça les rend fous. »

Le verre dans une main et la bouteille dans l'autre, Igor ouvre la voie pour rentrer.

22

Catherine se redresse dans le lit quand Igor pénètre dans la chambre. C'est devenu une habitude, après quelques heures de travail dans la matinée, de rendre visite à sa femme en signe de dévouement. Il vient toujours à la même heure. Cela fait partie de l'organisation de ses journées.

Catherine s'est préparée. Se trouver confrontée à l'image terrifiante de ses entrailles lui a aussi fait prendre conscience de son apparence. Dans son souci de paraître plus séduisante, elle a peigné ses cheveux et s'est mis du rouge aux joues. Elle a même maquillé ses lèvres. Elle accueille Igor avec un sourire, en continuant de brosser ses cheveux.

Igor a un pincement au cœur, car il voit bien ce que fait Catherine. Il lui adresse un sourire forcé.

« Tu es très jolie », lui dit-il.

Mais il sait qu'elle attend plus que des compliments. Elle a besoin d'attention et de tendresse. Elle veut son amour. Et cela, il ne peut pas ou ne souhaite pas le lui donner. Le ton maîtrisé de sa voix trahit la triste vérité.

Il a besoin de se souvenir de la bonté de Catherine. Il l'a aimée autrefois, avec l'ardeur de la jeunesse, avec une passion infinie. Ils ont bravé l'interdiction de leurs parents qui s'opposaient à leur mariage et risqué leur réputation; telle était la force de leur amour innocent. Il se rappelle les regards désapprobateurs des membres de sa famille le jour du mariage; la cérémonie à laquelle peu d'entre eux ont assisté et l'embarras du prêtre. L'odeur de l'encens lui chatouille les narines comme si c'était hier. Il revoit la bague en or et la bouche tremblante de Catherine lorsqu'elle a dit oui.

Mais tout cela lui paraît appartenir à une autre vie : celle d'avant la guerre, d'avant la révolution, d'avant *Le Sacre*. Depuis, leurs existences ont énormément changé. Lorsqu'il regarde Catherine, il ne voit plus la femme qu'il a épousée. Son amour pour elle, comme sa santé, s'est lentement consumé, si bien que seule l'affection, comme un dernier lien tenace, les unit.

« Tu es très jolie », répète-t-il, espérant ainsi paraître plus sincère.

Cependant, il ne parvient pas à dire autre chose. Il se sent coupable de ne pas l'avoir toujours bien traitée. Mais la maladie le dégoûte. Catherine a l'air de dépérir cellule après cellule, alors qu'avec Coco, il y a toujours une étincelle pour lui montrer qu'il est bien vivant et elle aussi. Tout ce qu'il peut faire, c'est poser un regard vide sur sa femme en espérant qu'elle comprendra.

Le regard de Catherine est triste. Il lui semble que la peau de son crâne se tend sous le poids de ses pensées. Elle brosse toujours ses cheveux avec des mouvements vifs et machinaux.

« Pourquoi me détestes-tu ? » demande-t-elle en lançant la brosse sur le lit.

Elle voudrait que cela fasse du bruit, mais la brosse tombe sur les couvertures en silence.

« Je ne te déteste pas.

— Qu'est-ce que j'ai fait de mal ? »

Cette question, si essentielle, elle la pose avec un rictus de douleur.

« Rien du tout.

— Je n'ai pas choisi d'être malade, tu sais.

— Je sais. »

Un sentiment de culpabilité l'envahit. Il étouffe. À contrecœur, il s'assied sur le lit et caresse la joue de sa femme.

Sur son visage fragile, il aperçoit un instant la jeune fille : les lèvres pincées et les yeux rieurs. Mais le dessin de ses lèvres s'est altéré et la lumière est comme éteinte dans ses yeux.

D'une voix calme, elle demande :
« Ressens-tu encore quelque chose pour moi ?
— Bien entendu.
— Est-elle si spéciale ? »
Il sonde les tréfonds de son âme et s'efforce d'être honnête.
« Non.
— Elle ne comprend rien à ta musique, elle s'en fiche.
— Elle est un peu dure. »
Après un bref silence, Catherine reprend :
« Tu n'es pas toi-même avec elle, tu sais.
— Oh ?
— Tu deviens un autre.
— Que veux-tu dire ?
— Tu joues la comédie.
— Tu ne nous as jamais vus seuls. »

Avec cette réponse trop rapide, il avoue. Le regard de Catherine se fait dur. Il tente de développer, de diluer sa révélation. Elle saisit l occasion.

« Es-tu amoureux d'elle ? »

Il essaie de formuler une réponse, en vain. Il voudrait trouver les mots justes. Vaincu, il ne peut croiser son regard. Écœurée, elle le repousse.

À présent, elle ne semble plus l'implorer, mais affiche une expression de rancune et de douleur. Les moindres conflits de son existence sont amplifiés et tendent vers cet instant. Chaque petite torture subie pendant les repas, chaque frôlement de genoux entre Coco et Igor, l'angoisse provoquée par chaque sourire complice se distillent dans le mélange de souffrance et d'humiliation qu'expriment ses traits.

« Tu me dégoûtes !
— Je suis désolé », répond-il de manière embarrassée.

Avec la même énergie qu'elle a utilisée pour tenter une réconciliation, elle donne maintenant libre cours à son amertume.

« Pourquoi fais-tu semblant ? Et qui crois-tu tromper en me traitant comme une idiote ? »

Igor réfléchit un moment.

« Ce n'est pas parce que je ne t'aime pas.
— N'essaie pas de te justifier.
— Tu es toujours ma femme.
— Je me sens vraiment privilégiée !
— Catherine… Essaie de comprendre…
— Je comprends trop bien.
— J'ai tenté de ne pas te blesser.
— Et je suis censée t'en être reconnaissante ?
— Que veux-tu que je te dise ?
— Tu peux t'excuser !
— Désolé, dit-il, bien qu'il n'en soit rien.
— Tu ne te comporterais pas comme ça si ta mère était là ! lui lance-t-elle. C'est pratique, hein, qu'elle soit encore coincée en Russie ? »

Igor, blessé par la remarque sur sa mère, reste immobile et silencieux. L'adultère et l'exil, comme tout ce qui l'entrave, sont étroitement reliés. Il a été banni et a perdu les principes qui dictaient son comportement. Le déracinement permet certaines libertés, autorise certains actes. Médiatrice à la moralité inflexible, sa mère a toujours représenté une sorte de seconde conscience pour lui. Bien qu'il ne lui en ait jamais voulu, il s'est senti secrètement libéré depuis que la vie les a séparés.

Il reconnaît que Catherine a raison. Il est lâche. Mais cette scène aussi déplaisante que nécessaire n'était-elle pas inévitable ? La situation ne peut plus durer. Il ressent le besoin d'avouer autant que de conserver son secret. Il désire révéler la vérité. Mais comment dire à sa femme qu'on ne l'aime pas ? Ce serait inconvenant de rester à ses côtés par pitié. Le désir de faire un geste, de la prendre dans ses bras et de la rassurer demeure, même si cela doit s'avérer plus cruel encore.

« J'imagine que tu as couché avec elle ? »

Il ne trouve plus la force de mentir. Il détourne le regard. Son silence est l'aveu qu'elle attend.

« Combien de fois ?
— Est-ce important ? »

Le désir de faire un pas vers elle s'évanouit.

« Je voudrais savoir.

— Je n'ai pas compté », répond-il d'un ton las.

Catherine a un regard fou, qui exprime moins sa rage que sa consternation à se trouver ainsi piégée. Les murs semblent se resserrer sur elle.

Quant à Igor, son passé avec Catherine se heurte au présent avec Coco. Il en éprouve une vive douleur au plus profond de son être. À cet instant, il se déteste. Par un réflexe de défense, une pensée brutale et sans pitié lui vient à l'esprit.

« Je croyais que ça te ferait plaisir, lui lance-t-il.

— Comment ? Tu as perdu la tête ?

— Eh bien, tu détestes faire l'amour. »

Catherine nie d'un lent mouvement de tête, puis plus farouchement.

« C'est faux !

— Comment peux-tu nier ? Ça te révulse.

— Ce n'est pas vrai !

— C'est l'impression que tu me donnes.

— Tu es en train de dire que Coco me fait une faveur ? C'est ça ?

— J'ai des besoins, Catherine.

— Mais moi aussi. Des besoins énormes.

— Eh bien, peut-être qu'en réalité, nous ne sommes pas faits pour être ensemble. »

Ce qu'il dit lui fait horreur, mais c'est ce qu'il pense. Piégé, il ne voit pas d'autre moyen de s'en sortir.

« Je n'arrive pas à croire que tu sois si cruel. Je ne trouve même pas les mots pour exprimer ma peine. »

Les muscles de son cou se contractent, elle halète. Avec une volonté qui pourrait déplacer des montagnes, elle s'efforce de ne pas pleurer. Tout son être lutte pour ne pas laisser paraître la tristesse qui l'envahit.

« Je t'ai soutenu, j'ai supporté tes sautes d'humeurs, j'ai porté tes enfants... »

Elle lui tourne le dos. Remontant les couvertures sur son visage, elle étouffe les sanglots qui la secouent.

Jusqu'à présent, les longues heures passées au piano lui convenaient, de même que ses absences pendant les récitals et les tournées. Elle a toléré sa colère, son arrogance. Mais jamais elle n'avait dû affronter l'adultère. Elle se sent évincée et clairement de trop.

« Je n'arrive plus à respirer ici », dit-elle dans un souffle.

Les ombres du feuillage s'agitent sur le mur. Les objets semblent conspirer. Les lys ont des langues de vipère. Un coquillage se change en oreille indiscrète. Les rideaux ne sont là que pour lui cacher des choses. Elle serre les poings sous les couvertures. Quelque chose en elle est sur le point d'exploser. Un sursaut de violence l'envahit et déforme ses traits.

« Salaud ! crie-t-elle, la voix étranglée. Avec cette traînée en plus ! »

Ses plus vils instincts prennent le dessus. Elle a envie de le gifler, de l'attraper par les cheveux et de les tirer, de le chasser à coups de pied. Mais la pulsion ne dure qu'une seconde. Être violente ne lui ressemble pas. Il n'y a rien de barbare en elle. Elle est bien trop convenable et raisonnable. Les strates de politesse sont trop nombreuses et elle se maudit pour cela. L'espace d'un instant, elle a failli jouer des poings. Cela l'aurait peut-être soulagée. Peut-être qu'elle y aurait gagné du respect. Mais ses instincts brutaux disparaissent vite ainsi que le peu d'énergie qui lui restait.

Igor reprend d'une voix calme :

« Ce n'est pas une traînée. »

Catherine, éprouvant des aigreurs, se plaint.

« J'ai la nausée. »

Ils restent assis, évitant de se toucher. Il la regarde, conscient de la cruauté de ses paroles. Il n'arrive pas à croire qu'il les a prononcées. Il est animé d'une pulsion irrépressible. Il devait lui dire. Les mots ont jailli de sa bouche. Il regrette de ne pas l'avoir fait avec plus d'égards, mais il se sent débarrassé d'un fardeau, soulagé.

Cherchant un moyen de la consoler, il lui dit :

« Nous avons toujours nos quatre merveilleux enfants. »

En prononçant ces mots, son cœur se serre.

Il ne sait pas si Catherine l'a entendu. La retenue lui demande trop d'effort. Elle frissonne.

« Pourquoi tu ne m'aimes pas ? »

Elle a voulu crier, mais sa voix est rauque et brisée. En silence, elle s'abandonne aux larmes. La tristesse déforme son visage. Son menton tremble. Elle tente de contenir ce chagrin trop intense. Finalement, elle parvient à dire :

« J'ai peur, Igor.

— Ne crains rien.

— Je suis effrayée.

— Pourquoi ?

— Je suis très malade. J'ai l'impression qu'une force maligne tiraille mes entrailles. »

L'air lui semble irrespirable.

« Mais le médecin a dit que le pronostic était bon.

— Je sais, mais je l'ai vu de mes yeux. J'ai vu ma propre mort.

— Ce que tu as vu, c'étaient les radiographies.

— Puis-je te poser une question ? demande-t-elle d'une voix grave brusquement.

— Bien sûr.

— Y a-t-il autre chose ?

— Comment ça ? »

Le regard de Catherine est désespérément bienveillant.

« Je veux dire, c'est tout ce que nous sommes. De la peau et des os. Il n'y a rien d'autre.

— Je ne peux pas accepter ça.

— Mais si l'on fait abstraction de nos corps, de notre existence physique, si l'on enlève ça, que reste-t-il ? »

Igor hésite, un instant perplexe, attentif aux moindres détails autour de lui. Son regard s'arrête sur les icônes autour du lit, sur les rideaux qui frissonnent. Il entend le chant des oiseaux dans le jardin. Et lorsque la réponse lui vient, elle lui paraît si évidente qu'un enfant pourrait la donner. Un mot soutenu par des rythmes inattendus, des liens invisibles. Une incarnation sublime de la voix du Seigneur, qui flotte, solitaire, au-dessus du vide.

« La musique, bien sûr. »

Elle le fixe d'un air interloqué. Elle ne saisit pas. Déconcertée et attristée, elle hoche la tête.

La réponse spontanée d'Igor s'avère parfaitement insatisfaisante. Il ouvre la bouche pour développer, mais les mots ne lui viennent pas. Après un long silence qui ne fait que creuser le fossé entre eux, Igor se lève solennellement, portant les doigts à son cou. Il s'avance pour embrasser son épouse, mais elle se détourne. Pendant quelques instants, il se tient là, immobile. Puis il quitte la pièce sans ajouter un mot, sans la regarder et regagne son bureau.

Catherine pleure, immobile. Son visage est défait, ses yeux sont injectés de sang, vidés d'expression. Sa peine semble infinie.

Au rez-de-chaussée, le ton arrogant du piano se rit d'elle. Pendant les quelques minutes qui suivent, sa poitrine est secouée de profonds sanglots dissonants.

10 septembre 1920

Très chère maman,

J'espère que tout va bien. Est-ce la peine de vous dire que vous nous manquez beaucoup, à tous ? Catherine et les enfants vous embrassent bien tendrement.

J'ai de nouveau écrit à l'ambassade pour demander qu'on vous envoie un visa. L'ambassadeur est un homme juste. Il pense qu'il ne devrait pas y avoir de difficulté. Mais il y a un retard dans les requêtes, dit-il, qui s'entassent sur les bureaux du ministère et personne ne se presse de les traiter. Soyez patiente ; nous continuons de prier pour que vous nous rejoigniez très bientôt.

Les enfants vont bien. Theo est un bon garçon. Il apprécie de plus en plus le dessin. Il a fait une excellente esquisse de la villa hier, que je joins à cette lettre afin que vous ayez une idée de l'endroit où nous vivons. Soulima a un don pour le piano. Je pense qu'il est suffisamment consciencieux pour devenir très bon. Ses doigts sont agiles et son esprit vif. Ludmilla n'en finit plus de grandir. Elle a vraiment poussé ces derniers mois. Il faut déjà lui racheter des vêtements. Et

Milène est adorable. Elle s'est prise d'affection pour un des chiots de la maison et elle veut le garder, je crois.

Cependant, Catherine n'est toujours pas bien. Elle a fait des examens récemment et j'ai bien peur qu'elle ne souffre de nouveau d'une forme légère de tuberculose. Elle reste optimiste, pourtant. De plus, le bon air et la chaleur d'ici lui réussissent. Le médecin qui la suit est excellent : toujours encourageant et plein de bon sens.

Je travaille avec assiduité et bonheur. Avec Diaghilev, je vais entreprendre une reprise du Sacre *l'an prochain. Une copie de la partition a été envoyée de Berlin. Je la révise et y apporte de nombreux ajouts. C'est agréable de pouvoir travailler. Et c'est une bénédiction de ne pas avoir à me soucier du loyer et des factures. Mon mécène est très généreux et fait preuve d'une parfaite hospitalité, je suis sûr qu'elle vous plaira beaucoup.*

Quoi qu'il en soit, portez-vous bien. Nous vous envoyons tous de tendres baisers. Vous nous manquez.

Votre fils qui vous aime

Igor

Plus tard dans l'après-midi, Igor donne à manger à ses perroquets. On leur a attribué un abri de jardin où se trouvent les outils : pelles, bêches, fourches, et des bouts de grillage. Une paire de cisailles pend à un crochet, les lames écartées d'une manière presque indécente. Le bois dégage une odeur de moisi. À l'intérieur, l'humidité est tropicale. À l'extérieur, pour une fois, tout est calme. Grâce à Coco, les enfants ont intégré l'école communale.

Rituellement, Igor remplit d'eau les abreuvoirs des oiseaux. Il verse du millet et des graines dans les mangeoires et ôte les plumes et les crottes du fond des cages. Il approche son visage du grillage et observe les mouvements saccadés des perroquets. Il y a de l'écho dans la remise. Les oiseaux font un beau vacarme. La porte derrière Igor s'ouvre.

« Pourquoi les oiseaux ? demande Coco.

— Comment ça ?

— Eh bien, ceux-ci, mais dans ta musique aussi... »

Sans se retourner il répond :

« Je suis fasciné par tout ce qui vole. Et, eux, ils sont magnifiques, tu ne trouves pas ?

— Si », concède-t-elle.

Elle regarde plus attentivement les perroquets et les inséparables se déplacer sur leurs perchoirs comme de minuscules jouets mécaniques.

« Regarde la perfection technique de ces ailes. Il doit y avoir un dieu à l'origine de ça, tu ne crois pas ?

— Allons, certains oiseaux sont à peine plus évolués que la vermine. La plupart sont des empoisonneurs.

— Je ne trouve pas. »

Il chatouille l'abdomen d'un perroquet, puis caresse les plumes de sa huppe.

« Regarde », dit-il.

À travers les barreaux, il tire la langue sur laquelle il a déposé des miettes de pain. L'oiseau le fixe et remue sa petite tête pour montrer qu'il a compris. Puis il se met à picorer.

« Pouah ! s'exclame Coco. Ils ne te pincent pas ? »

Igor ricane.

« Non. Ils sont très précis et ils voient beaucoup mieux que nous. Que moi en tout cas. »

Igor caresse le bec de l'oiseau qui jabote en retour.

« Leur cerveau doit être minuscule.

— Ça ne les empêche pas de chanter.

— Je sais. Je les entends. »

Igor siffle. Il fait « tss-tss » et claque la langue, et, penchant la tête, contracte les muscles de son cou d'une manière comique. Les oiseaux bougent les pattes et lui répondent, la tête penchée distraitement. Il ouvre une cage et encourage un des perroquets à se percher sur son doigt.

« Tu veux le tenir ?

— Je peux ?

— Vas-y. »

Elle le prend délicatement dans ses bras et sent son cœur battre contre la paume de sa main.

« Le climat est parfait pour eux. Ils se plaisent ici, dit Igor.

— Contrairement à toi ? demande Coco tout en continuant de caresser l'oiseau.

— Je trouve qu'il fait très chaud quand même. »

Il repense à sa dispute avec Catherine. L'idée de ce qui peut se produire maintenant le déprime. Pour l'instant, Coco et lui volent leurs moments d'intimité. Ils ont leurs après-midi à Paris, mais ce serait mieux de pouvoir passer la nuit ensemble, de s'habituer au son de la respiration de l'autre, de sentir le contact de sa peau, de pouvoir la toucher toute la nuit. Mais Igor est bien décidé à ce que leur relation reste discrète. Il ne souhaite pas humilier Catherine. Et depuis la scène épouvantable du matin, il ne sait plus très bien ce qu'il ressent. De l'apathie, surtout. Et de la tristesse. S'occuper des oiseaux lui apporte un calme monacal.

« Eh bien, bientôt, il fera beaucoup plus doux, si ça peut te réconforter. Peut-être que les oiseaux devront s'envoler vers le sud.

— Le besoin de migrer peut rendre fous certains d'entre eux. Ils se frappent la tête contre les barreaux. »

Coco tend le perroquet à Igor. Il le remet délicatement dans sa cage. Il y glisse le doigt et laisse un autre perroquet lui picorer un ongle avec espièglerie.

« J'espère que tu n'es pas comme eux. »

Être avec Coco, songe-t-il, c'est un peu comme être saoul en permanence. Il se demande combien de temps il pourra supporter cette sensation merveilleuse et enivrante. Jamais il n'a ressenti pareil vertige. Comme après une première cigarette. Il ne parvient pas à se concentrer. Parfois, il ne désire que respirer un peu d'air frais. Et elle l'épuise physiquement. Femme aguichante, elle peut, comme un serpent, avaler quelqu'un qui fait deux fois sa taille.

« Eh bien ?

— Quoi ?

— Est-ce que tu es comme eux ?

— Tu sais ce qui me manque ? demande-t-il en ôtant son doigt de la cage.

— Dis-moi.

— La neige », répond-il.

Elle lui semble aussi glacée que ses émotions.

« La neige ?

— Oui. La vraie. Pas la fine poudre qu'on trouve ici, mais ces énormes flocons qui tourbillonnent en tous sens et tombent pendant des jours. »

Coco prend la main d'Igor et l'attire vers elle.

« Allons.

— Quoi ?

— C'est la chaleur. Moi aussi, elle me fait de l'effet.

— À l'instant ?

— Oui. Je veux que tu viennes dans ma chambre.

— Mais… »

Il se souvient que les enfants sont à l'école. La décision est prise. Il capitule. La femme la plus forte l'emporte encore.

Ils sortent furtivement de la remise et montent à l'étage sans bruit. Coco le mène pour la première fois dans sa chambre en le tirant par le doigt avec insistance.

Une heure plus tard, assise sur le rebord de la fenêtre, elle remarque Igor, en bas, dans le jardin. Par jeu, elle saisit un oreiller et arrache des poignées de plumes. Elle retourne à la fenêtre et l'ouvre.

Igor l'entend et lève les yeux. De la main, il se protège du soleil. Coco se penche en lui adressant un large sourire. Il la regarde, perplexe. Le sourire de Coco se fait frondeur, puis soudain elle lance :

« La voilà ta neige ! »

Elle jette une brassée de plumes qui atterrit sur le crâne et la veste d'Igor. Quelques poignées de plus suivent dans une douce bourrasque blanche. Chaque plume tourbillonne légèrement. Elles l'aveuglent presque, tournoyant dans leur chute, traversées de soleil ; elles l'éblouissent presque, porteuses de la promesse d'une clarté intense.

23

Igor arpente son bureau au rythme de sa musique intérieure. La tête penchée, il fredonne d'une voix presque inaudible. Ses pas suivent les variations de la mélodie qui le hante. Il s'assied pour la transcrire, la capturer sur-le-champ.

Se fixer des limites, s'imposer des restrictions et des contraintes, est, selon lui, le meilleur moyen de mettre à profit son imagination. L'océan de liberté de la page blanche est souvent synonyme de naufrage. Il a besoin d'un écueil, comme un filet de tennis : un obstacle par-dessus lequel lancer la balle. Avec les *Symphonies d'instruments à vent*, il s'est imposé de jongler avec des rythmes à la fois synchrones et distincts. Il essaie, en travaillant, de ne pas trop organiser son œuvre, mais plutôt de suivre son intuition et de voir ce qu'il en émane.

Ces derniers temps, il se passionne pour la tension créée par des éléments fortuits, enchevêtrés, combinés avec une composition plus traditionnelle. Les accords adjacents joués simultanément possèdent une beauté hasardeuse qu'il souhaite explorer. Les noires et les blanches dessinent un motif d'accords potentiels, de mélodies encore muettes, d'harmonies auparavant inaccessibles qui se profilent soudain à l'horizon. Il tente de les saisir et les transposer, se fiant à sa ferveur créatrice.

Il aime commencer avec les graves, puis remonter dans les aigus. Il joue des phrases à différents rythmes, réglés par le métronome. Il superpose des arpèges en *do* majeur et en *fa* dièse. Des notes noires et blanches. Des accords toniques et dominants. Majeur et mineur dans le même registre. Il a déjà une mélodie en tête : une harmonie polytonale qui sonne comme une projection de peinture vive sur un mur. Lorsqu'il ferme les yeux, il en perçoit presque la forme vibrante comme une ombre sur sa rétine. Il tente de concilier les sons qu'il a en tête avec ceux du clavier. Résolu à les unifier, il griffonne des notes sur les portées. Pendant quelques minutes, la similitude entre la musique intérieure et sa transcription semble parfaite.

Puis, une chose étrange se produit : il a la sensation soudaine que son existence dessine un motif invisible de touches. Il se rappelle le bourdonnement céleste des insectes dans le jardin, puis il s'interrompt pour se demander dans quelle mesure sa vie ici est donnée, déjà écrite, comme la musique sur les rouleaux du piano mécanique. Il se sent soudain léger, comme guidé par d'habiles mains étrangères.

Il écrit sans relâche. Il ne parvient pas à remplir les portées assez vite. La composition l'entraîne. Pour un homme habitué à maîtriser les moindres détails de sa vie, c'est une étrange sensation. Son élan l'emporte ; pris dans le courant incoercible des notes, il se sent submergé d'allégresse. Une intense chaleur le dévore. Ses oreilles sont en feu.

Lorsqu'il a terminé, il se cale dans son fauteuil, épuisé. Il relit ce qu'il a composé. Il est excité. Est-ce une illusion ? N'est-ce pas génial ? Il veut montrer son travail à Catherine. En général, elle en a la primeur. C'est sa meilleure et plus féroce critique, sa copiste la plus douée. Il peut toujours se fier à ses jugements honnêtes. Il brûle de savoir ce qu'elle en penserait. Cela lui plairait-il ? Approuverait-elle ? Mais il ne peut décemment pas lui demander. Ce serait insultant de lui soumettre une preuve aussi éclatante de sa vigueur. Lui offrir ce témoignage de son épanouissement, maintenant, ne ferait qu'accroître sa douleur. Ce serait comme lui montrer le nu d'une autre femme et lui demander : comment tu le trouves ?

Igor se roule une cigarette. Il a le goût du tabac dans la bouche. Lorsqu'il l'allume, la fumée le fait ciller un instant. Il jette un œil aux portraits de ses enfants sur le bureau ainsi qu'au cadre ovale qui montre un cliché de Catherine jeune. Les photographies et leurs détails expressifs semblent tirés d'une chronique désuète sur le bonheur; des images d'une époque révolue.

Depuis la révélation de son infidélité, elle semble s'être complètement repliée sur elle-même. Elle ne descend plus pour prendre les repas. Lorsqu'elle se promène dans le jardin, elle le fait seule. Elle a cessé de l'agonir d'injures et souffre à présent en silence, se détournant lorsqu'il entre dans leur chambre. Elle ne pleure plus. Émotionnellement ruinée, elle ne dispose plus des ressources nécessaires pour lui faire des scènes. Sur son visage se lit une dureté nouvelle, silencieuse, un air léthargique au-delà de la douleur. Elle s'est changée en fantôme.

Du fond du couloir s'échappent les bruits du déjeuner qu'on prépare. Maintenant qu'ils vont à l'école, ne plus entendre les enfants semble étrange.

Igor se remémore sa propre enfance. Il se rappelle les longues promenades avec son frère dans les bois environnant Saint-Pétersbourg : le brouillard matinal, les nuées de moucherons au bord du fleuve. Bien que lointaines, ces images suscitent en lui une profonde mélancolie, le constat d'une grande perte. Ses souvenirs détonnent avec sa situation actuelle comme une couleur malheureuse. Le contraste crée du bruit. La sensation de brûlure le reprend. Il se saisit alors d'un crayon et se met à griffonner, se lançant dans une dernière demi-heure de travail avant le repas. Sa main peine à suivre le rythme des notes qu'il a en tête. Il sent un cal se former à serrer le crayon si fort.

L'après-midi, Coco et Igor marchent dans le jardin. Les enfants ne seront pas de retour avant quelques heures.

« Ça ne t'ennuie pas que nous ne nous tenions pas par la main ? demande Coco.

— Pourquoi cette question ?

— Je ne sais pas. L'idée vient de me traverser l'esprit : on ne se tient jamais par la main.

— Ça t'ennuie ?

— Je ne sais pas. Je viens juste d'y penser. »

L'odeur de l'herbe fauchée imprègne l'atmosphère, pimentée d'une pointe de pollen qui chatouille ses narines et la fait presque éternuer.

« Peut-être bien, ajoute-t-elle.

— Je ne suis pas sûr que ça me plairait.

— Pourquoi ?

— Nous n'en sommes plus là.

— Il ne faudrait jamais dépasser cette étape.

— Non, ce que je veux dire, c'est que nous ne nous aimons pas comme deux adolescents. Notre amour est mature. Nos affinités sont plus profondes que celles d'un mari et de sa femme. Je le sens.

— Plus profondes que celles de deux cousins ? »

Ils atteignent la limite, sinueuse, de la pelouse.

« Très bien ! s'écrie Igor.

— J'imagine qu'il serait inconvenant que ta femme nous surprenne main dans la main...

— Ça n'a rien à voir.

— Vraiment ?

— Oui, c'est absurde.

— En quoi ? Tu n'as pas peur qu'elle découvre notre liaison ?

— Et si je te disais qu'elle sait déjà ? »

Coco s'arrête. Sidérée, elle se tourne pour lui faire face.

« Elle est au courant ? Comment l'a-t-elle appris ? Tu le lui as dit ?

— D'une manière détournée, oui, répond-il en se gardant de croiser le regard de Coco.

— Quand ?

— Il y a quelques jours.

— Pourquoi ? »

Il sent que Coco le scrute.

« Pourquoi pas ?

— Je n'arrive pas à croire que tu le lui aies dit, à elle.

— À qui d'autre aurais-je pu le dire ?
— Ça m'étonne, c'est tout.
— Qu'y a-t-il de si surprenant ?
— Eh bien, que tu ne m'aies pas tenue au courant !
— Tu ne m'as pas consulté avant d'aller le raconter à Misia.
— Ce n'est pas un jeu, Igor ! »
Sentant qu'il doit se rattraper, il lâche :
« Comment peux-tu remettre en question mon amour pour toi ? »
Ils reprennent leur promenade.
« Ce n'est pas le cas. J'aimerais juste que tu sois plus honnête avec moi.
— Je t'adore. Et tu le sais.
— Mmm. »
Pour se justifier, Igor embrasse Coco dans le cou. Son parfum lui chatouille les narines. Il ressent de nouveau le douloureux et entêtant désir qui brûle son corps depuis le début de l'été.
Elle reconnaît qu'il s'est montré plus attentionné ces derniers temps. Il lui a appris quelques morceaux de piano, lui a écrit des lettres passionnées et lui a donné des dessins qui les représentent. Mais elle sait qu'il tente ainsi de maîtriser la situation. Elle doit rester vigilante si elle veut garder le dessus.
« Quoi qu'il en soit, dit-elle, j'ai quelque chose à te dire.
— Quoi donc ?
— Cela nous concerne tous les deux.
— Eh bien ?
— J'ai une semaine de retard. »
Le cœur d'Igor cesse de battre un instant.
« Tu en es sûre ?
— Évidemment !
— C'est inhabituel ?
— Je suis réglée comme une horloge. »
Il fait un pas et son pied lui semble ne pas toucher le sol, mais s'y enfoncer.

« Doux Jésus ! »

Le visage d'Igor devient livide, comme si un vortex au centre de son corps aspirait toute couleur.

« Ça t'inquiète ?

— Je devrais avoir peur ?

— Je ne sais pas.

— Catherine a souvent du retard.

— Eh bien pas moi, en général ! proteste Coco.

— As-tu remarqué des changements ? demande-t-il en l'empêchant d'avancer. Dans cet état, Catherine dit qu'elle se sent bizarre. Un truc hormonal. Ses seins sont mous et douloureux. Elle se sent fatiguée. C'est comme ça qu'elle sait.

— Ce n'est pas ce que je ressens, bien qu'en y songeant ce soit peut-être le cas. Mais je n'arrive pas à dormir et c'est exceptionnel.

— Qu'allons-nous faire ?

— Il n'y a rien à faire. Pour l'instant. »

Igor commence à avoir peur.

« As-tu essayé de prendre des bains chauds ?

— Je le fais toujours.

— Je veux dire, des bains très chauds. Brûlants.

— Et si je voulais un enfant ? Tu y as pensé ? »

Elle repense à l'époque où elle avait essayé avec Boy. Elle ne l'avait pas encore envisagé avec Igor. Maintenant que cette possibilité existe et qu'elle s'entend en discuter, l'idée lui plaît assez. Elle ressent de la fierté pour sa fertilité possible. Il lui semble que l'image des pruniers et des cerisiers est projetée de l'intérieur de son corps sur le jardin.

« La perspective ne te réjouit pas, n'est-ce pas ? »

Sous le soleil, les paupières d'Igor se teintent de rouge comme un contrepoint au sang qui ne s'écoule pas.

« Et toi, tu es contente ? »

Elle élude la question. Elle ne sait que penser. Et quelle est cette sensation de brûlure dans son abdomen ? Est-ce qu'elle l'imagine ?

« Non, répond-elle sur un ton solennel. Mais j'aimerais être là quand tu apprendras la nouvelle à Catherine. »

Igor, le souffle coupé, ne parvient pas à répondre. Sur la pelouse devant lui, il aperçoit une balle verte couverte de bave de chien et un volant de badminton auquel il ne reste qu'une seule plume. Les quelques secondes suivantes sont lourdes de non-dit. De la remise s'élève une cacophonie de perroquets. Des nuages innocents flottent au-dessus d'Igor.

Lorsque Coco et Igor se dirigent vers la maison, la fraîcheur les enveloppe. La chaleur s'écoule de leur peau et de leurs vêtements.

24

Des quatre enfants d'Igor, la préférée de Coco est Ludmilla. La fillette de douze ans suit Coco avec obstination partout dans la maison. Elle écoute ses conversations téléphoniques, lui emboîte même le pas jusque dans sa chambre quand elle va se changer. Et, chaque fois que ses attentions importunes sont sur le point de faire perdre patience à Coco, Ludmilla, qui doit le sentir, l'attendrit par un sourire charmeur, irrésistible.

Cela ne dérange pas Coco, parfaitement consciente d'avoir fait d'elle sa préférée. Elle n'a aucun mal à exprimer son affection. Après tout, elle n'est pas la mère de la fillette, songe-t-elle.

Catherine éprouve vite de la rancœur pour le rapport que sa fille aînée entretient avec leur hôtesse. Elle ne peut s'empêcher de remarquer que Ludmilla est plus souvent au rez-de-chaussée à jouer avec Coco qu'à l'étage pour s'occuper d'elle. Une sorte de compétition pour l'affection de l'enfant s'engage dans la villa.

Cette concurrence ne fait qu'augmenter l'intérêt de Coco pour Ludmilla. Elles partagent une complicité grandissante. Coco autorise Ludmilla à jouer avec ses bijoux et l'encourage à essayer certains de ses vêtements. Les différents tissus enchantent la fillette. Que leur matière brute puisse être transformée en jupe ou en veste l'intrigue. Le procédé la fascine et attise sa curiosité. Après ces moments passés avec Coco, Ludmilla, éblouie, est impatiente de raconter à sa mère les choses fabuleuses qu'elle a vues. Elle souhaite aussi exhiber la robe que Coco lui a offerte.

« N'est-ce pas merveilleux ? » demande Ludmilla, enthousiaste, à sa mère en lui montrant la cape en dentelle de Chantilly noire. Catherine parvient à lui adresser un sourire crispé. À ses oreilles, la robe fait un froufrou sinistre. En virevoltant, sa fille dégage une coquetterie instinctive, une sensualité naturelle qui amènent sa mère à la considérer sous un jour nouveau. Elle est horrifiée à l'idée que Coco lui apprenne les manières de son milieu. Cette ordure. Son bébé. Le cœur de Catherine se serre.

Elle se plaint à Igor. Elle a l'impression que Coco lui vole Ludmilla en achetant son affection avec des cadeaux hors de prix. Comme si perdre son mari ne suffisait pas ! Il faut aussi qu'elle perde sa fille ! C'est trop difficile à supporter.

Igor ne réagit pas. De toute façon, que peut-il dire ? Il ne peut pas reprocher à Coco son amitié pour sa fille, ni le temps qu'elle lui accorde bien volontiers. Elle se moquerait de lui. De plus, il se demande quel rôle joue la grossesse éventuelle de Coco dans cette complicité nouvelle avec Ludmilla. Tous les jours, il espère l'entendre annoncer qu'il s'agissait d'une fausse alerte et qu'il n'y a plus lieu de s'inquiéter. Mais elle ne lui a encore rien dit de tel, ce qui ne fait qu'augmenter son angoisse. Ainsi, quand Catherine se plaint que la situation a empiré et que Coco et Ludmilla passent de plus en plus de temps ensemble, il lance :

« Je ne vois pas où est le problème. Cela ne fait de mal à personne. C'est parfaitement naturel. En plus, ajoute-t-il en s'impatientant, c'est aussi bien à son âge qu'elle reçoive un peu d'attention. »

Catherine est piquée au vif par cette remarque. Elle ne mérite pas cela. Sous le coup de la colère, elle réplique :

« Même malade, j'en fais plus que toi pour les enfants. »

C'est un point sensible pour tous. Coco veille à ne pas s'impliquer dans ce nouveau conflit. Ludmilla, quant à elle, ne se rend pas compte des courants contraires d'affection qui tourbillonnent autour d'elle. Tandis que ses parents se disputent pour savoir avec qui elle passe le plus de temps, elle se rapproche de Coco, au grand dam de Catherine.

Un jour, la fillette reste dans sa chambre à pleurer. Elle est inconsolable. Lorsque Catherine lui demande ce qui ne va pas, elle ne répond pas. Elle refuse aussi de parler à son père et semble étrangement honteuse. Ses sanglots se prolongent toute la matinée. Vers l'heure du déjeuner, c'est à Coco qu'elle parle de la tache rouge, collante, intimement poisseuse qui goutte de sa culotte et salit sa robe neuve.

Coco n'a pas besoin d'explications, elle sent l'odeur en entrant dans la pièce.

L'arrivée de ses premières règles effraie et bouleverse Ludmilla. Un sourire se dessine sur le visage de Coco. Le fantasme d'un instinct maternel se loge dans son cœur. Elle souhaite la bienvenue à la fillette de douze ans et demi dans le monde de la féminité et lui serre la main affectueusement. Ludmilla se sent tout de suite mieux dans sa peau.

Coco a elle aussi eu ses règles le matin. Toutes deux sont synchrones. Cela arrivait quand elle vivait avec Adrienne. Une sororité du sang. Elle se sent idiote d'avoir parlé à Igor, de l'avoir effrayé. À aucun moment elle ne s'est sentie enceinte, bien qu'elle ait imaginé quelques signes révélateurs. Elle lui a fait part de ses craintes pour mettre fin à ce qu'elle tenait pour de la complaisance, mais aussi parce ce que par superstition elle pensait que lui en parler pourrait déclencher ses règles. De plus, à qui pouvait-elle se confier, si ce n'est à Igor? Si elle en avait parlé à n'importe qui d'autre, Misia en particulier, il aurait été fou de rage.

La frayeur passée, elle se sent apaisée. Elle n'est pas enceinte. C'est ce qu'elle désirait, même si le soulagement se teinte d'une certaine déception. Elle avait commencé à se mouvoir différemment : d'une manière plus noble, plus digne. Cette réaction de son corps lui fait prendre conscience qu'elle a toujours désiré un enfant. Et quand sinon maintenant ? Elle sait qu'il sera bientôt trop tard.

Ludmilla s'est égayée. Écrasant une larme sur la joue de la fillette, Coco lui conseille d'informer sa mère.

« Elle sera fière de toi. »

Ludmilla, inquiète, mord sa lèvre inférieure.

« Elle va penser que je suis sale.

— Non.

— Si.

— Je te promets que non. Elle se dira que tu grandis.

— Vous ne pourriez pas lui dire, vous ?

— Je ne crois pas que ce serait bien, répond Coco en souriant.

— Pourquoi ?

— Tu pourrais en parler avec Suzanne, elle t'expliquerait tout.

— Vraiment ?

— Oui. »

La fillette se raccroche à cette suggestion. Cela semble la rassurer. Elle lève les yeux vers Coco.

« D'accord. »

Ludmilla palpe la tache sombre sur sa robe. Elle rit nerveusement.

« Je me sens toute drôle.

— C'est normal au début. Toutes les femmes ressentent ça.

— Est-ce que ça veut dire que je peux avoir des bébés ?

— Absolument.

— Et vous, vous aurez un bébé plus tard ?

— Je ne sais pas. Un jour, peut-être. »

Les mots lui écorchent la langue. En voyant le sang en retard sur le papier toilette ce matin, elle s'est sentie trahie. La tache symbolisait son échec ; la seule chose qu'elle ne puisse pas faire. Elle repense aux deux avortements avec ses précédents amants. Des soldats dans la cavalerie, tous les deux.

Qu'est-ce que ces interventions ont fait à sa matrice ? Elles l'ont réduite à cette tache rouge de vide ; ce rien innommable, cette absence.

« Maman aime les bébés.

— Tu crois qu'elle en veut d'autres ? »

Le ressentiment altère sa voix. Elle se demande comment Catherine peut être si féconde et pas elle. Quatre enfants. Cela lui paraît injuste.

« Pas depuis qu'elle a été malade, avec Milène. De toute façon, papa n'en veut plus.

— Il te l'a dit ? »

Ludmilla reste silencieuse un instant, puis reprend :

« Alors vous ne pensez pas que je suis sale ?

— Non. Ce qui t'arrive est normal.

— Vous croyez vraiment que je devrais le dire à maman ? » s'enquiert-elle timidement.

Coco sourit.

« Ce serait une bonne chose. »

Ludmilla ne sait pas trop comment se tenir, ni comment disposer sa robe. Elle hausse les épaules. Son corps semble s'être alourdi. C'est comme si quelque chose en elle la ralentissait.

Coco se penche vers elle pour l'étreindre d'une façon embarrassée. Coco tapote le dos de Ludmilla, puis la prend par les épaules. Les yeux de la fillette sont de nouveau humides. Posant les mains sur les joues de Ludmilla, Coco essuie les larmes avec ses pouces.

« Tu es une gentille fille, dit Coco. Ne t'inquiète pas pour la robe. On va vite pouvoir la remplacer. »

Des feuilles jaune-brun tombent en abondance. La bise froide d'octobre fait onduler le gazon.

Un dimanche, Catherine fait l'effort de se lever tôt pour assister à la messe. Elle emmène les enfants avec elle, tenant Ludmilla par la main. Joseph et Marie s'y rendent aussi, accompagnés de Suzanne. Igor a trop de travail, dit-il. Coco est encore au lit.

Un peu plus tard, Igor s'habille pour la deuxième fois de la matinée, dans la chambre de Coco. Ils ont tenté de faire l'amour, mais n'y sont pas parvenus. C'était la première tentative depuis les règles de Coco. Igor brûle de honte.

« Je suis désolé. Je suis préoccupé en ce moment.

— Ça ne fait rien. »

Vexé par sa tolérance, il proteste.

« Sur commande, je ne peux pas.

— Je viens de te dire que ça n'avait pas d'importance. »

La chaleur de sa voix semble hypocrite.

Quand elle lui a annoncé qu'elle n'était pas enceinte, elle a été choquée par sa réaction euphorique. Il doit penser qu'il est béni des dieux, songe-t-elle. Il a semblé content de lui et il a dit qu'il avait prié pour que cela arrive. Il s'est même rendu à l'église. Cela l'a agacée.

« Ça n'a pas d'importance, répète-t-elle.

— Tu me donnes toujours l'impression d'être en compétition.

— En compétition ? Avec qui ?

— Toi. »

Il ne parvient pas à se rhabiller assez vite et s'escrime maladroitement avec sa ceinture.

« Moi ? »

Coco sort de sa langueur.

« Je vois. »

Pendant un instant, un silence étrange s'installe autour du lit. Puis Coco demande :

« Est-ce que je te fais peur ?

— Bien sûr que non.

— Alors je ne vois pas ce que tu veux dire.

— Ne sois pas désobligeante.

— Ce n'était pas mon intention. »

Elle se rallonge.

Igor se débat avec l'une de ses chaussettes.

« Tu veux toujours maîtriser la situation.

— J'essaie tout simplement d'être heureuse.

— Et je fais de mon mieux pour te rendre heureuse.

— Je sais », répond-elle sans conviction.

Elle se redresse et tente de paraître sincère. Récemment, il a évoqué le projet de lui dédier sa prochaine symphonie. À bien y réfléchir, elle doute qu'il le fasse. C'est un geste trop téméraire pour lui.

Il tire ses lacets d'un geste sec.

« Je ferais mieux de partir. Ils seront là d'un instant à l'autre.

— Oui. »

La peur d'être découvert a laissé place à celle de ne pas être à la hauteur des anciens amants de Coco. Il a parfois l'impression qu'elle le trouve maladroit, inexpérimenté, incompétent. En outre, il ne parvient toujours pas à s'affranchir du sentiment de mal agir.

Comme un pendule qui décrit un arc constant, son cœur oscille entre les deux femmes de sa vie.

Catherine, sa femme, et Coco, sa maîtresse. Deux lettres *c* en miroir entrelacées. Il nourrit l'espoir confus que par quelque miracle les deux femmes se fondent en une seule ; la délicatesse, la subtile intelligence et la sensibilité de Catherine, et la vitalité, le charme naturel et le raffinement de Coco. Hélas, le fossé qui les sépare semble s'élargir d'heure en heure et son cœur, prisonnier, s'écrase contre la cage de son thorax, lui laissant une sensation de brûlure dans la poitrine.

Sur le point de quitter la chambre, il fait marche arrière pour embrasser Coco. Une formalité. Elle y consent. Il reste joue contre joue avec sa maîtresse. L'instant devient tendre.

Elle murmure :

« Ne peux-tu pas te détendre ? »

Inspirant profondément, il sent l'odeur musquée du corps de Coco. Pendant un instant la vulnérabilité de Coco et le désir d'Igor se ravivent.

« Excuse-moi. C'est difficile avec tout le monde sous le même toit.

— Mais ils ne sont pas là. »

Elle est excédée de le voir se dépêcher sans cesse.

« Je sais, mais ils vont bientôt rentrer. »

Il ferme le bouton de chemise qui lui résistait encore.

« Tu m'avais pourtant dit qu'elle était au courant, s'étonne Coco.

— Oui, mais tout de même, je n'ai pas envie de lui mettre le nez dedans.

— Très bien. »

Coco soupire, puis se détourne. Parfois, il lui semble ne pas être aussi réelle pour lui que l'est Catherine.

« Nous parlerons plus tard », conclut Igor en se dirigeant vers la porte.

Avant qu'il ne quitte la pièce, Coco et lui échangent un sourire en demi-teinte.

Igor regagne son bureau et ouvre grande la fenêtre de peur de porter encore le parfum de Coco. Il ne se sent pas plus serein ici, car un autre problème l'attend : son travail. Il essaie d'achever sa symphonie tout en reprenant *Le Sacre* et en transcrivant des partitions pour le piano mécanique. Il se sent dépassé et ignore s'il pourra mener à bien ces projets.

Tourmenté par une indigestion, il se redresse et s'appuie le poing sur le ventre. Il déglutit et essaie de faire descendre un bout de nourriture récalcitrant. En se rinçant la bouche le matin même, il s'est avisé, à la teinte rosée de l'eau, que ses gencives saignaient. Il hoche la tête. Il se souvient des paroles de Catherine. Lui aussi est persuadé qu'il pourrit de l'intérieur et se délite lentement. Un nœud dans son ventre et sa poitrine, et à présent des saignements. Les preuves s'accumulent.

Il jette un œil à ses carnets. Sa vie privée et son activité professionnelle souffrent des mêmes maux. Ce qui paraissait génial sur le papier l'autre jour s'avère moins bon à la réflexion.

Le manque d'ordre dans ses compositions le peine. Ces derniers temps, il a rassemblé des idées, inséré des fragments dans ce qui constituait déjà des fragments et il n'est pas convaincu que l'ensemble forme une unité. Il est en panne d'inspiration et ne voit pas comment poursuivre. Les turbulences et les événements désordonnés de sa vie ici ont troublé la clarté de sa pensée. La complexité de son existence à Bel Respiro semble gagner sa musique et rendre son travail brouillon et inconsistant.

Tout est silencieux comme si les sons avaient été aspirés. Soudain, il remarque que le bourdonnement des insectes a cessé et songe que quelqu'un a retiré son pied de la pédale de l'été. Comment a-t-il pu ne pas s'en apercevoir ? Quand l'été a-t-il pris fin ? Et pourquoi ?

Il regarde de nouveau ses carnets. Vingt-quatre instruments à vent doivent jouer en même temps : des strates sonores très travaillées. Pour l'instant, il ne parvient pas à les entendre distinctement, ni à savoir comment elles pourraient se rencontrer. Lorsqu'il tente d'en imaginer une par rapport à l'ensemble, elle s'y fond ou semble si indépendante qu'elle ne peut s'y marier.

« Ça ne va pas », dit-il.

Il entretient l'espoir que tous les fragments disparates vont soudain s'harmoniser, comme dans un kaléidoscope, dans un motif doué de sens. Mais pour l'instant, ses efforts restent vains.

Il ressent le besoin de débarrasser sa musique de son aspect confus. Il souhaite parvenir à un résultat pur, distillé, net : l'essence de la musique. La seule manière d'obtenir une véritable tension songe-t-il, est de discipliner des rythmes contradictoires et de créer des ruptures en opposant les différentes mélodies.

Il regarde une fois encore la partition du *Sacre*. Et là, une intuition lui revient. Le rythme. C'est ça !

Cela le frappe de nouveau avec la fulgurance d'une révélation. Le principe organisateur : le rythme plutôt que l'harmonie. C'est lui le ciment de l'édifice.

Nous marchons tous au rythme d'une mélodie que nous entendons dans nos têtes, pense-t-il. Mais il est différent pour chacun de nous. Peut-être l'amour permet-il une synchronie absolue entre deux êtres.

Après cette révélation, il se sent libéré, mais aussi obscurément effrayé, car elle est pour lui une métaphore du tempo de sa propre existence et des soubresauts de sa vie. Avec un empressement qui semble suivre la cadence de son pouls, il teste les intervalles entre les notes en les confrontant aux battements du métronome. Il sait qu'il existe des nuances, de subtiles variations rythmiques qui ne peuvent pas être complètement capturées par la notation. Les fractions que permettent les croches et les doubles croches ne sont pas parfaites. Il y a des failles, des marges de liberté entre elles qui ne peuvent être notées. Igor sent que c'est dans ces interstices que réside la clef d'une découverte. Si seulement il pouvait explorer des yeux ces espaces secrets, ces petits bouts de temps intermédiaires.

À cet instant, il entend la porte d'entrée s'ouvrir. Les enfants accourent dans un vacarme soudain. Il aperçoit Catherine par la fenêtre. Elle marche lentement, mais sans aide. Au retour de l'église, elle est nimbée d'une aura de sainteté comme toujours. La piété lui sied. Elle lui confère une sorte d'éclat.

Igor va accueillir ses enfants. Il se colle contre la porte pour laisser entrer Catherine. Elle l'ignore, plaçant son ombrelle entre eux comme un bouclier. Pâle, elle passe devant Igor en flottant tel un fantôme.

C'est comme s'ils évoluaient dans deux mondes distincts avec des systèmes temporels différents. Ils sont en décalage. Deux lignes mélodiques qui suivent des directions sans l'ombre d'une jonction. C'est comme s'ils n'existaient plus l'un pour l'autre.

De retour dans son bureau, il règle la vitesse du métronome. Jusqu'à l'heure du déjeuner, le rythme, plus lent que les pulsations de son cœur, bat dans sa tête avec une précision démoniaque.

Le soleil est bas. Les arbres ont perdu presque toutes leurs feuilles. Dans le ciel, des oies volent en V en cacardant.

Joseph aide Marie à étendre la lessive. Le linge de lit, volumineux, est difficile à manœuvrer. Ils déplient un drap d'où s'échappe un nuage d'humidité comme une odeur des plis d'un tissu. Joseph tient un côté et Marie l'autre. Ensemble, ils tirent sur l'étoffe pour la défroisser. Ils s'approchent l'un de l'autre; les bords se touchent; comme s'ils se livraient à une danse rituelle.

« Est-ce qu'elle t'a déjà parlé des congés ? » demande Joseph.

Deux pinces à linge entre les dents, Marie marmonne :

« Non. »

Placées à intervalles réguliers, les pinces dessinent des ombres dentées sur les draps.

« Nous avons droit à quelques jours avant la fin de l'année.

— Tu devrais lui parler.

— Moi ? »

Tenant gauchement le panier de linge sous le bras, Marie se tourne vers son mari.

« Oui, toi.

— Mais c'est toi qui passes du temps avec elle. C'est toi sa bonne.

— Pour ce genre de demande, tu t'en sors mieux. »

Du coin de l'œil, elle aperçoit les draps blancs flotter au vent.

« Bon sang, la situation est tellement tendue. J'ai l'impression de tout le temps marcher sur des œufs. »

Suzanne et les autres enfants pénètrent dans le jardin. C'est dimanche; ils n'ont pas classe. Ils forment un groupe désordonné. Theodore fait rebondir un ballon de football. Quand ils se déplacent, on perçoit des bras osseux et des jambes claires; un défilé gauche et mal organisé, indifférent aux événements extérieurs.

En se dirigeant vers la maison, Joseph lance :

« Ce sont les enfants pour qui j'ai de la peine.

— Tu sais ce que Milène m'a dit l'autre jour ?

— Quoi ? »

Marie regarde autour d'elle pour s'assurer que personne ne peut l'entendre.

« Elle a dit : "Est-ce que Coco va être notre nouvelle maman ?"

— Qu'est-ce que tu as répondu ?

— J'ai dit non, bien sûr ! Après, elle a demandé si sa maman allait guérir un jour.

— Mon Dieu !

— Elle est très sensible. Elle pleure tout le temps. On voit que quelque chose la préoccupe.

— C'est bien triste.

— Je ne crois pas que M. Stravinski l'ait remarqué. »

Comme en réponse, les premières notes du piano s'échappent du bureau d'Igor. Elles flottent au-dessus de la pelouse comme du linge éparpillé. Les rythmes sont étranges et syncopés, animés d'une fureur nourrie de l'intérieur.

À peine passé la porte de la cuisine pour rentrer, Joseph souffle :

« Sa musique n'est pas vraiment rassurante non plus, tu ne trouves pas ?

— Je suis sûre qu'elle les effraie. Elle fait peur à Suzanne en tout cas. »

Le cri des oies au-dessus du toit s'inscrit en contrepoint brutal des sons du piano.

« Ça ne m'étonne pas. Moi aussi, elle m'effraie parfois. »

25

Ludmilla a un peu froid sans chemise, la tête bien penchée au-dessus du lavabo pendant que Coco lui lave les cheveux. Trois quarts d'eau chaude et un quart d'eau froide ; le flot tiède s'étale en rubans sur son cuir chevelu.

Ses joues et ses paupières brillent lorsqu'un peu plus tard, enturbannée d'une serviette, elle regarde Coco. Celle-ci lui frictionne vigoureusement la tête une dernière fois avant de lui démêler les cheveux avec un peigne en écaille de tortue.

« Voilà, dit-elle. C'est fini. »

Elle tend une barre de chocolat à Ludmilla.

« Ne dis pas à ta mère que je te l'ai donnée.

— Pourquoi ? demande Ludmilla en ôtant l'emballage.

— Elle pourrait penser que ce n'est pas bon pour toi.

— C'est le cas ?

— Seulement si on en mange trop.

— Une barre, c'est trop ?

— Non. »

Satisfaite par cette information, Ludmilla croque une nouvelle bouchée. Elle mâche énergiquement, de toute la puissance de ses jeunes mâchoires. Elle a du chocolat sur la commissure des lèvres.

« Pense à te laver le visage quand tu auras fini. »

Avant que Coco ait le temps d'ajouter quoi que ce soit, Ludmilla lui demande :

« Est-ce que vous aimez bien maman ?

— Évidemment. Même si je ne la connais pas très bien.

— Pourquoi est-ce qu'elle est toujours malade ?

— Je ne sais pas. »

Un silence s'installe pendant lequel Ludmilla réfléchit. Elle croque un autre carré de chocolat. La bouche encore pleine, elle demande :

« Est-ce que vous aimez bien papa ?

— Oui.

— Vous préférez papa à maman ? »

Le français rudimentaire de Ludmilla la fait paraître plus enfant qu'elle ne l'est en réalité. Derrière ces questions naïves, Coco détecte une certaine perspicacité. Prenant garde de ne pas lui offrir une réponse trop franche, elle déclare :

« Je les aime tous les deux.

— Mais vous passez plus de temps avec papa.

— C'est parce qu'il a les mêmes horaires que moi.

— Est-ce que papa vous préfère vous, ou maman ?

— Il préfère ta maman, bécasse ! »

Voilà qui est épouvantable, songe Coco.

« Et vous me préférez aux autres ?

— J'imagine que oui. Mais ce n'est pas bien d'avoir un chouchou. »

Elle saisit les épaules de la fillette.

« Tu ne dois pas le dire, ajoute-t-elle dans un murmure en la regardant dans les yeux. Ce sera notre secret. »

Ludmilla savoure la dernière bouchée de chocolat en roulant en boulette le papier argenté.

« Terminé !

— Bien. Va te laver le visage maintenant. »

Ludmilla quitte la chambre en courant. Ses cheveux raides humides accentuent sa silhouette enfantine. Coco saisit une cigarette ; sa bouche s'arrondit lorsqu'elle l'allume. La tension créée par les questions de la fillette s'apaise. Alors qu'elle inhale, son regard se perd dans le vide.

Elle ôte des cheveux accrochés à sa robe et les dépose dans le cendrier. Ensuite, elle écrase sa cigarette dessus. Elle les regarde s'embraser brièvement puis se calciner.

Sur un coup de tête, elle téléphone à Adrienne. À en juger par le bruit de fond, la boutique est bien achalandée. Elle lui manque. Coco déteste se trouver loin ; il en a toujours été ainsi. Elle aspire soudain à retourner rue Cambon, à se jeter de nouveau à corps perdu dans le travail. Elle ne possède pas la rigueur d'Igor. Lui peut travailler seul et organiser ses journées. Elle a besoin d'être entourée. Les visites au magasin trois fois par semaine et le travail à la villa ne lui suffisent pas. Elle ira. Demain.

Elle se considère dans le miroir accroché au-dessus du téléphone et remarque une tache pâle ovale sur sa joue, un endroit où la peau s'est dépigmentée. Ses ongles sont jaunis par tant de cigarettes. Elle fume trop ici.

C'est le problème. Et pourquoi ? Parce qu'elle a le temps de s'inquiéter de ce qu'elle fait et de ce qui l'attend, de se demander avec qui elle veut partager sa vie. Pour la première fois depuis des semaines, elle pense à Boy. Comment a-t-il pu en épouser une autre ? C'était elle qu'il aimait. Cela n'a aucun sens. C'est moche. Est-ce une sorte de snobisme grotesque qui l'a empêché de l'épouser ? Uniquement parce qu'elle avait connu d'autres hommes et qu'elle n'était pas bien née ? Elle en cracherait de colère.

Elle se rappelle douloureusement les jours qui ont suivi sa mort. Autorisée à trier ses effets personnels pour récupérer ce qui lui appartenait, elle a trouvé des lettres. En les parcourant, elle a été consternée de lire le conseil d'un ami commun : *On n'épouse pas quelqu'un comme Coco...*

Elle n'a pas pu croire qu'on ait pu écrire une chose pareille et que cela ait pu influencer Boy. Pourtant, au plus profond d'elle-même, elle savait que c'était exactement ce qu'il pensait. Il lui manquait la lignée nécessaire. Les gens de bonne famille ne s'aventurent pas à faire un mariage en dessous de leur condition.

On n'épouse pas quelqu'un comme Coco. Cette phrase a marqué son âme au fer rouge.

Soudain, le tonnerre du piano qui s'échappe du bureau d'Igor la ramène à l'instant présent. La peau de ses mains tire. Elle sent l'odeur des cheveux brûlés. Elle se met à secouer la tête.

Elle sait que sa relation avec Igor a peu de chances d'évoluer. Il est déjà fou d'inquiétude que quelqu'un découvre leur liaison. A-t-il secrètement honte d'elle ? Elle sait que Catherine la tient en mépris, celui que l'on réserve aux moins que rien, ceux dont le sang ne possède pas la moindre nuance de bleu. Lorsqu'elle s'adresse à elle, les inflexions de sa voix sont dédaigneuses. Elle insiste pour parler en russe avec Igor lorsque Coco pourrait les entendre. C'est peut-être la raison pour laquelle Catherine peut endurer l'humiliation due à leur liaison. Peut-être sait-elle que finalement, elle demeurera l'épouse d'Igor. Coco a l'impression de ne pas représenter une menace durable pour Catherine.

Cette prise de conscience est exacerbée par un profond sentiment d'abandon. Il trouve son origine dans la mort prématurée de sa mère et l'absence de son père, qui l'ont conduite à l'orphelinat. Elle a un grand besoin d'amour et de passion charnelle. Mais en plus, sa satisfaction s'oppose, elle le sait, au désir de ne pas souffrir ni de dépendre de quelqu'un. Elle peut se débrouiller seule, si nécessaire. Sa vie tout entière l'a préparée à accepter la perte. Elle est forte, elle le sait. Et talentueuse, même si Igor tente parfois de la rabaisser.

Transportée par l'odeur des cheveux brûlés de Ludmilla, elle met négligemment le feu à une pelote de laine comme s'il s'agissait d'une mèche. Elle observe l'étincelle se transformer en flamme et remonter en fumant le long du fil. Mais cela ne dure pas. Après avoir avalé vingt centimètres de laine, la petite flamme rend l'âme. Pourtant, un foyer se crée en Coco, comme si elle intériorisait le feu. Saisissant une paire de ciseaux, elle coupe le bout de pelote brûlé.

Coco, dont la voix faiblit peu à peu, observe les caractères italiques sur la carte.

« Il semble que tu es invité, mais pas moi. »

Igor tient une cigarette entre ses doigts, les jambes croisées avec une élégance affectée. On va donner une fête à l'opéra. Toutes les célébrités du monde des arts y assisteront. Notamment Satie, Ravel, Picasso et Cocteau.

« Je suis sûr que tu ne t'y amuserais pas, tente Igor. Ce sera très ennuyeux. Une simple réunion d'artistes qui s'encensent et parlent boutique. »

La voix de Coco se fait plus grave.

« Non, ça ne serait pas vraiment pour moi. Un peu trop intellectuel. Un peu trop sophistiqué. Je ne voudrais pas te faire honte.

— Qu'est-ce que tu racontes ?

— Ils n'invitent pas les commerçants. Je le sais. Il n'y a pas de quoi te montrer condescendant !

— Mais qu'est-ce que tu dis ? s'enquiert Igor, abasourdi.

— Je sais encore quand on me snobe. »

La dureté du ton de Coco le provoque.

« Ne sois pas ridicule. Tu vois l'affront là où il n'y en a pas.

— De toute évidence, tu préférerais que je ne vienne pas.

— C'est faux.

— Tu n'es pas encore sûr de vouloir être vu avec moi, n'est-ce pas ? »

Dans le cadre de la fenêtre, les contours frisottés de sa chevelure dessinent une sorte de halo.

« C'est grotesque. Je serais enchanté que tu viennes. Je vais m'ennuyer à mourir sans toi.

— Me baiser discrètement ne te gêne pas, mais tu ne veux pas que l'on s'affiche côte à côte dans les cercles mondains. »

Le langage de Coco scandalise Igor ; le volume de sa voix le met mal à l'aise. Elle ne semble pas tenir compte de la présence des domestiques ni de celle de Catherine à l'étage. Son visage, qu'il connaît hébété par le désir, se referme. Ses yeux et sa bouche ressemblent à des fentes dans un masque inexpressif.

« Je te le répète, dit-il avec un calme théâtral, je crois que tu trouverais la soirée ennuyeuse.

— Très bien, rétorque-t-elle. Puisque ça va être tellement désagréable, j'imagine que toi non plus tu n'auras pas envie d'y aller. »

À la grande surprise d'Igor, elle déchire le carton d'invitation.

« Qu'est-ce que tu fais ?

— Voilà. Tu es content ?

— Je n'arrive pas à le croire.

— Quelque chose te déplaît, peut-être ? »

Elle a haussé la voix comme pour répondre au mépris. Son menton est relevé comme si elle venait de recevoir un coup.

« Ce sera très impoli de ma part de ne pas me rendre à la soirée. »

Le visage d'Igor se fait sévère.

D'un ton sec, Coco réplique :

« Alors tu ferais bien de téléphoner pour t'excuser. Dis-leur que ta femme est malade et que tu dois prendre soin d'elle. Ça fera l'affaire. »

Coco ressent un picotement dans les doigts. Elle regarde sa main et remarque un peu de sang au bord d'un ongle. Elle s'est coupée avec la carte. Une trace roussâtre macule le carton. La vue du sang semble l'aiguillonner un peu plus.

« On peut m'inviter à une fête en tant que mécène si je suis susceptible de faire un don. Mais me trouver avec toi quand tu frayes avec tes amis est inconvenant. Je me trompe ?

— Je ne fais pas la quête.

— Vraiment ? »

Le sujet inspire Igor.

« Non. Cependant, personne n'ignore que certains soutiennent les artistes pour satisfaire leurs propres ambitions.

— Salaud ! Ingrat ! »

Elle pense à son soutien financier pour la reprise du *Sacre*. Elle l'a fait anonymement, mais il aurait pu deviner. Elle est sûre que Diaghilev le lui a dit et pourtant Igor n'a jamais évoqué la question avec elle.

Igor se fait plus véhément.

« Je dirais même que de nos jours le mécénat dans le monde des arts manque souvent de probité. »

Déversant son venin avec un débit rapide, Coco réplique :

« Tu n'arrives pas à dépasser le fait que je suis une femme, n'est-ce pas ? Une femme intelligente, prospère, une artiste dans un domaine que tu ignores complètement !

— Une artiste ? s'étonne Igor.

— Parfaitement. Une artiste qui travaille tout aussi dur que toi, si ce n'est plus !

— Je partagerais peut-être ce point de vue si tu passais plus de temps à créer et moins à vendre.

— Ça s'appelle la réalité. Une chose contre laquelle tu es à l'abri dans ton petit monde. »

Dans un éclat de rage qui l'étonne, Igor déclare :

« Tu n'es pas une artiste, Coco.

— Vraiment ?

— Tu es une boutiquière ! lui lance-t-il avec mépris.

— Qu'est-ce qu'il ne faut pas entendre ! Souviens-toi où tu vis, mon cher ! lui hurle-t-elle. Tu ne perds rien pour attendre ! »

Sur quoi, elle tourne les talons et quitte la pièce en claquant la porte.

Igor sent le courant d'air. Les jambes toujours croisées, mais dans une posture plus raide, il penche la tête et réfléchit. Son cœur bat à tout rompre. Il déteste les disputes avec Coco, mais elle n'aurait pas dû déchirer le carton d'invitation. Il se baisse pour ramasser les morceaux.

Elle se laisse trop facilement séduire par les apparences, songe Igor. Le vernis des choses la fascine trop. Il ne peut pas prendre la haute couture au sérieux. Il ne peut pas nier que ses vêtements sont ravissants, mais cela relève de la vanité plutôt que d'une quelconque exigence artistique. La confection a un caractère trop palpable. Malgré lui, il trouve cela trop simple. Il reconnaît que le parfum possède un mystère et une fugacité qui le séduisent. De la même manière que la musique, il fait appel aux sens ; Igor est prêt à concéder que pour le produire il faut du talent artistique, du génie même. Le problème, c'est qu'elle est devenue tellement obsédée par l'aspect commercial qu'il a du mal à prendre en considération son activité créatrice. Elle parle rarement d'autre chose.

Igor ferme un œil et ajuste minutieusement l'angle de sa cheville pour l'aligner avec l'ombre dessinée sur le sol. Soudain, il entend un cri venu de l'extérieur. Il bondit vers la fenêtre. Vassili se bagarre avec l'un des bergers allemands. Grognements et aboiements féroces accompagnent la lutte qui se déroule dans une confusion farouche.

Igor se précipite dans le jardin et tente de séparer les animaux avant qu'ils ne se blessent. Bien entendu, c'est le chat qui pâtit du combat. Plusieurs coupures profondes se distinguent autour de ses yeux. Un trou dans le pelage laisse apparaître une plaie cernée de sang séché collé au poil.

Cela devait se produire tôt ou tard, songe Igor.

Le chat lèche pitoyablement ses blessures. Igor le caresse et examine les zébrures rouges qui commencent déjà à enfler sur la peau. Lorsque Igor le soulève, Vassili est encore toutes griffes dehors. Le tenant tendrement dans ses bras comme un nouveau-né, il le transporte à l'intérieur.

26

Menue mais robuste, Coco pénètre à grandes enjambées au 31 de la rue Cambon. Elle porte une veste courte, foncée, un chemisier blanc à col ouvert et une jupe beige évasée légèrement plissée qui descend jusqu'à mi-mollets. Elle répond vaguement au salut des vendeuses, mais ne s'arrête pas pour leur parler. Elle traverse la boutique et monte l'escalier jusqu'à ses appartements. Les tapis sont beiges ; les chandeliers en cristal fumé. Des sculptures de lions ornent les tables. Dans les vases, des lys ouverts évoquent des étoiles.

Adrienne est penchée sur une pièce de tissu, un gros morceau de craie de tailleur à la main. D'un geste sûr, elle trace vivement des lignes sur l'étoffe. Lorsqu'elle entend le bruit des pas de Coco, elle lève la tête.

« Coco !

— Adrienne ! »

Adrienne se redresse, puis s'essuie les mains. Les deux femmes s'étreignent. Coco fouille ensuite dans son sac. Elle en sort une petite boîte habillée de velours brossé dont elle ouvre le fermoir avant d'en extraire le contenu. Un silence ébahi s'installe un instant comme si Coco dévoilait les reliques d'un saint.

« Ce sont les nouveaux échantillons ! Ils sont arrivés !

— Enfin !

— Tiens. Sens. »

Coco ôte le bouchon d'un des flacons. Le verre est tiède sous ses doigts. Elle place un doigt sur le goulot, retourne le flacon et applique ensuite un iota de parfum sur le poignet d'Adrienne. Celle-ci le porte à ses narines.

« Alors ?

— C'est... réussi. »

Adrienne inspire plus profondément. Elle s'exprime avec prudence.

« Je ne suis pas certaine de reconnaître l'odeur.

— Ça ne m'étonne pas. Ce flacon comprend plus de quatre-vingts ingrédients. »

Adrienne semble impressionnée.

« C'est très subtil, dit-elle.

— Le principe, c'est qu'il tienne plus longtemps.

— Et tu penses qu'il va se vendre ?

— J'en suis convaincue. Les échantillons que Beaux a envoyés ont suscité des réactions favorables. »

Coco rebouche le flacon et le range dans la boîte qu'elle referme.

« Je suggère qu'on en vaporise dans les cabines d'essayage. Ensuite, quand les clients nous demanderont de quel parfum il s'agit et s'ils peuvent l'acheter, nous répondrons que nous en avons seulement reçu quelques flacons que nous avons offerts en cadeau.

— Les filles à la boutique peuvent le porter aussi.

— Non, il doit rester une exclusivité.

— Mais si les clients ne nous demandent rien ?

— Fais-moi confiance, ils voudront savoir. Nous allons saturer la boutique avec la fragrance ! »

Adrienne semble perplexe.

« Et ensuite ? »

Coco se penche sur son siège, puis entoure ses genoux de ses mains jointes dans une posture de conspiratrice. Ses orteils touchent à peine le plancher.

« L'idée, c'est de les flatter. Nous leur dirons que s'ils pensent que le parfum peut se vendre, nous envisagerions de le faire fabriquer.

— Donc, tu les fais participer au processus.

— Nous les poussons à le penser.

— Tu es un vrai renard, Coco.

— Il suffit de le faire découvrir aux clients, de les amener à en parler, puis à l'acheter. »

Elle réajuste sa jupe et se cale dans son fauteuil.

« Quand commençons-nous ?

— Je suis là avec le parfum. Pourquoi ne pas commencer tout de suite ?

— Je pourrais demander à quelques filles d'en vaporiser maintenant...

— Si tu veux. »

Coco paraît soudain fatiguée. Adrienne le remarque.

« Excuse-moi, je ne t'ai pas demandé comment ça se passe à la villa.

— Tout se passe bien », répond Coco trop laconiquement.

La veille, Joseph est venu la voir pour lui demander s'il serait possible — si ça ne la dérangeait pas et si ce n'était pas trop inconvenant, etc. — de prendre des vacances. Le pauvre a peur de moi, se dit-elle. Elle se souvient vaguement leur avoir promis quelques jours de congé. Cependant, le moment est mal choisi.

« Et comment va Igor ? »

— Très bien, merci de demander. »

Sa réponse traduit apparemment le calme et la sérénité.

Ces derniers après-midi, il ne l'a pas accompagnée à Paris.

« Est-ce que tu es amoureuse ? » demande Adrienne à voix basse.

Son regard insistant réclame la franchise.

Coco la fixe droit dans les yeux. Elle craignait de se sentir mal à l'aise, mais il n'en est rien. Elle se surprend à répondre :

« Mon travail passe avant tout. Toujours. Les hommes viennent ensuite. »

Pendant quelques instants, les deux femmes s'affrontent du regard.

« Bien, dit Adrienne.

— Bien, conclut aussi Coco.

— Allons-nous vaporiser le parfum ?

— Allons-y. »

Elles descendent l'escalier côte à côte d'une allure un peu théâtrale ; Coco serrant fermement son sac comme s'il contenait des explosifs.

L'après-midi suivant, Coco, rentrée étonnamment tôt de la boutique, se précipite dans le bureau d'Igor. Il faut qu'elle lui parle. Elle veut se réconcilier. Elle s'est aperçue qu'il lui manque malgré tout. Déchirer l'invitation était impardonnable. À présent elle en a conscience et elle veut lui présenter ses excuses. Mais le piano est muet et Igor n'est pas dans la pièce. Coco monte à l'étage où elle distingue un murmure provenant de la chambre des Stravinski. Elle s'avance vers la porte entrouverte, et écoute la conversation.

Le ton d'Igor et de sa femme traduit l'intimité. Coco se risque à approcher. Elle les aperçoit par l'entrebâillement. Catherine est couchée. Igor, tout habillé, est allongé près d'elle, appuyé sur un coude. Il tient la tête de sa femme contre sa poitrine comme pour consoler un enfant et lui caresse tendrement les cheveux. Il lui parle en français sur un ton apaisant. Coco tend l'oreille.

« Ne t'inquiète pas. Tout va bien se passer, dit-il.

— Je me sens si seule.

— Mais tu ne l'es pas. »

Les joues humides de Catherine brillent.

« Est-ce que tu m'aimes encore ?

— Évidemment. »

Les traits d'Igor s'adoucissent. Il est sincère. Avec une bienveillance dont il n'a pas gratifié Catherine depuis de nombreuses semaines, il la rassure.

« Ne pleure pas. »

Ses yeux semblent trembler sous ses paupières. Igor pose un baiser sur les taches de fièvre qui empourprent ses joues.

« Je suis avec toi depuis trop longtemps pour penser à t'abandonner maintenant. »

Coco reste cachée, la mâchoire serrée, une main sur le montant de la porte et l'autre enfoncée dans la poche. Ses traits se crispent. Elle frémit, puis s'éloigne. Elle est prise de vertige en haut de l'escalier. Il semble soudain plus raide de plusieurs degrés. Elle doit s'agripper à la rampe pour ne pas perdre l'équilibre.

Elle se demande pourquoi elle a pris la peine de rentrer si tôt de la boutique. Adrienne souhaitait qu'elle reste. Une vague dévastatrice la submerge. Elle s'avise qu'elle n'a pas mangé depuis des heures. Son visage a perdu l'éclat de l'impatience amoureuse. Elle se sent profondément trahie.

Bien qu'elle n'ait perçu aucun signe vraiment révélateur, son esprit balance. Il y a certaines choses entre Igor et sa femme qu'elle n'aura jamais le privilège de savoir ou de comprendre ; des choses qui ne pourront jamais être tout à fait effacées. Elle vient d'en prendre conscience.

Igor ne quittera jamais Catherine. C'est une certitude. Il ne se résoudra jamais à l'abandonner. Et pourtant, rester avec elle tient de la pleutrerie. Cela devient insupportable. Malgré toute la tendresse et l'amour qu'il lui a manifestés au cours des mois passés, il ne sacrifiera jamais sa femme. Leur relation affective maintient Coco à l'écart. Et ce dernier aperçu d'intimité ne fait que l'éloigner un peu plus. Leur mariage demeurera : obsédant, irrévocable ; une réalité contractuelle sans équivoque.

Tout paraît tellement évident désormais. Le sentiment d'avoir délibérément fermé les yeux accroît sa douleur. A-t-elle été prise de folie ? Ne voyait-elle donc pas ? A-t-elle vraiment pu imaginer qu'il quitterait sa femme ? Et au fond, le désirait-elle vraiment ? Bien que cette prise de conscience soit des plus banales, elle l'effraie.

Les voir ensemble, Igor et Catherine, mari et femme, a piqué sa jalousie. Un sentiment d'illégitimité l'assaille. L'espace d'un instant, elle a la nausée. De retour dans son bureau, Coco balaie d'un geste violent toutes les piles de tissu bien plié posées sur sa table. De rage, elle saisit la raquette utilisée par Igor lors du match avec les Sert en août et oubliée ensuite dans la pièce. Elle s'acharne sur la corde cassée jusqu'à la retirer complètement du cadre. Elle écrase le boyau, puis le jette à travers la pièce. Ensuite, elle frappe le cadre si violemment contre la table que le bois se fend. Lorsqu'elle entend son craquement, elle redouble de coups jusqu'à ce que la tête se détache.

La vérité s'insinue en elle pou la torturer. Il s'amuse peut-être avec elle, mais il retournera toujours en rampant auprès de Catherine.

« Salaud ! » crie-t-elle en s'affalant sur son siège. Impuissante et abattue, elle frappe la surface irrégulière de son bureau et y pose la tête. Elle pleure à chaudes larmes et se sent aspirée dans un néant vertigineux. Enfin, elle parvient à se calmer. Les coudes sur la table, elle se tient la tête entre les mains. Le silence habille cette sombre fin d'après-midi.

Coco se mord la lèvre au souvenir de sa confidence à Adrienne à propos du travail qui passe avant tout. Son cœur se serre. Elle doit trouver une issue.

27

Six jours après que Coco lui a téléphoné pour l'inviter à séjourner à Bel Respiro, le grand-duc Dimitri arrive sans trop de cérémonie mais avec plusieurs malles de bagages. Il est accompagné de son majordome, Piotr : un homme aux allures d'ours, velu, servile et résolument analphabète.

Coco a rencontré Dimitri à Biarritz, au printemps précédent ; leur relation est vite devenue amicale. Beau et fringant, il jouit d'une excellente réputation ; il est le petit-fils d'Alexandre II, le cousin du tsar Nicolas II et l'un des assassins de Raspoutine. Elle veut que son invitation soit perçue comme une attention par Igor. Celui-ci pourra parler en russe à son compatriote et profiter enfin d'une compagnie masculine. Igor pressent que Coco a des motivations moins généreuses mais ne devine pas encore lesquelles. En outre, il se demande pourquoi elle l'a invité, lui, maintenant.

Il ressent immédiatement de la jalousie et de la rancœur envers Dimitri. Fanfaron, avec une réputation bien assise d'homme à femmes, il dégage une énergie et une force irrésistibles. Cela attriste Igor qui le dissimule avec peine. Il parvient à se montrer poli, mais ne peut éviter une certaine froideur quand il s'adresse à lui. Devoir, loyauté et allégeance à un tsar dont on accroche le portrait au mur est une chose ; entendre un courtisan prétentieux dire en regardant le tableau : « Ah, cousin Nicolas. C'est ressemblant », en est une autre.

Dimitri possède une prestance aristocratique peu commune. Grand, il domine Igor de façon comique. De plus, chacun des regards torves qu'il lance de ses yeux vert acide à Igor le foudroie.

Coco, plus âgée de onze ans, le trouve tout d'abord immature. Mais c'est simplement par contraste avec Igor qui a toujours l'air si sérieux. Elle commence à apprécier sa franche bonne humeur et son goût pour la plaisanterie. Cela change de la gravité égocentrique d'Igor. C'est amusant de les voir ensemble, songe-t-elle. Ils s'affrontent comme des champions de boxe. Igor se hérisse dès que Dimitri se trouve dans les parages.

Coco remarque avec plaisir qu'Igor devient jaloux. Les deux hommes se parlent peu, même s'ils se saluent avec une correction presque militaire. Leurs conversations sont de brefs échanges en russe. En général, ils ne tombent pas d'accord. En privé, Igor appelle Dimitri « le crétin ». Dimitri raille l'inadaptation sociale d'Igor et se délecte à l'idée de le perturber par sa présence encombrante dans la maison. Coco observe chacun d'eux opposer des arguments à l'autre, hausser les épaules, puis traduire — ou trahir intentionnellement — le discours de l'autre.

Au contraire d'Igor, Dimitri se trouvait à Saint-Pétersbourg lorsque la révolution a éclaté. Comme il a réagi vite, il a réussi à sauver une partie de sa fortune. Mais l'état de ses finances ne lui permet pas de refuser une offre d'hébergement gratuit. Particulièrement lorsque son hôte est la charmante Mlle Chanel. Habile, il a apporté un cadeau : une collection de perles Romanov. Il parle même de se procurer un œuf Fabergé pour l'offrir à Coco, ce qui suscite chez elle un enthousiasme qu'elle ne dissimule même pas. Igor observe la situation avec amertume. Il ne pourrait jamais se permettre de tels présents. En attendant, il n'a toujours pas terminé sa symphonie.

L'attrait de la nouveauté et l'excitation que procurait à Coco sa relation avec Igor se changent en indifférence. Marcher sur la pointe des pieds dans sa propre maison avive son irritation. Sa frustration la conduit à se montrer assez tiède en sa compagnie.

Elle décide de passer plus de temps à la boutique. Résolue à se libérer, elle met fin aux rencontres de l'après-midi avec Igor. Après une semaine sans un seul tête-à-tête, Igor lui réclame une explication.

Maintenant qu'ils ont un invité, il serait inconvenant de s'esquiver ensemble, se justifie Coco. De plus, la présence de Dimitri rendrait la situation beaucoup plus risquée. Ils doivent prendre garde de ne pas s'exposer, surtout après leurs efforts des semaines passées pour garder leur liaison secrète. Il serait dommage que les gens se mettent à jaser maintenant, non? Surtout Dimitri, car il répandrait bien vite la rumeur des frasques d'Igor dans le cercle de ses amis expatriés. Oui, une pause est nécessaire, insiste-t-elle.

Igor y consent, mais rumine tristement l'idée de ne plus se trouver au centre de la vie de Coco. Les arguments de Coco sont sensés, mais il doute de leur sincérité. Si elle tient réellement à lui, pourquoi avoir mis leur relation en péril en invitant Dimitri ? Il s'efforce de ne pas paraître trop fâché par ces arrangements, même s'il décèle depuis peu un manque de passion dans le comportement de sa maîtresse. Parfois, elle lui manifeste une froideur qui le choque.

Puis un matin, au réveil, Coco réalise qu'elle ne l'aime plus. Elle ne se morfond pas, ne reconsidère pas la situation avec angoisse, ne se laisse pas envahir par le doute. C'en est assez. Elle a été séduite par le talent et le pouvoir d'Igor. Elle a aimé son sérieux. Sa compagnie était intéressante, mais maintenant qu'elle regarde l'homme et non le musicien, elle prend conscience qu'il ne l'attire plus. Cela réjouira Catherine, songe-t-elle. Peut-être est-ce le remède qu'elle attendait. De toute façon, Coco ne serait pas surprise que sa maladie soit psychosomatique.

Un nouveau rythme de vie se met en place à Bel Respiro. Le matin, pendant qu'Igor travaille, Coco et Dimitri font de l'équitation. Igor ne monte pas à cheval et de toute façon il se sentirait coupable de perdre une matinée de travail. Dimitri, lui, est un cavalier passionné et talentueux qui répugne à travailler dur. Il aime le galop parce qu'il le stimule. Même Coco, écuyère expérimentée, peine à le suivre.

Igor les voit chaque matin par la fenêtre, sous les rayons du soleil. Piotr va chercher les chevaux dans une écurie voisine. Il harnache les juments pendant que Coco et Dimitri flirtent dans le jardin. Igor observe Dimitri qui aide avec galanterie Coco à monter en selle. Pendant un instant, elle le regarde de haut.

Ensuite, ils partent à vive allure. Des volutes de poussière s'élèvent derrière eux alors qu'ils disparaissent au fond de l'allée. Le galop des chevaux résonne aux oreilles d'Igor bien après leur départ.

Depuis son arrivée à Garches, Coco n'avait pas monté à cheval une seule fois. C'est absurde, songe-t-elle. Elle qui le faisait si souvent. Les muscles de sa jument ondulent sous elle. Elle observe la large ligne blanche qui court le long de l'encolure de l'animal. Aussitôt, elle se sent moins lasse. Sa peau lui paraît plus ferme, comme régénérée.

Dimitri et elle parcourent les bois avec insouciance à travers les herbes folles poussées pendant l'été. Le soleil de novembre perce les arbres nus. Pour la première fois depuis son arrivée, elle peut embrasser du regard la forêt entière. Toute son existence lui paraît claire. Elle se découvre une lucidité qu'elle ne soupçonnait pas. De nouvelles perspectives s'offrent à elle.

Dimitri éperonne son cheval jusqu'à ce que la douleur le fasse partir au galop. Coco cravache habilement sa jument et s'efforce de tenir le rythme. Elle se penche ; les muscles de ses jambes se contractent ; le vent fouette son visage. L'odeur de la terre se mêle à celle, entêtante, des chevaux. Ses joues s'empourprent ; son haleine s'échappe en épais nuages. La sueur lui coule dans le dos. Ses jambes tremblent sous l'effort. Après quelques minutes de ce galop furieux, ses poumons sont en feu. Lorsqu'elle a enfin rattrapé Dimitri et qu'elle a repris son souffle, il lui semble que le paysage défile encore à un rythme endiablé.

Ils flânent au milieu d'un massif roussi de jacinthes des bois. La tête lui tourne. Tout autour d'eux se dressent des peupliers. De l'été, le souvenir de cette lueur bleutée lui revient. Une mare non loin. Les chevaux s'ébrouent. De la vapeur s'élève de leur cuir. À contre-saison, des fougères vert chartreuse prolifèrent, triomphantes. Le ciel miroite dans une hésitation entre le bleu et le vert. La même teinte vibre dans les yeux de Dimitri. Tout paraît paisible et mystérieux. Coco se sent captive et en sécurité.

Épuisée par la chevauchée, elle ressent une intense chaleur intérieure. Elle frissonne légèrement. Et c'est là, dans cet endroit reculé, sous la lumière déclinante, dans l'air fraîchissant, que se produit un événement imprévisible qui la surprend elle-même. Les yeux mi-clos, la tête penchée sur le côté, elle glisse les bras autour du cou de Dimitri et s'abandonne à ses baisers.

Impatient, Igor fait une réussite avec des gestes saccadés. Il retire une carte du dessus du jeu et la retourne brusquement. Le bruit sec accentue le vide qu'il ressent.

Dans le jardin, des ombres se traînent sur la pelouse. De fines franges de nuages s'attardent dans le ciel. En cette fin d'après-midi, Coco et Dimitri, partis depuis plusieurs heures, ne sont pas encore rentrés. Les jambes d'Igor tressaillent nerveusement et font trembler la table.

Il entend enfin le martèlement des sabots se rapprocher alors que les cavaliers s'avancent dans l'allée. Il éteint aussitôt les lumières. Afin de jouir d'un poste d'observation qui lui permette de rester invisible, il se place dans un angle de la fenêtre d'où on ne peut l'apercevoir.

Les chevaux s'immobilisent et deux silhouettes mettent pied à terre. Coco et Dimitri conversent. Ils se dirigent vers la villa pendant que Piotr ramène les chevaux à l'écurie.

Igor se raidit. L'obscurité renforce son appréhension. En entendant le rire éclatant de Coco, il se reprend. Il termine sa réussite comme s'il ne l'avait pas interrompue. Coco l'appelle de l'entrée. Il répond sur un ton aussi détaché que possible. Elle pénètre dans le salon.

« Que fais-tu dans le noir ? s'enquiert-elle sur un ton un peu moqueur.

— J'y vois très bien », répond-il en feignant la distraction.

Quelque peu étonnée, elle allume la lumière. Il se retourne pour voir sa silhouette. Resplendissante de vigueur après la promenade à cheval, elle est superbe dans sa tenue ajustée. Des reflets ardents scintillent dans ses yeux ; ses joues sont teintées de rose. La cravache encore à la main, elle repousse une mèche de cheveux.

Souffrant encore une fois de la trouver si ravissante, il lui demande :

« Comment s'est passée la promenade ?

— Très bien, merci. »

Un bref silence.

« Et toi ? Ta partie de cartes ?

— Bien, répond-il en retournant une nouvelle carte avec une indifférence qu'il peine à feindre.

— J'en suis ravie. »

Sans attendre, elle quitte la pièce et referme la porte derrière elle.

Igor est stupéfait par cette sortie précipitée. Ses doigts se figent sur la carte suivante. Il la retourne ensuite à plusieurs reprises sans la voir. Il perçoit le ton blagueur de Dimitri suivi d'un éclat de rire de Coco, ce qui agit comme un détonateur. Il abat le tas de cartes sur la table ; elles s'éparpillent. Les poings serrés, il se lève brusquement et arpente la pièce, maugréant en russe. Si le chat était là, il lui donnerait des coups de pied.

Il se rend compte de son impuissance totale face à la situation. Il ne peut pas l'accuser, elle, d'infidélité. Avec une application maniaque, il rassemble les cartes avant de les ranger dans leur boîte.

Il se rend dans la remise où les oiseaux jacassent encore gaiement dans leurs cages. La clarté ambiante projette une lueur dans l'appentis. À sa grande surprise, lorsqu'il entre, un des plus grands perroquets articule le nom de Coco pour la première fois après des semaines d'entraînement. Cela fait si longtemps qu'il essaie de le leur faire répéter qu'il avait presque abandonné. Et l'un d'eux décide de s'exécuter maintenant. L'oiseau recommence, d'une voix claire et distincte, stridente même. Le son du nom fait écho et finit par l'obséder comme une psalmodie. Il n'arrive pas y croire. C'est tellement affreux qu'il en rit presque. Il regarde fixement l'oiseau qui incline la tête et lui rend son regard. La vie est cruelle, conclut Igor.

Un par un, il dispose sur les barreaux les tissus noirs que Coco a taillés pour lui, comme des linceuls. Son geste a un caractère définitif, comme une sorte d'adieu. L'obscurité s'étire pour envelopper la soirée.

Petit à petit, les oiseaux privés de lumière se taisent.

Les enfants adorent Dimitri. Débordant d'énergie et d'idées de nouveaux jeux, il s'amuse avec eux presque chaque après-midi. Theodore et Soulima sont émerveillés par ses histoires de bravoure et d'aventures. Son récit de l'assassinat de Raspoutine les fascine particulièrement. Raspoutine, dont ils ont tant entendu parler.

« Comment avez-vous fait ? »

Ils pressent Dimitri de raconter l'épisode encore et encore. Il y consent bien volontiers.

« Alors Youssoupov tire une autre balle – pan ! – et une autre – pan ! –, mais Raspoutine ne tombe pas ! » Chaque fois, l'invulnérabilité de ce dernier est un peu plus miraculeuse.

La collection de médailles de Dimitri éblouit également les enfants. Ludmilla passe le doigt sur le tsar en relief sur la face d'une décoration assortie de rubans.

« Il me l'a décernée personnellement...

— Qu'aviez-vous accompli ? demande Theodore, un peu impressionné.

— Oh, pas grand-chose. J'ai conduit un bataillon contre une batterie d'artillerie allemande. Nous avons pris la position.

— Il y a eu beaucoup de pertes ? s'enquiert Soulima.

— Oui, un certain nombre. »

Après une courte pause pendant laquelle les garçons méditent l'information, Dimitri s'anime.

« Regardez, je vais vous montrer. Cette cuillère représente la batterie d'artillerie et ces couteaux le bataillon qui avance... »

Igor quitte la pièce avant que les couverts restants entrent en scène. Tout ce qu'il sait de la guerre, lui, c'est que les bombes sifflaient en *mi* bémol dans le ciel.

Ce nouveau compatriote exubérant, qui semble charmer tout le monde avec sa bravoure exagérée et ses honneurs militaires, le dégoûte. Aux yeux d'Igor, c'est un cuistre, un bouffon, un fanfaron. Ses bagages ne contenaient pas un livre. Culturellement limité, il s'intéresse peu à la musique et aux arts. D'un point de vue intellectuel, il est creux, tranche Igor. Pourtant il possède un vernis qui le rend fascinant. Tout d'abord, il ne parvient pas à l'appréhender. Enfin, il comprend. C'est une sorte de cruauté raffinée. Comme un léopard, il pourrait vous tuer, mais il le ferait avec une grande élégance.

Coco semble éperdument conquise. La gaucherie avec laquelle elle se comporte en sa présence scandalise Igor. Celui-ci se résigne vite à ne pas rivaliser avec la vigueur de Dimitri. Il doit croire à la fidélité et au bon goût de Coco. Il espère que rien ne se passe entre eux, mais les soupçons le minent. Il est abattu à l'idée de la perdre, car il sent qu'elle s'éloigne.

Plus tard, au cours du dîner, Igor se sent humilié. Soudain vulnérable et peu sûr de lui, il reconnaît cette complicité — le large sourire dissimulé, les mains qui se frôlent furtivement, les jambes qui se glissent l'une près de l'autre sous la table — qu'il a partagée avec elle pendant les mois d'été. Sa détresse se change en désespoir. Seule une volonté farouche lui permet de maîtriser ses émotions.

Regardez-la ! Avec quelle indécence elle relève ses cheveux devant lui ! Avec quelle insistance elle cherche dans son regard de l'approbation ou de la connivence ! Avec quelle coquetterie frivole elle incline la tête de côté pour s'adresser à lui ! C'est affreux, pense-t-il. Mais ce n'est pas tout. Les œillades désespérément tendres et émues, le menton soutenu sur une main. Les gloussements de dinde chaque fois qu'il ouvre la bouche. Igor blêmit. Son cœur se serre. L'amour de Coco pour Dimitri s'impose dans toute son évidence. Un frisson parcourt l'échine d'Igor. C'est plus qu'il n'en peut supporter.

Dimitri mime un nouvel acte héroïque par des gestes incontrôlés et renverse un verre de vin. Le vin se répand sur le pantalon blanc d'Igor, laissant une tache rouge vif près de son entrejambe.

Igor bondit comme s'il venait de se brûler. Il éponge en vain le tissu avec une serviette. Dimitri s'excuse, mais le mépris poli de ses manières irrite Igor et attise ses soupçons.

Il observe la tache qui s'assombrit comme une blessure. Il sent l'humidité et le froid sur sa peau. Dans le délire de son imagination, il croit voir le symbole de son impuissance, la métaphore de son émasculation, dans cette tache informe.

28

Avec Dimitri, Coco peut se montrer futile et tendre, démonstrative et effrontée. En outre, elle n'a nul besoin de se soucier de qui la voit ou l'entend.

Catherine, de son côté, éprouve de nouveau du dégoût pour son mari. Igor agit normalement tant que Coco est à la boutique, mais dès qu'elle en revient, il rampe à ses pieds. Elle ne peut réprimer un sourire moqueur quand elle pense à l'évolution de la situation. Le doux venin de la vengeance s'insinue délicieusement dans ses veines. Ses joues ont retrouvé leurs couleurs. Elle parvient mieux à se contrôler. Une certaine force l'habite de nouveau ; elle est plus disponible pour les enfants qui rattrapent leur retard de câlins maternels. Elle parvient même à faire quelques courtes promenades.

Igor se montre plus tendre à son égard. Il devient franchement affectueux tandis qu'elle, avec une perversité malicieuse, s'ingénie à paraître plus froide avec lui. Elle voit clair dans son jeu : il se protège, cherchant l'aide de quelqu'un qui panserait ses blessures. Eh bien, il peut chercher ailleurs, pense-t-elle. Au grand mécontentement d'Igor, elle ne cache pas qu'elle aime bien Dimitri. Il est comme une bouffée d'air frais dans la maison. Elle le trouve courtois, charmant, et elle prend plaisir à lui parler en russe. Elle découvre en lui un allié inattendu. En outre, il est adorable avec les enfants et il la fait rire. Un rire qui la surprend elle-même, car elle ne l'avait pas entendu depuis longtemps. Sans doute lui donne-t-il l'énergie nécessaire pour aller de l'avant.

Quelques jours plus tard, Catherine, soudain résolue à se montrer forte, prépare ses bagages, puis annonce qu'elle quitte Garches. Elle va se rendre à Biarritz avec les enfants, de toute évidence à cause du climat et de la bonne réputation des écoles. Elle a calculé qu'elle possède assez d'économies pour y louer un modeste appartement. Elle n'a plus besoin de la charité de Mlle Chanel. Pour tout dire, elle se satisferait d'un taudis pour pouvoir s'éloigner de Coco.

Igor est révolté.

« Tu ne peux pas me faire ça ! crie-t-il pendant qu'elle fait sa valise.

— Ce n'est pas contre toi. J'agis dans mon intérêt et celui des enfants. »

La voix de Catherine, éraillée par tant de sanglots, est devenue légèrement plus rauque et est descendue d'un demi-ton ces dernières semaines.

« Mais je veux que tu restes.

— Vraiment ? Pourquoi ?

— Parce que..., bafouille-t-il, ta place est avec moi, ici. Et que j'ai besoin de toi.

— Moi aussi, j'avais besoin de toi ! »

Igor est vexé qu'elle emploie le passé. Il tremble de rage, mais sa colère ne lui fait pas oublier qu'on pourrait l'entendre. Il lui lance donc dans un murmure féroce :

« Tu es ma femme ! »

Pour sa part, elle se fiche qu'on l'écoute.

« Tu aurais dû y penser plus tôt », rétorque-t-elle d'une voix perçante.

Quelques semaines auparavant, elle désespérait qu'il fasse un geste vers elle. Elle mendiait son affection, le suppliait de la soutenir. Il restait de marbre. Elle n'a pas pu compter sur lui. Pourquoi ferait-elle preuve de loyauté désormais ?

« Le fait est que nous sommes encore mariés. Rien ne peut changer ça. C'est sacré.

— Ton comportement n'en était pas une preuve flagrante !

— Que vas-tu faire ? demande-t-il, pris de panique.

— Je vais me débrouiller.

— Tu en es sûre ?

— Non, mais c'est sans doute ce dont j'ai besoin. »

Elle défroisse une robe dans la valise.

C'est presque un soulagement de savoir qu'elle ne peut rien attendre de lui. Elle ne désire plus ses caresses qui ne viennent jamais. C'est étrange, mais en un sens, être morte pour lui l'a libérée.

« Tu y as bien réfléchi ?

— Dans tous les sens. Je n'en peux plus.

— De quoi ? demande-t-il, d'un ton où l'on sent poindre une note d'hystérie.

— Ne sois pas désobligeant, Igor.

— Mais c'est presque fini avec Coco...

— Presque ! »

Elle interrompt ses préparatifs.

« Qu'est-ce que tu veux ? Une semaine de plus, un mois, un an ?

— Mais c'est la vérité. Nous ne sommes pas compatibles. »

Les mots s'échappent de la bouche d'Igor sans aucune retenue. Ce qui le surprend le plus, c'est de ne pas croire à ce qu'il dit.

« Et qu'est-ce qui te fait penser que nous sommes faits l'un pour l'autre ?

— Les années n'en sont-elles pas la preuve ?

— Il me semble que les derniers mois ont démontré le contraire, ajoute-t-elle en s'affairant de nouveau à ses bagages.

— Mais pourquoi ? »

Un épais brouillard semble les séparer.

« Parce que si ce n'est pas Coco, ce sera une autre. Et cela ne me paraît plus en valoir la peine.

— C'est injuste.

— Vraiment ?

— Tu n'agis que par amour-propre.

— Il était temps ! »

Igor ressent soudain de l'admiration pour sa femme, pour ses ressources et sa force intérieure. Depuis le début, il a été attiré par son calme. À présent, il découvre cette facette plus impétueuse de son caractère. Il lui semble la redécouvrir. Il s'approche pour la prendre dans ses bras. Un geste de réconciliation. Mais il est trop tard. Elle le tolère avec froideur, détournant son visage de celui de son mari, puis se remet au rangement des vêtements dans la valise.

« Et les enfants ? demande Igor, plus calme.

— Oui ?

— As-tu pensé à leur bien-être ?

— Parfaitement. Pourquoi crois-tu que je fais ça ?

— Mais ils sont à peine acclimatés à leur école. Ils n'auront pas envie de tout recommencer.

— J'y ai réfléchi, répond-elle vivement.

— Tu ne crois pas que ce serait bien pour eux qu'on reste ensemble ? »

Catherine interrompt de nouveau ses préparatifs et le regarde droit dans les yeux.

« Tu ne manques pas d'air ! » s'écrie-t-elle. Puis elle ajoute avec une conviction qui effraie presque Igor : « À quel moment exactement as-tu pensé à eux ces derniers mois ?

— Mais ils sont sensibles à ce genre de choses, rétorque Igor d'un ton provocateur. Ils vont être bouleversés. Ils vont souffrir.

— Ce sera pire s'ils restent ici plus longtemps, étant donné le jeu de lits musicaux dans cette maison. C'est précisément pour cette raison que je les emmène. »

Sa voix, comme la teinte de ses joues, est montée d'un ton. Igor ouvre la bouche, mais elle ne lui laisse pas le temps de s'exprimer.

« Ne vois-tu pas qu'ils sont au courant ? Ils ne le disent peut-être pas, mais au fond d'eux ils savent bien ce qui se passe.

Ils savent que tu ne m'aimes pas. Il n'y a que toi pour être aussi aveugle.

— Mais je t'aime.

— Il va falloir être plus convaincant ! »

Au final, Catherine a dépassé la crise. Elle a appris à faire face à sa manière, à vivre sans l'amour de son mari. Maintenant qu'il revient vers elle, elle est écœurée. C'est insupportable. L'amour d'Igor a perdu de sa valeur, il a fait faillite ; son affection est pitoyable. Elle le repousse. C'est simple : elle ne le désire plus comme avant.

« Et nous alors ?

— Qu'entends-tu par "nous" ? »

Cette question le stupéfie. Après une longue pause, il ajoute piteusement :

« Reste, je t'en prie.

— Ne t'inquiète pas. Je ne dirai rien à ta mère, si c'est ce qui te soucie. »

Elle ne peut s'empêcher de le rabaisser.

« Au nom du ciel !

— Je ne reviendrai pas sur ma décision. Je pars demain matin. »

Les fermoirs font un bruit sec lorsqu'elle boucle la valise. Son geste se veut solennel.

« Si tu veux nous voir, tu sais où nous sommes. »

Igor reste immobile, pétrifié. Pendant un instant il a envie de jeter violemment la valise par la porte. Il cherche des yeux un objet à briser. Il ferme les poings pour maîtriser son impulsion.

Avec une détermination nouvelle, Catherine emballe les bibelots qui décoraient ce qui pour leur couple tenait lieu de foyer. Très vite, la pièce est dépouillée des objets qui lui donnaient une âme. Elle achève son rangement par ce qui se trouve sur la table de nuit : une photographie de ses enfants, une icône et un coquillage avec sa corne nacrée.

Igor se réfugie dans son bureau. Il est en état de choc, troublé, gêné aussi. En un sens, il a simplement fait semblant. Sa fureur initiale s'apaise ; il entrevoit la possibilité de tirer parti de tout cela. Le départ de Catherine et des enfants, bien qu'il le mortifie, pourrait l'aider à transformer sa relation avec Coco. Cela le laissera libre de se battre pour la reconquérir. Il n'aura plus à supporter la culpabilité étouffante qu'il ressent lorsque sa femme est là. Puis l'espoir se change en peur. La peur d'être trompé à son tour. La peur que la situation ne s'améliore pas. La peur d'être séparé de Coco en plus de sa femme. La peur que l'énergie nécessaire à son travail ne soit dissoute dans le désarroi amoureux. La peur, simplement, d'avoir tout perdu.

Pendant les heures suivantes, la musique du piano serpente dans son bureau comme une fissure sur un étang gelé.

Cette nuit-là, Igor s'installe près de Catherine pour annoncer aux enfants qu'ils vont quitter Bel Respiro. Ils partiront pour Biarritz avec leur mère le lendemain. Parce que le climat y est plus agréable, leur dit-on. Parce que là-bas les écoles répondront mieux à leurs besoins. Enfin, parce que avec la présence de Dimitri, il y a trop de monde dans la villa de Garches. Leur père, leur explique-t-on, restera pour achever son travail.

Les enfants sont abasourdis. Ils accueillent la nouvelle dans un silence morose. Seul Theodore semble heureux de partir. Cependant, les excuses gênées d'Igor et Catherine trahissent leur anxiété. Curieusement, aucun des enfants ne pose de questions. Sans doute parce qu'ils ne souhaitent pas vraiment connaître les réponses. Soulima et Ludmilla fixent le plancher, déconcertés par la perspective d'un nouveau déménagement.

Plus tard, lorsqu'ils sont tous couchés, Igor va les retrouver. Des bulles semblent sur le point de se former entre leurs lèvres mi-closes. Observer ses enfants dans leur sommeil présente toujours un caractère sacré.

Theodore a déjà l'air d'un homme. Milène arbore encore la moue boudeuse d'un bébé. Soulima est celui qui l'inquiète le plus. Igor se voit dans le garçon. La même forme de visage, les mêmes yeux, le même nez. Il se regarde trente ans plus tôt ; les mêmes éléments formant un motif nouveau.

Igor détestait son père qui ne lui manifestait aucun amour. Il s'est toujours promis qu'en tant que parent il serait beaucoup plus affectueux. Mais il se rend compte que son instinct l'empêche de tenir son engagement. Il reproduit le comportement de son propre père en repoussant ses enfants. Par réflexe, il les tient à distance. Même si chaque naissance l'a empli de fierté et de bonheur, il ne supporte pas d'empiéter sur ses activités pour répondre à leurs désirs. La musique de la vie de famille entre en compétition avec la sienne.

Pourtant, penché au-dessus d'eux à les regarder dormir, il ressent la douleur de la perte imminente. Il porte les doigts à ses lèvres et leur souffle chacun un baiser. Ils remuent imperceptiblement. Igor murmure « Bonne nuit » juste assez fort pour que, dans son sommeil, Ludmilla referme puis ouvre de nouveau l'étoile de sa main. Il remarque qu'ils dorment tous avec la lumière éteinte et se souvient qu'enfant, il ne parvenait pas à dormir dans l'obscurité. Ils sont si courageux, songe-t-il.

Le lendemain matin, après des pleurs interminables, les enfants se tiennent prêts à partir avec Catherine. Coco assiste aussi au départ. Dimitri, leur ayant déjà fait ses adieux, est parti chasser dans les bois. Coco tend la main à Catherine. Il faut quelques instants à Catherine pour répondre à l'invitation et lorsqu'elle le fait, c'est par réflexe. Dans un moment d'égarement, elle se sent privilégiée, obscurément reconnaissante. Puis un accès de colère déploie ses ailes. Lorsque Coco approche le visage du sien pour l'embrasser, Catherine se détourne pour éviter sa joue.

« Pourquoi papa reste ici ? demande Soulima.

— Je l'ai déjà expliqué, répond Catherine.

— Je ne comprends toujours pas pourquoi on s'en va », se plaint Milène.

Joseph et Marie échangent un regard.

Ces questions tardives, embarrassantes, inopportunes par leur naïveté font l'effet d'un coup de poignard à Catherine. Ne trouvant pas de réponse, elle saisit le chat qui tournait entre ses jambes, les heurtait gentiment, les frôlait, caressant de sa fourrure ses chevilles nues.

Petit Vassili ! Igor a le cœur serré en le regardant. L'animal ne semble pas avoir compris que lui aussi va s'en aller avec ses enfants et sa femme. Ce détail, certes insignifiant, mais négligé, fait l'effet d'une loupe qui lui révèle crûment tout ce qu'il perd. Se voir privé de la compagnie de cet animal à la fois familier et indépendant est un nouveau coup porté à sa prétention dérisoire d'être indispensable. Ces quelques instants, songe-t-il, sont sans doute les pires de son existence.

Joseph rompt le silence et prive les enfants de réponses en annonçant l'arrivée du taxi.

L'air grave, Igor serre la main à ses fils et embrasse ses filles sur les joues. Il tente de transmettre l'affection de toute une vie à travers ces gestes. Theodore, distant, se dérobe au regard de son père. Même Soulima, silencieux et contrarié, reste de marbre. Igor les observe, admiratif. Il tente d'imaginer son père jouant cette scène, autorisant sa femme et ses fils à le quitter, mais il n'y parvient pas et se sent honteux.

Catherine lui adresse un au revoir glacial. Enfin, après que Coco, un peu honteuse, a donné une brève accolade à tous les enfants, exception faite de Ludmilla qu'elle serre un peu plus longtemps, ils partent. La porte se referme.

Tout est si soudain. Igor regarde Coco. Il se sent léger. La gravité le dispute au sentiment étrange de soulagement. Coco reste coite. Le silence s'épaissit.

« Je vais te laisser retourner à ton travail maintenant », dit-elle en s'éloignant de la porte.

Igor s'attarde un instant avant de regagner son bureau. Que c'est bête, pense-t-il. L'instant, entre tous, censé couronner leur triomphe, celui-là même où ils devraient se jeter dans les bras l'un de l'autre, est terni par la rancœur et le doute. Un sentiment oppressant de culpabilité et de gâchis l'envahit. À présent qu'il jouit de la tranquillité dont il a besoin, il n'a plus rien pour la remplir. C'est pour en arriver là qu'il a abandonné sa famille ? Maintenant, son corps lui paraît lourd, presque cloué au sol. Il a toujours pensé que sa vie répondait à un schéma, auquel elle obéissait d'une obscure façon. Mais il ne parvient plus à se la représenter ainsi. Son existence lui semble dénuée de but et pendant un instant, il sombre dans un profond abattement. Puis, aussi vite, la conviction d'agir correctement le revigore. Il refuse d'abandonner. Il joint à sa frayeur l'espoir que tout ira bien. Coco reviendra vers lui, se promet-il. Elle ne se laissera pas mystifier par Dimitri, cet idiot. Quelque chose les réunira. Il le sent dans sa chair.

La boutique Chanel est l'une des premières que remarque Catherine en descendant la rue principale de Biarritz en taxi. Elle fait semblant de ne pas la voir mais grimace intérieurement, comme si ce nom la poursuivait. Les enfants s'empressent de la lui montrer. Elle a l'impression de plus en plus nette de ne pouvoir y échapper. Comme celle du Seigneur, son empreinte se trouve partout.

La nouvelle maison avec sa façade de pierre et de poutres apparentes semble constituer un rempart contre Coco. Nous sommes en sécurité ici, pense Catherine, au moins pour un moment. Même Mlle Chanel ne peut franchir ces murs.

Un peu plus tard, elle envoie un télégramme à la mère d'Igor pour l'informer de leur changement d'adresse.

Deux jours après le départ de Catherine, Coco accorde une semaine de congé à Marie et Joseph. Il restera Piotr pour servir dans la villa. Il est préférable de confier les responsabilités à une seule personne et de s'épargner les querelles de hiérarchie entre Piotr et Joseph.

Piotr se comporte comme un garde du corps envers Dimitri qu'il protège avec loyauté en négligeant les autres. De plus, la confusion règne quant aux tâches domestiques : Piotr maîtrise très peu le français ; Joseph ne parle pas russe. Des disputes dues à leur incompréhension mutuelle éclatent dans la cuisine à propos de qui doit faire quoi et quand.

Joseph et Marie sont soulagés lorsque vient enfin le moment de prendre congé de Bel Respiro. Heureux de s'échapper pour quelques jours de Garches et des événements bizarres qui s'y déroulent, ils se rendent dans leur village natal du Nord.

Ainsi, avec les absences de plus en plus fréquentes de Coco, à Paris pour son travail ou en promenade à cheval avec Dimitri, et tous les autres partis à l'exception de Piotr qui s'exprime uniquement par monosyllabes, la villa est enfin silencieuse. Soudain, Igor est seul.

29

Igor est assis à une table du salon, les lunettes sur le crâne. Il vient de recevoir un télégramme de Diaghilev : « Les filles de boutique préféreront toujours les grands-ducs aux génies. Ballet à Madrid. Viens avec nous ! » Igor froisse le papier puis le jette violemment contre le mur.

Diaghilev doit tenir ses informations de Misia. Igor avait raison : cette femme est un poison. Il envisage de téléphoner à Diaghilev pour mettre les choses au clair avec lui. Mais quoi au juste ? Le départ de Catherine ? Les raisons pour lesquelles il reste à Bel Respiro ? Dimitri ? L'humiliation où le jette cette situation le fait rougir.

Coco, elle aussi, a reçu des nouvelles. Une lettre avec le cachet de la poste de Biarritz. Quand elle l'ouvre, les veines bleues des mots s'ouvrent sur la page.

Le 6 décembre 1920

Chère mademoiselle Chanel,

Je vous écris pour vous remercier de la générosité dont vous avez fait preuve ces derniers mois en nous invitant à séjourner chez vous. Notre famille a traversé une période pénible récemment. Nous ne sommes pas encore habitués à notre condition d'exilés, exilés qui viennent gonfler les rangs des spoliés d'Europe. Vous avez fait beaucoup pour aider les enfants pendant ces moments difficiles. Je vous suis reconnaissante pour votre aide tant quant à leur éducation qu'à leur acclimatation. Ils vont sans doute séjourner dans ce pays pendant plusieurs années.

Je souhaite également vous remercier pour vos efforts concernant ma santé. Sans votre soutien, je n'aurais jamais eu les moyens de payer les honoraires du médecin. Et encore moins les frais d'un examen radiographique. De tout cela, je vous en sais gré.

J'en viens maintenant à un sujet bien plus difficile à aborder. Je l'ai réservé, comme le veut, je pense, la coutume dans la bonne société, pour la fin. Il ne fait aucun doute pour moi que durant les mois passés vous avez partagé une intimité illégitime avec mon mari. Ceci, je suis sûre que vous le savez, m'a causé énormément de chagrin et, je dois le dire, n'a fait qu'aggraver ma maladie. Bien que je vous respecte en tant que femme financièrement indépendante et douée d'extraordinaires ressources, je ne peux prétendre admirer votre moralité qui me déplaît au plus au point. Heureusement, les enfants ignorent la nature exacte de votre relation avec leur père. Cependant, je ne saurais trop vous engager à un examen de conscience. Je vous conseille d'interrompre, si vous ne l'avez pas déjà fait, votre liaison avec Igor pour lui permettre de s'acquitter de son devoir de père et de mari.

Bien entendu, il porte autant que vous la responsabilité de cette regrettable aventure. Peut-être même la principale, je dois l'admettre. Mais vous semblez pour l'instant en mesure d'influer sur ses sentiments d'une manière remarquable. Si vous pouvez faire un geste de bienveillance en plus de ceux pour lesquels je vous ai remerciée, renoncez à lui, s'il vous plaît. Vous pourrez être surprise que je tienne encore à lui. Nous sommes ensemble depuis de nombreuses années.

Les enfants ont besoin de leur père. Je meurs à petit feu et plus que jamais, j'ai besoin de lui. Vous vous rendrez compte également qu'il faut du calme et de la tranquillité à Igor pour composer.

Je vous remercie de prendre ceci en considération. Les enfants, et plus particulièrement Ludmilla, vous embrassent.

Veuillez recevoir mes sincères salutations.

Catherine S.

Coco replie soigneusement la lettre, puis la range dans l'enveloppe. Elle la tient un moment dans ses mains comme pour en méditer le contenu. Puis, elle la glisse dans sa poche et regarde dans le vide.

Après un déjeuner tendu et arrosé au cours duquel Igor picore et reste taciturne, il demande à s'entretenir en privé avec Coco. Elle jette un regard à Dimitri qui hausse les épaules d'un air supérieur avant d'acquiescer d'un signe de tête. Avec une courtoisie de rustre qui frise le mépris, il leur déclare que cela ne le dérange pas puisqu'il doit nettoyer son arme avant la chasse.

Coco et Igor font un tour au jardin; Coco, dans son manteau de laine, les bras croisés, et Igor, raide, les mains dans les poches. Il fait un froid de loup.

« Alors de quoi veux-tu me parler?

— Je crois que tu commets une erreur », dit-il spontanément.

Ses mots dissimulent une supplique.

« Qu'est-ce qui te fait dire ça?

— Je crois que nous partageons une chose à laquelle nous ne devrions pas renoncer.

— C'est-à-dire?

— Je ne sais pas. Un sentiment. L'amour.

— Je vois. Plus romantique que jamais.

— Tu sais ce que je veux dire.

— Je crains que non, dit Coco sans un soupçon de tendresse dans la voix.

— Nous travaillons bien côte à côte. Nous allons...

— Igor, dis-moi...

— Quoi?

— Est-ce que tu aurais quitté Catherine?

— Il semble qu'elle m'a quitté, elle.

— Est-ce que tu divorcerais?

— C'est injuste. Elle est très malade en ce moment et...

— Je ne veux plus entendre aucune excuse. Tu ne l'abandonneras jamais, même si tu ne l'aimes pas. »

Igor proteste. Coco lève la main pour l'interrompre.

« Bon, je veux bien croire que tu m'aimes. Mais ça ne suffit pas. Je ne supporte pas de devoir tenir le rôle de catin clandestine dans ma propre maison. J'ai trente-sept ans. Je suis riche. Je mérite mieux que ça ! »

Coco s'éloigne ; Igor la saisit par le bras. Inflexible, elle regarde la maison, les bras fermement croisés pour le tenir à distance.

« Je sais que j'ai été égoïste. J'ai été injuste... Les choses vont changer.

— J'aimerais te croire. Et c'est vrai, tu es égoïste. »

Elle se dégage de son bras.

« Eh bien, moi aussi ! »

Elle lance ces mots comme des cailloux au visage d'Igor.

« Le problème, c'est que tu veux que je renonce à ma vie pour favoriser ta carrière, continue-t-elle. Eh bien, je ne le ferai pas. Je ne suis pas comme Catherine. J'ai mon travail. Et puis j'ai de l'ambition.

— Si tu es tellement ambitieuse, pourquoi perds-tu ton temps avec cet imbécile de Dimitri ?

— Je ne vais pas me laisser entraîner dans une dispute idiote !

— Il a douze ans de moins que toi. C'est un gamin, bon sang !

— L'âge n'a rien à voir là-dedans. Et il a onze ans de moins, si tu tiens à savoir.

— Je ne comprends pas comment tu peux prendre cette histoire au sérieux.

— Qui a dit ça ? Peut-être que je veux m'amuser. »

Après quoi elle ajoute :

« C'est permis ? »

Les lèvres entrouvertes d'Igor laissent échapper un grognement. Sa voix se réduit à un murmure.

« Tu ne vois pas que seul ton argent l'intéresse ?

— Je peux comprendre ton amertume et ta jalousie, dit Coco, perdant patience. Il peut te paraître idiot, mais il est gentil avec moi. Il est plus prévenant que tu ne le serais jamais. Et ça me plaît. J'ai envie qu'on s'occupe de moi. Je veux quelqu'un qui soit fou de moi ; quelqu'un qui ne me relègue pas au troisième rang, après son piano et sa femme ! »

Coco, indignée, tape du pied. D'un geste brusque de la main, elle essuie une petite larme.

« Et tu te trompes au sujet de l'argent ! »

Un silence pesant s'installe entre eux. Un chien aboie au loin. La détonation d'un fusil se propage dans l'air humide. Dans un tressaillement, un frêne libère ses feuilles pourpres dentelées.

« Maintenant que Catherine est partie, l'excitation de la compétition s'estompe, n'est-ce pas ? »

L'inflexion est dure. Coco semble sur le point de riposter. D'un ton d'autant plus cruel qu'il est posé, elle réplique :

« Tu as peut-être raison. Peut-être que toi, tu représentes un enjeu moins passionnant. »

Igor a l'impression qu'après une lutte acharnée, l'un des adversaires lâche prise et s'écroule au sol.

« Tu ne peux pas jouer avec la vie des gens comme ça. Tu as détruit une famille…

— Alors que toi, tu n'y es pour rien ?

— Je te demande de réfléchir encore », dit Igor avec insistance en détachant chaque mot avec une netteté maniaque.

Son visage s'assombrit ; son corps se crispe. Ses yeux implorent avec la ferveur du désespoir.

« Diaghilev m'a dit que la troupe part en Espagne. Pourquoi n'irions-nous pas ensemble ?

— Dimitri veut aller à Monte-Carlo.

— Avec toi ?

— Oui.

— Tu vas le suivre ?

— Je n'ai pas encore décidé.

— Tu ne veux pas être avec moi ? »

D'un mouvement de la tête à peine perceptible, Coco rejette la requête. Igor n'arrive pas à croire que tout se termine si stupidement. Désespéré, il cherche comment dénouer la situation afin que leur histoire ne s'achève pas ainsi.

« Qu'est-ce que tu veux ? Te marier ? Avoir des enfants ? »

Coco se rappelle son air atterré quand elle lui a appris qu'elle était peut-être enceinte. Alors, sur un ton plus méprisant qu'elle ne le souhaite, elle lui dit :

« Tu n'es pas exactement le père que je choisirais pour mes enfants. »

C'est comme si une corde se rompait en lui.

« Tu sais quel est le problème avec toi ?

— Non. Éclaire-moi !

— Tu es complètement superficielle ! »

Coco, blessée, le dévisage. Puis ses traits se détendent et elle sourit.

« Tu es complètement superficielle », répète-t-il, plus calme cette fois-ci, mais avec une conviction plus irritante.

Le sourire de Coco se change en un rictus narquois. Puis, sur un ton espiègle, elle lui demande :

« Y a-t-il autre chose ? »

Au même moment, Dimitri sort de la maison. Il crie :

« Coco, tu viens ? »

Prêt pour sa partie de chasse, il tient son fusil sous le bras comme chaque fois qu'il va dans les bois. Son attitude évoque le pouvoir. Se tenant à distance de Coco et d'Igor, il charge nonchalamment son arme.

« Y a-t-il autre chose ? » reprend Igor sans se préoccuper de Dimitri. Mais il est trop tard. Il regarde fixement Coco avec dans les yeux une étincelle sauvage peu flatteuse.

Soudain, un frémissement agite les arbres. Tous trois se tournent. Dimitri, instinctivement, braque son fusil vers les arbres. Son corps ne fait qu'un avec l'arme. Il tire deux coups rapprochés dans les plus hautes branches. À chaque décharge, le recul ébranle son épaule. Des nuages de fumée bleue s'échappent du canon. Un pigeon ramier tombe lourdement sur la pelouse. Aussitôt, un éventail sombre d'oiseaux s'élève et vire au-dessus des cimes. Dimitri, triomphant, siffle. Les douilles brûlantes sont tombées à ses pieds. Le bruit mat des coups de feu a empli le jardin.

Igor n'en croit pas ses yeux. Les déflagrations martèlent encore ses tympans. Lorsque l'odeur âcre de la poudre lui parvient, son indignation déborde. Son visage se déforme. Il est hors de lui.

« Devez-vous détruire tout ce qui vous entoure ? »

Igor se précipite sur Dimitri. Avec des mouvements de bras frénétiques, il prend son élan et lui décoche une volée de coups furieux en pleine poitrine.

« Qu'est-ce que vous faites ? »

Dimitri titube. Le fusil lui tombe des mains. Sous l'effet de la surprise, il encaisse une série de directs inoffensifs. Puis, avec une adresse qui paraît naturelle, il écrase son poing sur le nez d'Igor.

Igor s'effondre. Il a mal. Le coup a déformé ses lunettes. Ses yeux s'emplissent de larmes. Une rayure strie un des verres, lui étoilant la vue. Il lui semble que son nez est cassé. Il passe doucement le bout des doigts sur le point d'impact. Ils se couvrent de sang.

Igor regarde Coco. À présent la demande d'amour n'est plus qu'un faible appel à la pitié. Dimitri attend la réaction de Coco. Il hausse les épaules en signe d'excuse. Il allait parler, mais se ravise.

« Ramasse-les ! » aboie-t-elle.

Elle montre du doigt les deux cartouches, puis hoche la tête, exaspérée par le manque de sensibilité de Dimitri. Pourtant elle n'est pas émue par l'appel muet d'Igor. Enfin, elle s'éloigne.

Dimitri, honteux, demeure un instant immobile, puis la suit. Igor reste assis seul sur l'herbe humide. Il voit la vapeur de son haleine. Il sent la coagulation du sang dans son nez. Il a l'impression que toutes ses peurs se sont figées dans le froid.

Il ôte ses lunettes et examine la fêlure.

30

Catherine et les enfants ont quitté les lieux depuis plus d'une semaine. Joseph et Marie sont toujours en vacances. Dimitri a donné sa journée à Piotr et est encore parti pour une randonnée à cheval avec Coco. Igor se sent abandonné dans la grande maison.

Il vient d'apprendre qu'un visa a été accordé à sa mère. Cela devrait lui faire plaisir, mais la nouvelle l'angoisse. Dans ses télégrammes, elle dit que Catherine lui a écrit et qu'il lui faut savoir si elle doit se rendre à Biarritz ou à Garches. Elle est au courant qu'ils résident dans des lieux différents, rien de plus. Catherine n'aurait pas évoqué leur séparation. Il la connaît suffisamment pour en être sûr. Mais lui, que va-t-il dire ? Comment va-t-il lui expliquer ? Il plie le message jusqu'à le réduire en petit carré, comme si cela pouvait diminuer ses problèmes.

Un mur de silence se dresse autour de lui. Regarder la photographie de sa mère le fait souffrir. Il se trouve vraiment stupide. Et comme un enfant qui vient de désobéir, il redoute la réprimande.

Il a conscience d'avoir commis une erreur et en évalue le prix. Ses pensées se tournent vers Catherine. Comment s'en sort-elle, seule avec les enfants ? Il l'imagine en train de rire à ses dépens avec quelque ami. L'idée l'effleure qu'elle savoure peut-être ces moments passés loin de lui. La distance l'a peut-être libérée. Sa propre existence lui paraît alors absurde.

Il accorde minutieusement le piano. Le diapason tinte comme une ampoule grillée. L'une après l'autre, il tend les quatre-vingt-huit cordes avec un soin minutieux. En guise de récompense pour le travail accompli, il fait doucement glisser ses mains sur le clavier. Les sonorités claires et vives ruissellent comme des gouttes d'eau sur une roche.

Puis il se met à jouer.

Il joue avec une tendresse élégiaque et une retenue qui le blessent. Il enfonce les touches, puis relève doucement les doigts. Les yeux fermés, il médite. Les notes s'élèvent sous ses mains. Il se détend et laisse son esprit vagabonder au rythme de la musique. Les accords gonflent pour exprimer l'extase, puis se fondent en regret.

Il poursuit pendant plusieurs heures en laissant aller ses doigts sur le clavier et, transfiguré, semble converser avec le piano.

À l'heure du déjeuner, il n'a pas faim et continue de jouer. Il n'entend même pas Coco et Dimitri rentrer de leur promenade en riant bêtement.

Il travaille dur pour créer des tensions et des ruptures, pour ralentir le rythme de la symphonie sur les dernières mesures avant le point d'orgue. Il veut épaissir les harmonies et résoudre les dissonances en un accord parfait. Pour le final, il veut un calme surprenant ; une impression de plénitude silencieuse.

Cette nuit-là, Igor, assis seul dans son bureau, boit jusqu'à l'abrutissement.

Comme un automate il avale à grands traits deux bouteilles de vin, suivies d'une demi-douzaine de petits verres de vodka. À côté de lui, le cendrier déborde de mégots. La fumée s'échappe entre ses dents. Il a une impression croissante d'immense vide intérieur. Il comble d'alcool ce gouffre béant.

Lorsque sa maladresse est telle qu'il ne peut plus allumer sa cigarette, que la bouteille de vodka vacille sous ses yeux comme un prisme miroitant, Igor se lève en titubant. Il s'avance vers la porte en trébuchant et heurte le métronome qui tombe avec fracas sur le sol. Le bruit lui fait l'effet d'une explosion. Sous ses pieds, le tapis semble mouvant et élastique. Igor atteint difficilement la porte, puis éteint la lumière. À la lueur derrière lui, il s'avise qu'il a oublié d'éteindre une lampe, mais il n'a pas le courage de faire demi-tour.

Lentement, à quatre pattes, il parvient à l'étage.

Il est deux heures du matin. Le visage d'Igor est couleur de cendre ; ses lunettes sont de travers. La fêlure du verre rend sa vision encore plus floue. Une sueur fine sourd de son front et de sa poitrine.

Coco et Dimitri, couchés plus tôt dans le lit qu'ils partagent, se réveillent lorsqu'ils l'entendent monter l'escalier à tâtons. Quand ils se redressent dans leur lit, Igor a déjà pénétré dans sa chambre et fermé la porte derrière lui.

Igor arrache sa chemise d'un geste violent. Avec l'impatience que provoque l'ivresse, il ôte ses chaussures d'un coup de pied, puis s'écroule en travers du lit. Son cœur bat la chamade. Sa respiration se précipite. Le lustre du plafond darde ses échardes lumineuses. Soudain pris de nausée, il est encore assez lucide pour se précipiter dans la salle de bains. Un vague instinct des convenances le pousse à placer la tête au-dessus de la cuvette.

Inéluctablement, il a l'estomac retourné. Une vague de nausée chaude lui monte à la gorge. Ses yeux sont noyés de larmes. Des flots de bile se déversent dans la cuvette en éclaboussant ses vêtements.

Haletant, il se lève et se regarde dans le miroir à travers ses cils lourds de larmes. Son visage est livide malgré son impression de chaleur. Ses mains sont engourdies ; ses doigts picotent. Il ouvre le robinet, fait couler l'eau jusqu'à ce qu'elle soit glacée, puis inspire profondément et s'asperge le visage. La paume de ses mains couvre un instant ses joues comme un masque. Puis il boit et se rince la bouche. Ses gencives le lancent : l'eau est si froide.

Igor dirige le regard vers la cuvette où les salissures squameuses surnagent comme un poisson mort. L'odeur le révulse. Des rubans de vomi collent à l'émail. Quelques projections ont giclé sur le mur et sur ses vêtements.

Il n'a pas d'autre choix que de tirer la chasse. Il nettoiera demain. La lumière crue de la salle de bains lui fait mal aux yeux. Il sent encore le vomi dans sa gorge et son nez. Il regagne la chambre, puis, sans ôter ses vêtements, s'écroule sur le lit.

Coco, qui ne dort pas, entend les ronflements d'Igor éclater par intermittence toute la nuit. Elle se lève tôt et se rend dans le bureau d'Igor pour ouvrir grandes les fenêtres. La pièce empeste l'alcool et le tabac froid. Elle saisit le cendrier, puis, le tenant à bout de bras, le vide dans la poubelle.

En milieu de matinée, elle va s'enquérir de l'état d'Igor. Lorsqu'elle entre dans la pièce, il bouge un peu et ouvre lentement les yeux.

« Allez », dit Coco en tirant les couvertures.

Elle ouvre les rideaux. Igor se protège de la lumière.

« J'ai encore envie de vomir. »

Avec difficulté, à cause de la gueule de bois, il se lève précipitamment. Puis il court à la salle de bains où il vomit à plusieurs reprises. L'inflexion de reproche de Coco fait place à des bruissements rassurants. Elle lui essuie la bouche avec un linge humide, lui caresse le crâne avec des gestes apaisants. Ensuite, elle l'engage à se déshabiller et lui fait couler un bain chaud. Il hésite, mais il sent qu'elle ne plaisante pas. Il ôte pudiquement ses vêtements, puis se plonge dans l'eau qui déforme ses membres. Elle le lave comme un enfant et il s'affale maladroitement dans la baignoire.

« Je suis désolé, parvient-il à avouer. J'ai honte. »

Sa voix, comme un instrument désaccordé par l'humidité, est montée d'un demi-ton.

« Ce n'est pas grave.

— J'ai raté ma matinée de travail.

— Je crois, oui. »

Coco lui nettoie le visage, puis presse une éponge au-dessus de sa tête. L'eau ruisselle, apaisante, sur son crâne et le long de ses joues.

« Tu es très gentille, dit-il. Vraiment. »

Elle lui lisse les sourcils.

« Comment te sens-tu maintenant ?

— Un peu mieux. »

En réalité, il se sent très mal. Il déteste se montrer à elle dans cet état. C'est humiliant. Il a honte et ce n'est pas la première fois. Il s'extirpe de la baignoire et noue chastement une serviette autour de sa taille. Lorsqu'il est séché, il s'avance vers Coco. Ils s'étreignent affectueusement. Dans un élan puéril, ils se retrouvent front contre front. Leurs doigts s'emmêlent. Les mains d'Igor, encore humides, adhèrent à celles de Coco.

« Je sais que je t'ai perdue. Maintenant je dois te laisser partir. »

Elle ne répond pas. Elle est heureuse d'être avec lui en cet instant. Ils se laissent aller à la tendresse des amants qui ont accepté la rupture.

« Pouvons-nous être amis ? » l'implore-t-il.

Coco réprime son envie de rire. Dans un autre contexte, cette question pourrait sembler pitoyable, mais la douceur du visage d'Igor et la fragilité de sa voix requièrent une réponse aimable et respectueuse.

« Bien sûr. »

Ils pressent leurs mains, puis dégagent lentement les doigts.

« Je crois que tu ferais mieux de dormir maintenant, dit Coco.

— Oui. »

Igor, reconnaissant, se recouche. Coco lui fait au revoir de la main, lui lance un baiser, puis referme la porte derrière elle.

31

Baguette à la main, Igor monte sur l'estrade, derrière le pupitre d'orchestre, pour une répétition de la reprise du *Sacre du printemps*. Il s'est laissé pousser la moustache et porte une pochette et des binocles.

Les yeux plissés et la bouche entrouverte, Igor s'apprête à diriger. Puis, marquant la mesure de la main gauche et invitant les musiciens à commencer de la droite, il fait surgir la musique. Le basson émet six notes poignantes. Les autres bois s'éveillent comme par enchantement. Les premiers violons grattent en réponse ; les flûtes gazouillent avec inquiétude. Des notes sont lancées par les seconds cors, suivies par de soudaines éjaculations des cuivres et des cordes.

Les doigts d'Igor se raidissent pour indiquer un tempo plus rapide. Ses mains fendent l'air, puis elles se détendent pour solliciter des harmonies plus apaisées. Désignant des instruments en particulier, il obtient ici un accent, là une nuance. Son insistance à solliciter le regard des musiciens et leur empressement à y répondre créent entre eux une subtile compétition pour attirer son attention. Il tient à exploiter cette concentration rare afin de tisser les fragments en une pièce cohérente.

Soudain, son front se plisse. Il manque quelque chose. Exaspéré, il abaisse sa baguette et tape sur le pupitre afin d'obtenir le silence de l'orchestre. Il se tourne vers le timbalier qui sourit gentiment, à demi caché par ses cheveux.

« Le passage est censé être joué fortissimo ! tonne-t-il. Les peaux sont là pour être frappées, pas caressées ! »

Alors qu'Igor s'avance solennellement vers le piano, ses pas résonnent bruyamment dans la salle de répétition mal chauffée. Il joue quelques mesures sans s'asseoir pour bien illustrer son propos.

« Vous voyez ? »

Le timbalier, mortifié, les baguettes encore à la main, rougit.

Après avoir regagné son pupitre, Igor fait reprendre les musiciens quelques mesures avant le passage raté. Il hoche la tête en signe d'approbation quand le timbalier exécute correctement sa partie.

Igor ferme les yeux pour écouter. Il n'a plus besoin de suivre la partition puisqu'il la connaît par cœur. Il ressent ses coups et ses caresses, imagine les couleurs créées par les notes. Les cordes exhalent une odeur de résine. Il savoure le coulé des accords familiers en *mi* et *fa* bémol majeur.

La musique ranime des souvenirs du remaniement de l'œuvre. Il se voit au piano à Bel Respiro avec ses stylos encre et ses feuilles de papier à musique posées sur le pupitre. Il retrouve la lumière du soleil et le chant des oiseaux qui flottent dans son bureau. Puis, comme une apparition magique au milieu d'une mesure, sans qu'il l'ait invité, le visage de Coco se rappelle à lui. La grande bouche, les cheveux noirs coupés court, les sourcils épais ; ses mains qui répondaient aux accents du piano. Ses baisers. Ses yeux qui s'assombrissaient quand il la pénétrait, ses mouvements pendant l'amour.

Il reçoit cette image comme un coup de poignard.

Il est stupéfait de découvrir à quel point la musique l'émeut. Jusqu'à présent, il l'avait toujours considérée comme un absolu, pur et authentique ; une essence ne représentant rien d'autre qu'elle-même. Après avoir résisté si longtemps à la puissance évocatrice de son art, il se retrouve submergé par les images et les souvenirs qu'il lui évoque. Il ressent une douleur dans la gorge. Ses jambes flageolent. L'effet de la musique l'intrigue. L'expérience ne relève pourtant pas des sentiments, elle n'est ni confuse ni sirupeuse. Les souvenirs sont précis, ce qui rend le deuil d'autant plus douloureux. Alors, la tristesse s'abat sur lui.

Seul le premier violon s'en avise. Installé face à Igor, il cherche souvent son regard si bien qu'il remarque l'œil humide du chef d'orchestre.

Igor sent perler une larme, comme une loupe minuscule qui révélerait pêle-mêle la douleur, le désir, toutes les caresses échangées avec Coco, distillant l'espace d'un instant les mois passés à Garches. Puis la larme roule et avec elle le souvenir de leur relation vole en un millier d'éclats. Irrémédiablement. La musique explose soudain en lui. Les percussions grondent sourdement, les cordes se contractent, puis les cuivres font leur entrée dans un fracas orgiaque. De gigantesques embardées sonores.

La larme qui glisse, rapide, le long de sa joue, ralentit près de l'aile de son large nez, puis atteint sa lèvre où, comme aspirée dans un gouffre, elle finit par se dissoudre sur sa langue.

32

Le jour de sa mort, un dimanche, Coco fit une promenade en voiture.

Au retour, après avoir congédié son chauffeur, elle pénétra dans le hall du Ritz par la porte tambour. Ce qu'elle avait vu la troublait encore et elle se sentait lasse. Son corps lui avait semblé si lourd que chaque pas avait été difficile.

Ce matin-là, les journaux avaient annoncé que les pigeons allaient être exterminés. Leurs cadavres jonchaient les boulevards et les rues, partout où elle avait porté les yeux.

Le massacre et le silence qui en avait résulté l'avaient choquée. Au milieu du léger bourdonnement de la circulation matinale, on n'entendait pas un chant d'oiseau. Le gargouillis mélodieux de leurs roucoulements avait disparu. Tout semblait soudain si calme. La brume en s'accrochant aux arbres rendait leurs silhouettes fantomatiques. La ville semblait décolorée. L'odeur de décomposition avait presque fait défaillir Coco.

De retour dans sa suite, elle se reposa sur son lit simple. Son jour de congé. Elle n'aurait pas à se rendre à la boutique avant le lendemain. Elle regarda les murs blancs, les vases abondamment fleuris, les étagères croulant sous les volumes reliés de cuir, alors qu'elle éprouvait un vide grandissant.

Allongée là, elle entendit le carillon des cloches de l'église. Leur son la transporta un instant dans le couvent d'Aubazine pendant ses années d'école. Elle se rappela les prières murmurées près de l'autel dans la chapelle, la lueur des cierges sur les rangées de fleurs séchées. Malgré les années qui la séparaient de ce moment, elle voyait encore les nuages d'encens s'élever au-dessus de la Madone en diffusant leur parfum.

Elle observa l'icône en triptyque qu'Igor lui avait offerte après son départ de Garches cinquante ans plus tôt. Y avait-il si longtemps ? se demanda-t-elle.

Elle sourit à l'idée que dans la trame dense du siècle, ils aient réussi à tisser des liens. Dans son souvenir, le motif de leur histoire d'amour conservait des couleurs vives ; une danse, courte, mais parfaite. Ils approchaient tous deux de la quarantaine. Elle songea qu'ils avaient l'air bien jeunes. À présent, elle se sentait si décrépite, si vieille, si seule. Elle se demanda ce qu'il serait advenu s'ils étaient restés ensemble ; dans quelle mesure leurs vies auraient été différentes. Elle possédait toujours, rangé quelque part, son piano mécanique. Il n'était jamais venu le chercher.

Les souvenirs de la dernière moitié du siècle se conjuguaient à la blancheur de sa chambre, lui donnant l'impression de se déployer dans l'espace infini de son être. Lentement, alors que le son des cloches diminuait et que sa fatigue augmentait, elle sombra dans le sommeil.

Une heure plus tard, elle se réveilla en sursaut. Un nœud se forma dans son estomac. Une douleur envahit sa poitrine.

Elle cria à sa femme de chambre, Céline :

« Ouvrez la fenêtre ! J'étouffe ! J'étouffe ! »

Ces mots semblèrent arrachés de sa gorge.

Regardant l'icône sur la table de nuit, elle ressentit le besoin de se signer. Une foule d'images se bouscula dans son esprit : cette première nuit au théâtre des Champs-Élysées, le bouquet de jonquilles qu'il lui avait porté au zoo, le bouton nacré qu'elle avait recousu à sa chemise, la nuit de l'orage quand elle s'était évanouie dans ses bras, ses doigts glissant sans bruit sur les touches du piano, les promenades sous le soleil dans les bois, la danse sur les tables au *Bœuf sur le toit*, et le perroquet couleur pistache qui les rendait fous à crier son nom.

Les images se condensèrent avec une clarté hallucinatoire. Elle crut entendre de la musique au loin : les soubresauts d'un piano, une harmonie lointaine. Elle la suivit à travers les pièces communicantes de ses sens. Et, dans la farandole de souvenirs impromptus, elle revit son visage alors qu'il se penchait pour l'embrasser et revit distinctement ses yeux noirs.

La douleur se d.iffusa dans sa poitrine avant de gagner ses bras.

Elle entendit Céline prononcer des paroles rassurantes, puis la vit saisir une seringue. Elle souleva péniblement la tête de l'oreiller. Elle se cambra, puis retomba lourdement. Elle sentit quelque chose l'enserrer. Le parfum des lys monta à ses narines. Une larme perla à son œil, iridescente.

Puis, tout devint blanc.

Sur un autre continent, à New York, Igor sortait du lit. Il ressentit une vive douleur au côté. Un élancement sourd persista lorsqu'il se leva. Il étira les bras pour le faire cesser. Il ôta une chemise neuve de sa housse de plastique. L'électricité statique hérissa les poils de ses mains. Après avoir déchiré des couches de papier de soie, il retira le support de carton blanc et le protège-col. Il ôta les épingles. Les manches étaient froncées comme un rideau de cinéma. Le côté gauche portait une poche carrée. Il défit quelques boutons, puis enfila la chemise par la tête. Après un moment de semi-panique où il crut s'étouffer, son visage émergea. Il leva les bras comme s'il allait s'envoler.

À Paris, l'aspirateur ratissait le hall. La porte tambour de l'hôtel tourna sur son axe dans le sens des aiguilles d'une montre. Les patins frottèrent le sol et le chambranle, empêchant l'air froid d'entrer.

CHRONOLOGIE

17 juin 1882 : naissance d'Igor Stravinski à Oranienbaum, près de Saint-Pétersbourg, où son père exerce la profession de chanteur à l'Opéra impérial. La famille Stravinski fréquente les cercles impériaux.

19 août 1883 : naissance de Gabrielle Chanel à Saumur. Ses parents ne sont pas mariés. Son père, colporteur, est absent au moment de sa naissance.

1895 : Mort de la mère de Gabrielle. Son père les conduit, elle et sa sœur, dans un orphelinat de religieuses à Aubazine.

1900 : Igor entre à l'université de droit de Saint-Pétersbourg. Gabrielle est admise dans une institution religieuse de Moulins. L'établissement est payant mais accepte gratuitement les jeunes filles dans le besoin. Gabrielle se rend régulièrement à Varennes-sur-Allier, chez sa tante, qui lui enseigne la couture et le pli.

1903 : Igor devient l'élève de Rimski-Korsakov. Gabrielle se distingue par ses talents de couturière. Elle prend une chambre et commence à fréquenter la garnison où elle tient compagnie aux lieutenants et connaît ses premiers amants.

1904 : Gabrielle fait ses débuts à *La Rotonde* en tant que figurante. Les chansons « Ko Ko Ri Co » et « Qui qu'a vu Coco dans l'Trocadéro » lui valent son surnom, qui restera.

1905 : Igor termine ses études de droit avec succès. Coco fait une saison comme chanteuse à Vichy. Elle commence à dessiner et à confectionner des chapeaux et des jupes. Après plusieurs échecs à des auditions dus à « sa voix de corbeau », elle travaille aux bains publics. Elle rentre à Moulins pour l'hiver.

1906 : Igor, qui, à la suite d'un décret du tsar, ne peut épouser sa cousine germaine Catherine Nossenko, se rend dans un petit village loin de Saint-Pétersbourg afin de trouver un prêtre qui célébrerait la cérémonie. Aucun membre de la famille n'est présent. Rimski-Korsakov accepte de faire office de témoin. Le couple s'installe à Ustilug, dans le sud de la Russie. Étienne Balsan, ami et amant occasionnel de Coco, touche un héritage grâce auquel il achète une propriété à Royallieu où il élève des chevaux. Coco l'accompagne en qualité d'apprentie.

1907 : L'orchestre impérial joue la *Symphonie en mi bémol* d'Igor à Saint-Pétersbourg. Naissance de son premier fils, Theodore.

1907-1908 : Coco prend du bon temps et jouit de la vie de château. Ses talents de cavalière impressionnent et elle se lie d'amitié avec des grands noms du milieu. Elle se rend de temps en temps à Paris.

1908 : Coco rencontre Arthur Capel (« Boy »). Comme sa vie de loisir aux côtés des chevaux l'ennuie, elle se met à confectionner des chapeaux pour ses amies. Naissance de Ludmilla, la première fille d'Igor et Catherine.

1909 : Installée par Étienne dans un appartement parisien, Coco débute son activité de modiste qui lui vaut un succès immédiat.

1910 : Première de *L'Oiseau de feu*, de Stravinski, sa première collaboration avec les Ballets russes de Diaghilev. Igor met en musique deux poèmes de Verlaine : « La lune blanche » et « Un grand sommeil noir ». Naissance de Soulima, son deuxième fils. Début de la relation entre « Boy » et Coco, qui déménage au 21, rue Cambon où elle débute officiellement son activité de modiste.

1911 : Igor termine *Petrouchka*. Un critique décrit la partition comme « de la vodka russe mélangée à des parfums français ». Stravinski rencontre Ravel et Debussy à qui il dédicace sa pièce suivante : *Le Roi des étoiles*. Debussy déclare que l'œuvre pourrait être jouée sur Aldébaran, mais « pas sur notre modeste terre ! ».

1912 : Coco confectionne des chapeaux pour des productions théâtrales et entre en contact avec de nombreux artistes.

1913 : Première du *Sacre du printemps* au théâtre des Champs-Élysées le 29 mai, sous la direction de Pierre Monteux. La musique et la chorégraphie de Nijinski interprétée par les Ballets russes provoquent une émeute. Coco assiste à la représentation. Elle ouvre sa première boutique à Deauville. Son nom est peint en noir au pochoir sur le store blanc.

1914 : Première du *Rossignol* de Stravinski. Exempté du service militaire, il fuit la guerre et se réfugie à Lausanne. Naissance de Milène, son dernier enfant. La baronne de Rothschild fréquente la boutique de Coco qui connaît son premier succès de modiste.

1915 : Avancée des troupes allemandes ; les dames de l'aristocratie se réfugient à Deauville et renouvellent leur garde-robe chez Coco. Elle confectionne des uniformes d'infirmières pour les volontaires de l'hôpital et crée de chastes tenues de bain pour les aristocrates. Elle ouvre un magasin à Biarritz, en face du casino. Elle dirige désormais une soixantaine d'employés.

1916 : Coco a acquis son indépendance financière. La plupart des couturiers étant réquisitionnés pour l'effort de guerre, elle a la liberté de façonner le paysage de la mode française. Rapidement, elle emploie trois cents personnes.

1917 : Après la révolution, Igor est forcé à l'exil hors de Russie.

1918 : Première de *L'Histoire du soldat* d'Igor, à Lausanne.

1919 : « Boy » meurt dans un accident de voiture. Bouleversée, Coco tapisse sa chambre de noir, avec des rideaux et des draps également noirs. Elle se rend à Venise avec son amie Misia Sert pour se remettre. Elle y rencontre Diaghilev. Les *Cinq pièces faciles* d'Igor sont jouées à Lausanne.

1920 : Igor retravaille les arrangements de Pergolèse pour son ballet *Pulcinella* et termine ses *Symphonies d'instruments à vent.* Coco quitte le 21 de la rue Cambon pour s'installer au 31 et se fait appeler « couturière » pour la première fois. Diaghilev, dont le poète W. H. Auden fera rimer le nom avec « love », présente Coco à Stravinski. Elle invite Igor et sa famille à séjourner dans la villa qu'elle vient d'acquérir à Garches. Début de la liaison entre Coco et Igor. Coco rencontre le grand-duc Dimitri avec qui elle aura une liaison plus tard. Naissance du parfum Chanel n° 5.

1921 : Mort de Marie, la servante de Coco, des suites de la grippe espagnole. Coco vend la maison de Garches et s'installe dans un appartement du faubourg Saint-Honoré. Le premier meuble à y prendre place est un piano. Stravinski et Diaghilev, pianistes, font partie des visiteurs réguliers. Chanel rencontre Picasso et le poète Pierre Reverdy, qui devient son amant. Lancement de Chanel n° 5. Igor rencontre Vera Sudeikina qui deviendra sa seconde épouse.

1922 : Igor partage son temps entre le foyer familial et celui de Vera. Grâce au tact de Catherine, la mère d'Igor, qui a retrouvé la famille à Biarritz, ne saura jamais rien des aventures de son mari. Coco dessine les costumes de l'*Antigone* de Cocteau. C'est le début d'une longue collaboration professionnelle.

1923 : Igor termine *Les Noces*.

1925 : Igor devient l'un des pianistes virtuoses les plus en vue et commence une tournée aux États-Unis. Année de la petite robe noire. Son élégance morbide scandalise et fascine la société parisienne. Elle va devenir, comme la Ford T, une icône de la mode. Reverdy quitte Paris. Coco rencontre Winston Churchill et est courtisée par son meilleur ami, le duc de Westminster. Leur histoire durera cinq ans, durant lesquelles la presse britannique ne cessera d'évoquer un éventuel mariage. Coco tentera d'avoir un enfant, en vain.

1926 : Coco dessine les costumes d'*Orphée* de Cocteau. Elle lance une nouvelle mode : le port de boucles d'oreilles dépareillées, une perle noire et une perle blanche.

1927 : Collaboration d'Igor et Cocteau pour *Œdipe roi*. Coco dessine et confectionne les costumes. Parvenant difficilement à satisfaire la demande, elle cède aux frères Wertheimer les droits exclusifs de production et de vente de Chanel n° 5. Elle sera en constant conflit avec la famille qui voudra à plusieurs reprises la freiner dans la promotion de nouveaux parfums.

1928 : Igor compose la musique d'*Apollon musagète* de George Balanchine, qu'il surnomme ballet « blanc », c'est-à-dire dont la chorégraphie est entièrement abstraite, dénuée de toute recherche narrative ou suggestive, et représentée en monochrome. De nouveau, c'est Coco qui se charge des costumes.

1929 : Coco et Igor veillent Diaghilev sur son lit de mort. Coco organise et finance ses obsèques au cimetière de l'île de San Michele, proche de Venise.

1930 : Igor compose la *Symphonie des psaumes*. Le duc de Westminster, lasse de la dévotion de Coco à la couture, finit par épouser une aristocrate (Miss Loelia Ponsonby). La réaction de Coco est comme prévu farouche : « Il y a eu plusieurs duchesses de Westminster. Il n'y a qu'une Gabrielle Chanel ! »

1931 : Coco est invitée à Hollywood par Samuel Goldwyn pour habiller les stars, à l'écran comme dans la vie, et signe un contrat de un million de dollars. Elle s'y rend accompagnée de Misia. Le studio affrète un train spécial peint en blanc. Bien qu'accueillie en vedette, elle abrège son séjour et n'y retournera pas, même si elle est censée revenir deux fois par an. Elle se méfie de Hollywood qui se trouve d'après elle entre les mains des Juifs. Elle dessinera les costumes de trois films seulement, dont *Cette nuit ou jamais*, avec Gloria Swanson.

1932 : Liaison de Coco avec le dessinateur Paul Iribarnegaray (« Iribe »). Elle parraine le journal ultranationaliste et antisémite *Le Témoin* pour lequel il dessine. Elle autorise qu'on utilise son image comme symbole de la République française face à la menace des « étrangers ». On dit que les fascistes s'inspirent de Coco pour mettre en avant la force de la couleur noire. Coco organise une exposition privée de diamants qu'elle a dessinés. Changement de cap apparent pour celle qui, jusqu'alors, avait fait en sorte de démocratiser le bijou et revaloriser la fausse pierre.

1934 : Coco déménage au Ritz, à Paris, et quitte le faubourg Saint-Honoré pour La Pausa. En conséquence, Joseph, son majordome, est remercié. Ils se quittent en mauvais termes, Joseph l'ayant fidèlement servie durant dix-sept ans. En dépit des offres alléchantes de nombreux magazines et biographes, il ne révélera rien des secrets de la vie de Coco Chanel. Igor achève *Perséphone*. Il obtient la nationalité française.

1935 : Igor joue le *Concerto pour deux pianos seuls* avec son second fils, Soulima, à Paris. Après une deuxième tournée américaine, il s'installe à Biarritz. Coco pleure la mort soudaine de son amant, Paul Iribe.

1936 : Grève du personnel Chanel à la suite du refus de Coco d'appliquer la loi réduisant la durée du temps de travail à quarante heures par semaine. Les employés lui bloquent l'entrée de sa propre boutique.

1937 : Igor assiste à l'inauguration du théâtre de l'Athénée à Paris. Il est assis à côté de Coco dans la salle. Première de *Jeux de cartes*, à New York. Il est invité à Hollywood par Charlie Chaplin, lui-même compositeur accompli.

1938 : Mort de Ludmilla, la fille d'Igor, de la tuberculose. Elle était employée par Chanel. Coco, en réponse aux grèves incessantes qui ont lieu dans ses boutiques, annonce la fermeture de Chanel.

1939 : Ayant perdu sa première femme puis sa mère et sentant la guerre approcher en Europe, Igor émigre aux États-

Unis et s'installe en Californie, à Beverly Hills. Son grand rival, Arnold Schönberg, vit à dix minutes de là. Ils ne se rencontreront jamais. Igor fait cependant la connaissance de Walt Disney qui, en échange d'une coquette somme, adapte *Le Sacre* pour son film *Fantasia.* Coco dessine les costumes de *La Marseillaise* et *La Règle du jeu.*

1940 : Désormais veuf, Igor épouse celle qui est sa maîtresse depuis dix-neuf ans, Vera Sudeikina.

1941 : Coco reste à Paris durant la guerre. Elle a une liaison avec un officier nazi, von Dinklage ou « Spatz », qui a quitté sa femme quelques années auparavant en découvrant qu'elle avait des origines juives. Coco est autorisée à garder sa suite au Ritz, faveur rare pour une citoyenne française. Elle tente en vain de reprendre aux frères Wertheimer sa ligne de parfums en invoquant les lois nazies interdisant aux Juifs la production ou la vente de tout type de produits. Malgré sa haine pour les fascistes, Igor flatte Mussolini. Qualifié de Juif par la presse nazie, Stravinski s'empresse de nier. La plupart de ses revenus proviennent d'Allemagne.

1942 : Igor compose *Circus Polka* pour une parade d'éléphants au cirque Barnum and Bailey. Les éléphants ont du mal à suivre le rythme de cette composition.

1943 : Coco prend une étrange initiative, connue sous le nom d'« opération Modellhut » (« opération chapeau de couture ») en faveur de la paix franco-allemande. Elle essaie d'entrer en contact avec Churchill et se rend en Allemagne où elle rencontre des dignitaires nazis, dont Schellenberg.

1945 : À la Libération, alors qu'Hemingway et les résistants « libèrent » le Ritz en offrant une tournée générale de soixante-dix-sept Martini au bar du rez-de-chaussée, au premier étage, Coco, soupçonnée d'avoir collaboré avec les nazis, est arrêtée. Le duc de Westminster (peut-être même Churchill en personne) intervient. Rapidement relâchée, elle vit en émigrée, notamment à Lausanne, où elle sera la voisine de Charlie Chaplin, qui fuit la chasse aux sorcières menée par les États-Unis. Stravinski devient citoyen américain. Lors de la cérémonie de naturalisation, on découvre que le témoin qu'il a choisi, Edward G. Robinson, vit illégalement depuis vingt ans dans le pays. Avec son *Ebony Concerto*, Igor tente de mêler les structures musicales classiques au jazz.

1948 : Igor rencontre Robert Craft qui soutiendra et chroniquera sa musique tout en devenant son confident jusqu'à la fin de sa vie.

1949 : Coco et Igor déjeunent ensemble chez *Maria's* à New York.

1950 : Mort de Misia Sert. Chanel lave et parfume sa dépouille, l'habille de blanc et tapisse son cercueil de fleurs blanches. Comme elle l'a fait pour Diaghilev, elle se rend aux obsèques vêtue de blanc.

1951 : Première de l'opéra d'Igor *The Rake's Progress*. Le livret est signé W. H. Auden.

1953 : Igor est conquis par le système de composition dodécaphonique, ou sériel, défendu par Arnold Schönberg, son rival de toujours récemment décédé. Après huit ans d'exil, à l'âge de soixante-dix ans, Coco décide de revenir à Paris et de se remettre au travail.

1954 : Le 5 février, Coco fait son retour dans les milieux de la mode parisiens. Après un accueil réservé, elle dominera la mode parisienne jusqu'à sa mort.

1955 : Mort de la tante et amie de Coco, Adrienne.

1957 : Première d'*Agon* de Stravinski, nouveau ballet « blanc » pour douze danseurs.

1961 : Coco dessine les costumes de *L'Année dernière à Marienbad* d'Alain Resnais.

1962 : Invité par les autorités soviétiques, Igor se rend en Russie. Il compose *The Flood* pour la chaîne télévisée CBS. Il est reçu à la Maison-Blanche par le Président Kennedy.

1963 : JFK est assassiné à Dallas. Assise à côté de lui, Jackie Kennedy porte un tailleur Chanel en laine rose, qui se retrouve maculé de sang.

1964 : Igor compose *Élégie pour JFK.*

1969 : La comédie musicale *Coco*, inspirée de la vie de Chanel, est créée à Broadway avec un livret d'Alan Jay Lerner, sur une musique d'André Previn, et des costumes de Cecil Beaton. Katharine Hepburn, alors âgée de soixante-dix ans, est engagée pour interpréter le rôle-titre. Quand elle avait suggéré « Hepburn », Coco avait pensé à Audrey, beaucoup plus jeune. Alors que la comédie musicale devait dépeindre les années 1920 et 1930, elle présente une version mièvre du retour sur le devant de la scène d'une femme de soixante-dix ans. Désireux de flatter le public de Broadway, le scénario suggère à tort que Coco a pris l'importante décision de retrouver son travail grâce à un dessinateur américain. Avec un budget de 900 000 dollars et un décor entièrement construit en miroirs, c'est le spectacle le plus coûteux de toute l'histoire de Broadway. Coco le déteste. Les critiques ne sont pas très enthousiastes. Le projet de film financé par Paramount est mis de côté. Pour des raisons essentiellement médicales, Igor retourne à New York.

1970 : Lancement de Chanel n° 19, le chiffre faisant référence au jour de naissance de Coco.

1971 : Mort de Coco, dans sa chambre du Ritz, le dimanche 10 janvier. Sur sa table de chevet se trouve une icône que lui a donnée Igor en 1925. Lors de ses obsèques, à la Madeleine, l'église est remplie de lys blancs, sa fleur préférée. Elle est enterrée dans le grand cimetière de Lausanne. Sur la pierre tombale sont sculptés cinq lions de marbre. Igor meurt le 6 avril, à l'âge de quatre-vingt-huit ans, autant d'années qu'il y a de touches sur un piano. Son cortège funèbre de gondoles noires sur les canaux vénitiens revêt la solennité et la pompe dignes d'un chef d'État. Il repose dans l'île de San Michele, cimetière vénitien, aux côtés de son ami Diaghilev, que Coco avait enterré là quarante-deux ans plus tôt.

1984 : Lancement d'un nouveau parfum : Coco.

1989 : Karl Lagerfeld, nommé peu de temps avant styliste chez Chanel, lance sa nouvelle collection pour l'année 1990 au théâtre des Champs-Élysées. Le défilé s'ouvre sur la musique du *Sacre du printemps* de Stravinski.

Remerciements

Je tiens à remercier Susan Shaw, Charlotte Rawlinson et Chris Fletcher pour leurs nombreuses suggestions utiles. Ma sincère gratitude à Caroline Davidson, mon agent, et à Mary-Anne Harrington, mon éditrice, pour leur professionnalisme exemplaire et leur gentillesse. Merci par-dessus tout à ma femme, Ruth, pour sa générosité et son soutien indéfectible.

Les principaux ouvrages que j'ai consultés, sur Chanel : *Coco Chanel*, d'Edmonde Charles-Roux ; *Coco Chanel, A Biography*, d'Axel Madsen ; *Coco — The Life and Loves of Gabrielle Chanel*, de Frances Kennett ; *Chanel : The Couturière at Work*, d'Amy de la Haye et Shelley Tobin, et enfin *Chanel — Her Life and Her Style*, de Janet Wallach. Sur Stravinski : les biographies de Stephen Walsh et Michael Oliver m'ont été particulièrement utiles, ainsi que les ouvrages écrits en collaboration avec Stravinski et édités par Robert Craft, en particulier *Conversations with Stravinsky, Expositions and Developments* et *Memories and Commentaries*.

Photocomposition Asiatype

Impression réalisée par

La Flèche

pour le compte des Éditions Calmann-Lévy
31, rue de Fleurus, Paris 6e
en mars 2009

N° d'éditeur : 14590/01
N° d'imprimeur : 51868
Dépôt légal : avril 2009
Imprimé en France